ORIGÈNE

HOMÉLIES
SUR LES NOMBRES
III

SOURCES CHRÉTIENNES

N° 461

ORIGÈNE

HOMÉLIES SUR LES NOMBRES
III

HOMÉLIES XX - XXVIII

TEXTE LATIN DE W. A. BAEHRENS (G.C.S.)

Nouvelle édition

par

LOUIS DOUTRELEAU, s.j.

LES ÉDITIONS DU CERF, 29 Bd Latour-Maubourg, Paris 7e

2001

*La publication de cet ouvrage a été préparée avec le concours
de l'Institut des « Sources Chrétiennes »
(UMR 5035 du Centre National de la Recherche Scientifique)*

**

Cet ouvrage est publié avec le concours du Conseil Général du Rhône.

AVERTISSEMENT

Ce Tome III des *Homélies sur les Nombres* d'Origène met un terme à la série des homélies sur le *Livre des Nombres*, transmise par Rufin. L'édition *SC* de 1951, qui était, nous le rappelons, d'un seul tenant pour les 28 homélies et qui ne contenait pas le texte latin, a été découpée en trois pour que chaque partie fût plus maniable et de dépense modique. Après *SC* 415 (1996) *Hom.* I-X et *SC* 442 (1999) *Hom.* XI-XIX, voici donc les *Homélies* XX-XXVIII. A s'en tenir à l'intervalle de trois ans qui sépare chacun des volumes et durant lequel il était possible, « vingt fois sur le métier », de remettre l'ouvrage, on peut imaginer la somme des modifications qu'on pouvait lui apporter. Mais il s'agit de qualité plus que de nombre : la révision en a été intégralement menée selon le mode et dans l'esprit qui avaient été définis à l'*Avertissement* du Tome I, c'est-à-dire que le soubassement repose sur le travail de mes deux prédécesseurs, A. Méhat principalement et, dans une moindre mesure, M. Borret. J'ai eu tout loisir de réviser leur traduction, de la corriger quand c'était nécessaire et de lui apporter, selon les règles de l'art qui s'imposent au traducteur, l'habillage final : ton, style, liaisons, mouvement, précisions, aisance, en un mot l'allure française qui convient.

Le contenu des homélies ne se laisse pas réduire à l'unité, car c'est la variété des ordonnances ou des événements rapportés dans les derniers chapitres (26-36) du *Livre des Nombres* qui s'est imposée à Origène. Les titres donnés aux homélies ne reflètent pas la diversité des sujets auxquels, chemin faisant, touche Origène. Ces titres sont tardifs, dépendent de la tradition manuscrite latine et résument tant bien que mal l'idée générale d'une homélie ou du moins le souvenir qu'en a gardé un lecteur hâtif. Aussi bien, tout en gardant dans le latin les titres exacts fournis par Baehrens, nous ne nous sommes pas senti tenu de les traduire ponctuellement.

Nous relèverions comme plus attractive, l'*Homélie* XXI sur le second dénombrement et son attachement au salut d'un petit nombre ; comme plus instructive, l'*Homélie* XXIII sur les fêtes et leur accomplissement dans l'autre monde ; comme plus intérieure, l'*Homélie* XXV sur la qualité de combattant guerrier et de combattant spirituel ; comme plus incitative à la perfection de soi-même, l'*Homélie* XXVII, la plus longue et la plus inattendue de toutes. De cette dernière, nous tirons, en conclusion, l'image fourmillante de la ruche. La ruche contient l'ensemble des Livres sacrés. De l'abeille qui travaille au sein de la ruche, on dit que son utilité est d'entretenir par son activité la santé des rois et des petites gens. Entré par le Livre au sein de la ruche, pouvons-nous ne pas souhaiter la santé à quiconque prendra envie de lire les homélies de ce Livre ?

L. Doutreleau

HOMÉLIE XX

HOMÉLIE XX
(*Nombres* 25, 1-10)

NOTICE

Comportement d'Israël à Sattim

C'est une sorte de traité assez librement organisé, du péché, de sa séduction, de ses maléfices et des remèdes pour s'en garder, qu'on lira ici. Origène espère être assez bref — il ne le sera pas ! — pour passer ensuite au thème du recensement, — il ne le traitera que dans l'homélie suivante.

Luxure, débauche, fornication, prostitution, idolâtrie, tel est le souvenir qui s'attache à l'arrivée des Israélites à Sattim. Pour la séduction, Balach, conseillé par Balaam, a bien fait les choses (§ 1,3) ! des escadrons de prostituées attendent les guerriers, les prennent dans leurs filets et les entraînent jusqu'au culte de Béelphégor. Que n'étaient-ils, ces guerriers, « cuirassés de justice, casqués du salut, armés du bouclier de la foi » ! Les leçons de l'histoire nous enseignent que les précautions de la vertu ne sont jamais trop grandes en face des attraits de la volupté et qu'à la captivité par le diable s'ajoute le courroux de Dieu, qui peut nous poursuivre jusqu'au monde à venir (§ 1,5).

Passons de ces débauches matérielles à l'aspect spirituel (§ 1,6-2,1) : il y a une fornication qui ne touche que l'âme. Car l'âme vit d'union spirituelle avec le Christ ; si l'infidélité la souille, elle enfante alors des fils de péché qui n'ont qu'à maudire le jour de leur naissance, comme font plusieurs personnages de l'Écriture sainte (§ 2,2).

Langage métaphorique qui se continue en § 2,3-4 : Origène veut faire comprendre que le péché commence avec l'intention et réside dans la volonté, avant même que l'acte soit accompli ; dans ces conditions, le péché peut être facilement maîtrisé, comme il ressort de l'Écriture et de ses images suggestives : le Ps. 136 ne conseille-t-il pas que « le tout-petit » conçu dans la perversité et « sortant à peine la tête hors de la matrice de l'âme, soit aussitôt saisi et fracassé contre le roc » ? Il faut être « sans pitié à son égard », le faire mourir. Cet aspect cruel, au moins dans les mots, n'embarrasse pas Origène, car « le roc c'est le Christ ... » (1 Co 10, 4). C'est donc une ouverture vers le salut. [Ces deux paragraphes (§ 2,3-4), qui reviennent sur des idées précédentes, semblent sortir d'ailleurs : ils entravent le développement ; on passerait facilement de la fin de § 2,2 au début de § 2,5].

Le peuple se livra donc à la fornication et se voua à l'idolâtrie en mangeant les viandes immolées aux idoles païennes (§ 3,1). Ici, intervient la question des idolothytes, déjà traitée par S. Paul (1 Co 8,10). L'art d'Origène est de transformer les idolothytes en viandes intellectuelles : il en fait des doctrines philosophiques, dont il n'interdit pas l'étude à ceux qui sont fermement attachés à la doctrine de la vérité, à condition que leur exemple ne scandalise pas les faibles (§ 3,2).

Il faut éviter de se laisser entraîner. Le mouvement vers le mal est marqué chez Origène par les étapes qui mènent à Béelphégor, l'idole des Madianites : concupiscence → gloutonnerie → impiété → consécration à la turpitude, puisque telle est la significaton du nom de Béelphégor (§ 3,3-4).

Après un détour par le cas de Salomon, qui est un exemple à ne pas suivre (§ 3,3), il reste à Origène de découvrir l'autre volet des choses : en face du péché, le moyen d'obtenir le salut.

La liberté de l'homme est affirmée. L'existence d'esprits du mal, aussi. En contrepartie, l'activité des esprits du bien, qui se reflète dans les mystères intérieurs que découvre l'œil du cœur, est la preuve que Dieu s'occupe de notre salut avec plus d'attention que ne sont laissées aux esprits du mal les possibilités de nous séduire.

On trouvera dans cette partie de l'homélie, une fois de plus, un état de la pensée origénienne sur les anges : l'apologie de l'ange gardien se fait remarquer : « Il y a auprès de chacun de nous, fût-il le plus petit dans l'Église de Dieu, un bon ange, un ange du Seigneur, pour le diriger, le conseiller, le gouverner, un ange qui pour corriger nos actes et implorer la miséricorde, voit tous les jours la face du Père qui est dans les cieux » (§ 3,6). L'apologue du pédagogue (§ 3,7 début) illustre bien comment Origène conçoit le partage de la responsabilité de nos actes avec eux. Ils iront au Jugement avec nous : et ils seront jugés d'après le soin qu'ils auront pris de nos âmes. Mais celles-ci ont leur propre responsabilité : elles sont libres, c'est d'elles-mêmes qu'elles obéissent ou non à leurs conseillers.

Plus loin, Origène envisage que cette action des anges peut ne pas suffire pour le salut ; sont donc à l'œuvre : le Fils Unique en personne (§ 3,8), qui ne cesse d'être avec nous et nous attire, le Père qui appelle et force les invités à entrer, et l'Esprit qui intervient, comme il l'a fait pour Paul, en déterminant l'itinéraire (§ 3,9). Nantis de ces secours, dirons-nous que le salut est une petite affaire pour Dieu ?

Il faut ajouter que les chefs qui guident le peuple ont leur part de responsabilité dans le salut de ceux qu'ils dirigent. C'est le sens de cette « exposition en pleine lumière » que Dieu exige de Moïse pour les chefs qui ont amené le peuple hébreu jusqu'ici.

On termine par l'histoire redoutable de Phinées qui montre que le courroux de Dieu, surgi à cause du péché, est loin d'être une bagatelle (§ 5,1).

HOMILIA XX

De eo qui fornicatus est in Maddianitide, et quod consecratus est populus Beelphegor

1, 1. Lectio hodie recitata est, primam quidem historiam continens de fornicatione uiri Israelitae et mulieris
Madianitidis [a], secundam uero de uisitatione populi [b], in qua
4 numerari iterum iubetur ex praecepto Domini, in irritum
scilicet reuocato priore numero propter peccata, quae com-
miserant hi qui prius sub numeri fuerant definitione censiti.
Cassatur ergo et in irritum deducitur ex peccatis numerus
8 qui scriptus est, et tantum ualent delicta, ut nec hos prosit
quod in numero quis habitus sit apud Deum, cum decli-
nauerit. Sed, ut Scriptura refert, etiam '*artus*' eorum, qui
recesserunt a Deo, '*ceciderunt in deserto*' [c]. — Duae sunt
12 ergo historiae quae recitatae sunt ; sed nos de prima interim
quae fornicationem populi describit, si quid orantibus
uobis gratiae Dominus dignabitur praestare, dicemus ; si

---

1. a. cf. Nb 25, 1-18   b. Nb 26   c. cf. Nb 14, 29. 32

---

1. La leçon ou, si l'on préfère, la lecture biblique qui précédait l'homélie a donc repris. Elle avait été interrompue lors de l'explication des prophéties de Balaam, qui avaient sans doute été lues en une fois (voir la note
complémentaire à ce sujet dans le tome précédent) et sur lesquelles Origène
s'était étendu plus que de coutume. Depuis le début de l'homélie XV,
Origène est conscient de n'avoir pas suivi, pour des raisons diverses four-
nies aux auditeurs, l'ordre des leçons. On se souvient que ce n'est pas toujours à l'église qu'Origène a pris la parole, mais à l'*auditorium* où il se sen-

HOMÉLIE XX

Fornication d'un Israélite avec une Madianite, et consécration du peuple à Béelphégor

Préambule **1, 1.** La leçon qu'on a lue aujourd'hui [1] contient en premier lieu l'histoire de la fornication d'un Israélite avec une Madianite [a] et, en second lieu, a trait au recensement du peuple [b]. Ce recensement est à nouveau prescrit sur l'ordre du Seigneur, car il est évident que le dénombrement précédent a été frappé d'annulation à cause des péchés commis par les premiers recensés [2]. Le nombre inscrit est donc cassé et annulé du fait des péchés, et les fautes sont si graves qu'il ne sert plus à rien à quiconque s'en est écarté d'avoir été compris dans le nombre divin ; mais les « cadavres [3] » de ceux qui se sont éloignés de Dieu sont « tombés dans le désert » [c] ! — Il y a donc deux histoires qui ont été lues. Pour le moment, nous parlerons, si le Seigneur daigne accorder sa grâce à vos prières, de la première, celle qui décrit la fornication du peuple ; puis s'il

---

tait moins tenu par le rituel du lectionnaire. Nous voilà donc revenus à l'harmonie entre le lecteur et le prédicateur, sans que l'on puisse déceler si ce n'est pas une astuce de Rufin que d'avoir inséré dans les *Homélies sur les Nombres* un fragment important de *Commentaire sur Balaam* qui flottait quelque part dans l'héritage littéraire d'Origène.

2. La Bible, *Nb* 25, 4-5, dit que le Seigneur avait ordonné de mettre à mort tous les coupables.

3. Le latin dit : *les membres.* L'extension à un mot collectif tel que *cadavres* est légitime et conforme au sens.

uero ipse concesserit, aliquid etiam de secunda contingere
16 audebimus.

1, 2. « *Et applicuit* » inquit « *Israel ad Sattin, et pollutus est populus, et fornicatus est in filias Moab. Et inuitauerunt eos ad sacrificia idolorum suorum, et manducauit populus de* 20 *sacrificiis eorum et adorauerunt idola eorum, et consecratus est Beelphegor ; et iratus est furore Dominus contra Israel* ᵈ ».

In his ostenditur illud quod saepe memorauimus, quia Balaam, posteaquam Dei uirtute constrictus non est permis-
24 sus maledicere Israel, uolens tamen placere regi Balach, ait ad eum, sicut scriptum est : « *Veni, consilium tibi do* ᵉ ». Et quid consilii dederit, ibi non apparuit, in posterioribus tamen ipsius libri *Numerorum* scriptum refertur ᶠ, sed plenius in
28 *Reuelatione* Iohannis, ubi ita continetur : « *Habes* » inquit « *ibi doctrinam Balaam, qui docuit Balach ut mitteret scandalum in conspectu filiorum Israel, ut manducarent idolis immolata et fornicarentur* ᵍ ».

32 **1, 3.** Ex hoc ergo apparet quod nequitia usus sit Balaam et consilium dederit regi, talia quaedam dicens ad eum : « Populus hic non propriis uiribus, sed Deum colendo uin-

---

d. Nb 25, 1-3   e. Nb 24, 14   f. cf. Nb 31, 16   g. Ap 2, 14

1. Origène ne viendra à cette seconde partie qu'avec l'*homélie* XXI ; une fois encore, il a été trop long dans l'*homélie* XX. — Dans le latin, on peut hésiter entre *videbimus,* bien représenté dans les mss, et *audebimus.* Baehrens a préféré ce dernier mot, qui était celui des éditeurs Alde et Delarue.

2. Ce passage postérieur dans le *Livre des Nombres* se trouve en *Nb* 31, 16, ici p. 195, où Moïse reproche aux chefs d'Israël d'avoir laissé les femmes de Madian agir comme elles ont fait dans « l'affaire de Balaam », expression que la TOB (qui traduit l'hébreu) propose de comprendre précisément par : « sur la parole de Balaam, c'est-à-dire sur son conseil ».

3. Devant le mot *doctrinam,* il serait possible d'introduire le mot latin *tenentes* (ou *quosdam qui tenent :* 'partisans') puisqu'il fait partie de la citation dans l'*Apocalypse.* Cf. *infra,* l. 87 et 459. Mais Baehrens l'a omis sciem-

le veut bien, nous tenterons de nous occuper aussi de la seconde [1].

Le texte **1, 2.** « Et Israël parvint à Sattim, dit le texte, et le peuple se souilla, et il forniqua avec les filles de Moab. Elles les invitèrent aux sacrifices de leurs idoles. Et le peuple en mangea ; et ils adorèrent leurs idoles ; et le peuple fut consacré à Béelphégor. Et le Seigneur s'enflamma de colère contre Israël [d] ».

Conseils de Balaam Apparaît ici ce que nous avons souvent remarqué : Balaam, empêché par la puissance divine de maudire Israël, voulant cependant plaire au roi Balach, lui dit, selon qu'il est écrit : « Viens, que je te donne un conseil [e] ». Quel conseil lui a-t-il donné ? On ne le voit pas ici ; plus bas cependant, dans la suite du Livre même des *Nombres* [f] [2], il est rapporté par écrit, mais il l'est plus complètement dans l'*Apocalypse* de Jean, où son contenu est le suivant : « Tu as là la doctrine [3] de Balaam, qui apprit à Balach à produire un scandale aux yeux des fils d'Israël en les poussant à manger des viandes immolées aux idoles et à forniquer [g] ».

1, 3. Cela montre que Balaam a usé de malice et qu'il a donné un conseil au roi en lui tenant à peu près ce langage [4] : « Ce peuple tire ses victoires non de ses propres

---

ment. Delarue, lui, n'hésite pas et lit à cet endroit *quosdam qui tenent.* La *Vulgate* le fait aussi, mais ses manuscrits ne sont pas les nôtres. Baehrens a dû penser, avec quelques-uns de ses manuscrits, et avec raison, que les partisans de Balaam ne pouvaient pas se substituer à lui pour enseigner Balach.

4. Le discours qui suit est d'une inspiration semblable à celle de PHILON, *De uirt.* 35-38, pour les mêmes circonstances : « Ils font venir les plus belles de leurs femmes et leur disent : ...Il est facile de venir à bout d'un homme par le plaisir... Vous êtes extrêmement jolies ; or la beauté est par nature séduisante... Ne craignez pas les mots de prostitution ou de fornication... etc. » Mais Philon vise l'utile au moyen de ces armes « féminines », tandis qu'Origène reste sur le plan psychologique.

cit et pudicitiam conseruando. Si uis eum uincere, primo
36 eorum pudicitiam deice, et sponte uincentur. Sed aduersum
haec non uirtute militum, sed mulierum decore pugnandum
est, nec armatorum rigore, sed mollitie feminarum. Procul
hinc procul amoue armatorum manum et electam congrega
40 speciem puellarum, ludentes pedibus eant manibusque plau-
dentes ; forma uincit armatos, ferrum pulchritudo captiuat,
uincentur ad speciem qui non uincuntur ad proelium.
Verum ubi senserint eos mulieres Moabitae manus dedisse
44 libidini et peccato inclinasse ceruices, non prius semet ipsas
cupientibus praebeant quam de sacrificiis idolorum
acquieuerint degustare, ut cogente libidine consiliis obtem-
perent feminarum et consecrentur prius Beelphegor, quod
48 est idolum turpitudinis ».

1, 4. Haec fuerunt consilia Balaam ; quibus acceptis rex
Balach parat continuo exercitum non armis uirilibus, sed
femineo nitore compositum, non furore bellico, sed libidi-
52 nis flamma succensum. Nullam refrenat pudor, nullam prohibet uerecundia. Amor patriae et uitium gentis conspirant
pariter in lasciuiam et ad decipiendum proba existit impro-
bitas. Pro nefas, uix cohibetur libido legum minis, uix gla-
56 dii terrore reprimitur ! Quid sceleris non perpetret, ubi facinore suo placituram se mulier regi credit et salutem patriae
quaesituram ? Captiuantur ergo Israelitae non ferro, sed
luxu, nec uirtute, sed libidine et fornicantur in mulieres
60 Madianitas, et ira Dei insurgit super eos.

---

1. Ces femmes madianites, ici, et celle du début, semblent pour Origène
être les mêmes que les filles ou les femmes de Moab désignées plus haut.
La diversité de la désignation, aux yeux de la critique actuelle, est une trace
des traditions différentes qui s'entrecroisent dans le récit. Cf. J. DE VAULX,
Les Nombres, Sources Bibliques, Paris 1972, p. 299-302.

forces, mais de ce qu'il honore Dieu et qu'il garde la chasteté. Si tu veux le vaincre, commence par venir à bout de sa chasteté et la victoire viendra toute seule. Face à cet adversaire, ce n'est pas la puissance militaire qu'il faut opposer, mais l'éclat de la femme, ce n'est pas la rudesse des guerriers, mais le charme féminin. Désormais, retiens au loin le bras des hommes de guerre, assemble un choix de belles jeunes filles, qu'elles s'avancent en fête, frappant du pied et battant des mains ; l'élégance désarme les guerriers, la beauté tient l'épée captive : le spectacle vaincra ceux que le combat n'arrive pas à vaincre. Mais quand les femmes de Moab se seront aperçues qu'ils ont donné prise à la sensualité et qu'ils ont ployé la nuque sous le péché, qu'elles-mêmes d'abord ne se livrent pas à leurs désirs avant qu'ils n'aient consenti à festoyer aux sacrifices idolâtres. De la sorte, sous l'empire de la passion, dociles aux conseils des femmes, ils seront d'abord consacrés à Béelphégor qui est l'idole de la turpitude ».

La séduction 1, 4. Tels furent les conseils de Balaam. Au reçu, le roi Balach prépare aussitôt son armée ; il la munit non point d'armes viriles, mais de séductions féminines, et il l'enflamme non de fureur guerrière, mais des embrasements de la volupté. La pudeur n'en retient aucune, la honte n'en arrête aucune. L'amour de la patrie et le vice de cette nation conspirent également à la luxure ; pour se laisser abuser, règne une vertueuse effronterie. Horreur ! la volupté est à peine arrêtée par les pénalités légales, à peine réprimée par la crainte de l'épée ! Quel crime ne commettrait pas une femme assurée de plaire au roi par son forfait et d'avoir cherché le salut de la patrie ? Les Israélites sont donc asservis, non par l'épée, mais par la luxure, non par la force, mais par la volupté ; ils se livrent à la débauche avec les femmes madianites [1] ; et la colère de Dieu fond sur eux.

1, 5. Sunt quidem in his et mystica quaedam atque inte-
rioris intellegentiae secreta ; sed nos primo ipse historiae
textus aedificet et discamus ex hoc quoniam aduersum nos
64 militat fornicatio, aduersum nos iaculantur tela luxuriae.
Sed si nobis non desint arma, quibus nos armari iubet
Apostolus, iacula huiusmodi nos terebrare non poterunt, si
sit nobis *'lorica iustitiae'*, si habeamus *'galeam salutaris et*
68 *gladium spiritus'* et super omnia *'scutum fidei'* et *'calciati*
simus pedes in praeparatione Euangelii pacis ʰ'. Ista sunt
arma quae nos defendunt in huiusmodi bellis. Si autem talia
arma proicimus, statim locum diabolico uulneri damus et
72 *'captiuos'* nos *'ducit'* omnis daemonum chorus ; atque ob
hoc ira Dei insurget super nos et non solum *'in praesenti*
saeculo' puniemur, uerum etiam *'in futuro* ⁱ'. Quod ergo
facit nos uincere in his proeliis quae aduersum nos diabolus
76 commouet, pudicitia est et iustitia et prudentia et pietas
ceteraeque uirtutes. Quae autem faciunt nos uinci, luxuria
est et libido, auaritia et impietas omnisque malitia. Haec
ergo sunt quae nos historiae textus edocuit.

80 **1, 6.** Verum quoniam Iohannes in *Reuelatione* sua ea
quae in lege secundum historiam scripta sunt, adducit ad
mysteria diuina et sacramenta quaedam in his edocet conti-
neri, necessarium uidetur etiam secundum id quod ille sen-
84 sit, nos quoque ab illo datam expositionis regulam sequi, et
primo memorare ea quae ad angelum Ecclesiae cuiusdam
scribens dicit : « *Habes ibi quosdam qui tenent doctrinam*
Balaam, qui docuit Balach mittere scandalum in conspectu
88 *filiorum Israel, ut manducarent idolis immolata et fornica-*
rentur ʲ ». Ergo temporibus Iohannis Apostoli erant *'qui-*
dam' in Ecclesia illa ad quam scribebat, docentes *'doctrinam*

h. cf. Ep 6, 14-17   i. cf. Mt 12, 32   j. Ap 2, 14

**Sens moral :
fuir la luxure**

1, 5. Il y a bien là, au point de vue du sens intérieur, des mystères et des choses cachées, mais nous devons d'abord tirer édification du texte même de l'histoire. Apprenons-en que la fornication est en guerre contre nous, que les traits de la luxure nous harcèlent. Mais si ne nous fait pas défaut l'armure que l'Apôtre nous recommande de porter, ces traits ne parviendront pas à nous percer ; ce qu'il faut c'est de « porter la cuirasse de justice, d'avoir le casque du salut et le glaive de l'Esprit, et par dessus tout le bouclier de la foi, d'avoir aussi les pieds chaussés par la disposition à propager l'Évangile de paix[h] ». Telles sont les armes défensives pour ces sortes de guerre. Mais si nous les refusions, ce serait aussitôt prêter le flanc aux coups du diable et laisser tout le chœur des démons nous emmener en captivité. C'est ce qui fait que la colère de Dieu fondra sur nous et que nous serons punis non seulement « en ce monde, mais aussi dans le monde à venir[i] ». Ce qui, par conséquent, nous donne la victoire dans ces combats que le diable suscite contre nous, c'est la chasteté, la justice, la prudence, la piété et les autres vertus. Mais ce qui nous mène à la défaite c'est la luxure, la volupté, l'avarice, l'impiété et toutes les perversions. Tels sont les enseignements que nous a procurés l'histoire.

1, 6. Mais puisque Jean dans son *Apocalypse*, quand il s'agit de récits historiques contenus dans la loi, les pousse jusqu'aux mystères divins et indique qu'ils contiennent des mystères cachés, il nous paraît indispensable d'entrer dans sa pensée et de suivre sa méthode d'explication. Rappelons d'abord les termes de ce qu'il écrit à l'ange d'une des Églises : « Tu as là des partisans de la doctrine de Balaam qui apprit à Balach à jeter le scandale devant les fils d'Israël en les poussant à manger les viandes immolées aux idoles et à se livrer à la fornication[j] ». Il y avait donc, à l'époque où l'Apôtre Jean écrivait à cette Église, des partisans de la doc-

Balaam'. Putas ne ita accipiendum est, quod fuerint in illis
92 diebus qui dicerent se docere ea quae Balaam docuit, et qui
profiterentur se dogmatum et traditionum illius esse doc-
tores ? An illud potius debemus aduertere quod, si qui faciat
opus quod fecit Balaam, is 'doctrinam Balaam' docere uidea-
96 tur ? Sicut et de doctrina Iezabel in eadem *Reuelatione*
memoratur [k], non quo aliquis ex disciplinis Iezabel doceat
quae illa tradiderit, sed quos si quis, uerbi causa, aut prophetas Dei persequatur, ut illa fecit, aut ad idola aliquos
100 decipiat uel falsis circumscriptionibus perimat innocentes,
iste dicitur Iezabel 'tenere doctrinam'. Sic ergo et si quis
malis consiliis scandala generet populo Dei et offensionem
diuinam atque iracundiam caelestem prouocet plebi uel ido-
104 lorum sacrificiis communicando uel stupris ac libidini
seruiendo, hic 'doctrinam Balaam tenere' dicendus est. Est
ergo exsecrabilis etiam corporis fornicatio. Quid enim ita
exsecrabile, quam *'templum Dei'* uiolare [l] ac *'tollere mem-*
108 *bra Christi et facere membra meretricis* [m]' ?

2, 1. Multo tamen magis exsecrabilis est generalis illa fornicatio, in qua omne genus peccati pariter continetur.
Generalis autem fornicatio dicitur, cum anima quae in
112 consortium Verbi Dei adscita est et matrimonio eius quodammodo sociata ab ullo alio, alieno scilicet et aduersario
illius uiri, qui eam sibi despondit in fide, corrumpitur et uio-
latur. Est ergo sponsus et uir animae mundae et pudicae
116 Verbum Dei, qui est Christus Dominus, sicut et Apostolus

k. cf. Ap 2, 20   l. cf. 1 Co 3, 16   m. 1 Co 6, 15

1. Ici paraît le thème du mariage mystique sur lequel reposent les écrits
sur le *Cantique* : *Homélies*, SC 37 bis ; *Commentaire*, SC 375 & 376. Cf.
aussi : *Hom. in Ez.* 8,3, « *Le mari de l'âme est le Verbe de Dieu, époux
véritable amant* » (*SC* 352, p. 291). Dans *Hom. in Lev.* 2,2, Origène envisage le cas où le fidèle « *n'est pas seul, mais a uni son âme au Verbe de Dieu
comme à son époux véritable* », alors il offre un couple chaste de tourte-
relles (*SC* 286, p. 95 ; cf. p. 358, la note compl. 5). Dans *Hom. in Gen.* 2,2,

trine de Balaam ! Est-il pensable qu'il y ait eu à cette époque des gens qui prétendaient enseigner une « doctrine » de Balaam et qui professaient être les 'docteurs' de ses croyances et de ses traditions ? Il en va de même pour la doctrine de Jézabel dont il est également fait mention dans l'*Apocalypse* [k] : il n'y est pas dit que quelqu'un se soit livré à un enseignement que Jézabel aurait transmis, mais que si quelqu'un a fait comme elle, par exemple en persécutant des prophètes de Dieu ou en égarant des gens dans l'idolâtrie ou en tuant des innocents sous de faux prétextes, celui-là est considéré comme partisan de la doctrine de Jézabel. Ainsi donc, s'il y a quelqu'un dont les mauvais conseils font scandale au peuple de Dieu, s'il provoque l'irritation divine et le courroux céleste à l'égard du peuple soit en participant aux sacrifices idolâtres soit en se livrant au stupre et à la débauche, celui-là peut être pris pour partisan de la doctrine de Balaam. La fornication corporelle en elle-même est donc détestable. Car qu'y a-t-il d'aussi détestable que de violer « le temple de Dieu [l] » et de « prendre les membres du Christ pour en faire des membres de prostituée [m] » ?

Formation spirituelle et mariage mystique

2, 1. Cependant, la fornication au sens large, qui comprend tous les genres de ce péché, est bien plus détestable. Il y a fornication de cette sorte quand l'âme, admise à l'union avec le Verbe de Dieu et réunie à lui par une sorte de mariage, est pervertie et profanée par un autre, et que celui-là est précisément l'adversaire du premier mari qui s'est fiancé à elle dans la foi [1]. Le Verbe de Dieu, qui est le Christ Seigneur, est donc le fiancé

Origène écrit : « *Le Christ veut te fiancer — despondere — à lui, toi aussi* » (*SC* 7 bis, p. 261). Mais pour bien comprendre la portée de cette allégorie du mariage, il faut poursuivre le texte de *Hom. in Gen.* : « *Voulant te fiancer à lui, il t'envoie ... la parole prophétique : sans l'avoir d'abord accueillie, tu ne pourras pas épouser le Christ* ».

scribit : « *Volo autem omnes uos uni uiro uirginem castam exhibere Christo ; timeo autem, ne forte, sicut serpens seduxit Euam astutia sua, corrumpantur sensus uestri a sim-*
120 *plicitate quae est in Christo Iesu* ª ». Donec igitur anima adhaeret sponso suo et audit uerbum eius et ipsum complectitur, sine dubio ab ipso semen suscipit uerbi ; et sicut ille dixit : « *De timore tuo, Domine, in uentre concepimus* »,
124 ita et haec dicit : « *de uerbo tuo, Domine, in uentre concepi et parturiui et Spiritum Salutis tuae feci super terras* ᵇ ».

Si ergo sic de Christo concipit anima, facit filios pro quibus dicatur de ea quia : « *Salua erit per filiorum generatio-*
128 *nem, si permanserint in fide et caritate et sanctitate cum sobrietate* ᶜ », etiamsi prius sicut Eua seducta fuisse ᵈ anima uideatur. Est itaque uere beata suboles, ubi concubitus factus fuerit animae cum Verbo Dei et ubi complexus ad inui-

---

2. a. 2 Co 2, 3   b. cf. Is 26, 18   c. 1 Tim 2, 15   d. cf. 1 Tim 2, 14

1. Cette citation d'*Is.* 26,18, montre comment Origène pouvait user de manière accommodatice du texte biblique dans sa prédication. Le début, qu'il a coupé du reste, parle à la 1ʳᵉ personne du pluriel comme a fait Isaïe au nom des méchants sanctionnés par Dieu, mais l'âme le reprend ensuite à son compte au singulier, et la « crainte » (*de timore tuo*) devient « la parole » (*de uerbo tuo*). Donc l'âme dit : « *Par ta parole, j'ai conçu..., j'ai enfanté..., j'ai produit l'Esprit de ton Salut sur la terre* » ; ce qui donne un sens, sinon critiquement juste, du moins spirituellement recevable. Mais on pourrait être tenté d'imputer aussi à Origène, au cours de cette phrase, la suppression de la négation, indubitable en Hébreu. Ces mêmes « méchants » disent : « *nous n'avons pas produit l'esprit de ton salut sur la terre* » ; on se demande pourquoi Origène n'a pas gardé cette négation, qui est en parfaite harmonie avec le contexte d'Isaïe : « *... c'est comme si nous avions enfanté du vent ; nous n'apportons pas le salut à la terre* ». La raison toute simple en est que la Septante origénienne ne la comportait pas. Voir les *Hexaples* d'Origène (FIELD, ad loc., II, p. 475). Pour la tradition patristique de ce texte cité extrêmement souvent, cf. R. GRYSON, *Vetus Latina* 12, *Esaias*, Pars I, p. 552 s. Ce n'est pas le seul endroit où TM et LXX ne concordent pas.

2. Le pluriel *permanserint* en latin peut étonner, car il fait comprendre que la sainteté des enfants opère par rétroactivité le salut de la mère. Plus

et le mari de l'âme pure et chaste, ainsi que le dit l'Apôtre :
« Je veux vous présenter tous à un unique époux comme une
vierge pure au Christ ; mais je crains bien qu'à l'exemple
d'Ève que le serpent séduisit par la ruse, vos pensées ne se
corrompent et ne s'écartent de la simplicité envers le Christ
Jésus [a] ». Donc tant que l'âme est unie à son époux, qu'elle
écoute sa parole et qu'elle l'entoure de ses soins, il est évident qu'elle reçoit de lui la semence de la parole et que, semblablement à celui qui a dit : « De ta crainte, Seigneur, nous
avons conçu dans nos entrailles », l'âme dit : Des œuvres de
ta parole, Seigneur, « j'ai conçu dans mon sein et j'ai enfanté
et j'ai produit l'Esprit de ton Salut sur la terre [b][1] ».

Si donc l'âme conçoit ainsi par le Christ, elle fait naître
des fils à propos desquels on peut dire d'elle qu'elle « sera
sauvée du fait de les avoir mis au monde, pourvu qu'ils per-
sévèrent [2] dans la foi, dans la charité et dans la sainteté,
unies à la modestie [c] », même si, comme Ève, c'est l'âme qui
paraît avoir été d'abord séduite [d]. Heureuse vraiment alors
la descendance qui survient quand l'âme a partagé la couche
du Verbe de Dieu dans des embrassements réciproques. De

---

conforme au sens des choses serait le singulier *permanserit*, qui pose comme
condition du salut de la mère son propre comportement dans la vertu.
Baehrens a choisi avec raison le pluriel, selon ses manuscrits, et nous le sui-
vons sans nous conformer au singulier des éditeurs (Ald., Del.) consigné
sans explication dans Migne. Au reste, il s'agit d'un texte de l'Écriture (2
Tim. 2,15) et sur celui-là la recherche fait connaître que les manuscrits se
partagent entre le pluriel et le singulier, en donnant, semble-t-il, la préférence au pluriel (cf. H.J. FREDE, *Vetus Latina*, 25, I, 1978, in loc., p. 479),
sans que ce soit une question de quantité. Les commentaires patristiques
n'ont pas de difficulté à expliquer le pluriel. Ève n'a-t-elle pas été sauvée
par la génération de ses fils parmi lesquels il faut compter le Christ ?
(*Ambroise*), — ou encore : Ève qui avait péri n'a-t-elle pas été sauvée par
l'Église, c'est-à-dire par la génération de ses fils, car la sainteté de l'héritage a corrigé la faute qui avait été commise bien avant ? Plus loin dans le
texte de l'homélie, la lecture attentive du § 2,2 laisse bien entendre, allégo-
riquement, que ce sont nos fils, c'est-à-dire nos pensées et nos œuvres
bonnes qui nous sauveront.

132   cem dederint. Inde nascetur generosa progenies, inde pudi-
      citia orietur ; inde iustitia, inde patientia, inde mansuetudo
      et caritas atque omnium uirtutum proles ueneranda succe-
      det.

136   **2, 2.** Quod si infelix anima Diuini Verbi dereliquerit
      sancta conubia et in adulterinos se complexus diaboli alio-
      rumque daemonum illecebris decepta tradiderit, generabit
      sine dubio etiam inde filios, sed illos de quibus scriptum est :
140   « *Filii autem adulterorum imperfecti erunt, et ex iniquo*
      concubitu semen exterminabitur ᵉ ». Omnia ergo peccata filii
      sunt adulterii et filii fornicationis.
      Vnde ostenditur quod per singula quaeque, quae gerimus,
144   parit anima nostra et generat filios, sensus scilicet et opera
      quae gerit. Et si quidem secundum legem est quod gerit, et
      secundum uerbum Dei, Spiritum parit Salutis et propterea
      'saluabitur per filiorum generationem' et isti sunt filii, de
148   quibus propheta dicit : « *Filii tui sicut nouella oliuarum in*
      circuitu mensae tuae ᶠ ». Si uero quod agit contra legem est
      et peccatum est, sine dubio ex conceptione contrarii spiritus
      malignam subolem gignit ; parit enim filios peccati. Et istae
152   sunt maledictae generationes, in quibus a nonnullis sancto-
      rum '*maledicitur etiam dies, in quo nati sunt* ᵍ'.

      2, 3. Numquam est ergo quando non pariat anima ;
      anima semper parit, semper generat filios. Sed illa quidem
156   benedicta generatio est, quae de Verbo Dei concepta
      generatur, et ista est 'filiorum generatio, per quam salua
      fiet'. Si autem, ut diximus, ex contrario spiritu concipiat,
      certum est quia pariat '*filios irae aptatos ad interitum* ʰ'. Et
160   forte ad utrasque istas generationes animae respicit illud

---

e. Sg 3, 16   f. Ps 127, 3   g. cf. Jb 3, 1 ; Jr 20, 14   h. cf. Rm 9, 22

là naîtra une noble lignée, de là sortira la chasteté ; de là viendront ensuite la justice, la patience, la douceur, la charité et toute la descendance honorable des vertus.

L'adultère spirituel : enfants du péché et enfants du salut

2, 2. Mais si l'âme infortunée a délaissé la couche sacrée du Verbe Divin et s'est abandonnée à des embrassements adultères, abusée par les séductions du diable et des autres démons, elle en tirera assurément des enfants, mais elle enfantera des enfants dont il est écrit : « Les enfants des adultères ne s'épanouiront pas et la race issue d'une couche impie sera éliminée ᵉ ». Tous les péchés sont donc des enfants d'adultère et des enfants de fornication.

Et cela montre qu'en toute opération, notre âme engendre et fait naître des fils, c'est-à-dire des pensées et des actes. Et si ce qu'elle fait est conforme à la loi et conforme à la parole de Dieu, elle engendre « l'Esprit du Salut » et c'est la raison pour laquelle « la maternité la sauvera », car ses fils sont ceux dont le prophète dit : « Tes fils sont comme de jeunes plants d'olivier autour de ta table ᶠ ». Mais si ce qu'elle fait va contre la loi et si c'est un péché, nul doute que d'avoir conçu d'un esprit ennemi elle engendre une postérité mauvaise, car elle enfante des fils de péché. Ce sont là les naissances maudites à propos desquelles quelques-uns des saints sont allés jusqu'à « maudire le jour où ils sont nés ᵍ ».

2, 3. Il n'y a donc pas de moment où l'âme n'enfante pas. L'âme enfante toujours, elle est toujours à engendrer des fils. Mais il y a une génération bénie : c'est celle où elle conçoit des œuvres du Verbe de Dieu et où elle engendre, et cette génération de fils est celle « grâce à laquelle elle sera sauvée ». Mais si, comme nous avons dit, l'âme conçoit de l'esprit ennemi, elle enfante à coup sûr « des fils de colère destinés à la perdition ʰ ». Et il est bien probable que c'est à ces deux

quod dictum est : « *Cum enim nondum nati fuissent aut
aliquid egissent boni uel mali, ut propositum Dei quod
secundum electionem factum est, maneat, non ex operibus,*
164 *sed ex uocante, dictum est quia maior seruiet minori, sicut
scriptum est : Iacob dilexi, Esau autem odio habui* [i] ». Istae
enim tales generationes animae etiam, 'priusquam faciant
boni aliquid', siquidem ex Sancto Spiritu generatae sunt,
168 iam diliguntur ; si uero ex spiritu maligno, etiam 'priusquam opere impleant aliquid mali', hoc ipso tamen quod
huiusmodi uoluntatem peperit anima, digne in ea odio
habetur malae uoluntatis exsecranda conceptio.
172   Propterea fortassis in huius sacramenti figura etiam
Chanaan puer, antequam nasceretur, maledicitur. Cham
namque peccauerat pater eius et prophetans Noe, cum unicuique filiorum suorum optima quaeque signaret, ubi ad
176 Cham uentum est, « *maledictus* » inquit « *Chanaan puer* [j] ».
Cham peccauit et Chanaan progenies eius maledicitur et
maledicta est. Et ideo acrius nobis intendendum est et pros-
piciendum, ne forte generet aliquid anima quod maledicto
180 dignum sit ; etiamsi nondum opere impleuerit, in ipsa tamen
uoluntate et proposito eius erit huiusmodi maledicta progenies. Quod et si forte aliquando euenerit — quis enim inuenietur facile, qui ab huiusmodi generatione, id est peccandi
184 uoluntate, habeatur immunis ? — si ergo acciderit tale aliquid, quid remedii detur, ex diuinis uoluminibus requiramus.

---

i. Rm 9, 11-14   j. Gn 9, 25

1. Dans le latin, nous rétablissons *suorum* après *filiorum*. Le possessif
existe dans le groupe des mss A de Baehrens. Les éditeurs Ald. Del ont eu
raison de l'adopter. — Ici, PHILON D'ALEXANDRIE, *De sobr.* 48, ouvre la
voie à Origène : « *Il est dans la nature des choses que Chanaan soit présenté comme le fils de Cham, c'est-à-dire le mouvement comme fils du repos,
pour que soit prouvée la vérité de ce qui est dit ailleurs : Je punis les fautes
des Pères sur les enfants jusqu'à la troisième et à la quatrième génération
(Ex. 20,5), car c'est sur les conséquences ...que se fondent les châtiments.* »
Mais les perspectives de Philon ne sont pas celles d'Origène.

sortes de génération de l'âme que renvoie ce texte : « Alors qu'ils n'étaient pas encore nés et n'avaient fait ni bien ni mal, pour que s'affirmât le dessein de Dieu, dessein de libre choix qui ne dépend pas des œuvres mais de Celui qui appelle, il a été dit : 'L'aîné sera assujetti au plus jeune', selon qu'il est écrit : J'ai aimé Jacob et j'ai haï Ésaü [i] ». Ces progénitures de l'âme, « avant qu'elles n'aient fait le moindre bien », mais parce qu'elles sont le fruit du Saint-Esprit, sont déjà aimées ; mais si c'est l'esprit malin qui les a produites, alors, avant même qu'elles n'aient fait aucun mal, par le seul fait que l'âme a donné le jour à une volonté de cette sorte, l'exécrable fruit de cette volonté mauvaise est justement tenu pour haïssable. Voilà peut-être aussi pourquoi, en vertu de ce mystère, l'enfant Chanaan, dès avant de naître, est maudit ; son père Cham en effet avait péché et Noé, prophétisant des biens excellents pour chacun de ses fils [1], dit quand il arriva à Cham : « Maudit soit l'enfant Chanaan [j] ». C'est Cham qui a péché et c'est Chanaan sa descendance qui est maudite et qui a gardé la malédiction. C'est pourquoi il nous faut faire très attention et prendre garde que l'âme n'engendre rien qui mérite malédiction ; elle aura beau n'avoir encore accompli aucun acte, c'est pourtant dans la volonté elle-même et dans son intention que se trouvera cette sorte de progéniture maudite. Et si jamais cela s'est produit [2], — car il sera bien difficile de trouver quelqu'un qui puisse être considéré comme indemne de cette sorte de progéniture, c'est-à-dire de la volonté de pécher —, si donc quelque chose de pareil est survenu, cherchons dans les Livres divins quel remède y est apporté.

---

2. On remarquera l'anacoluthe de cette phrase en latin. La protase semble rester en l'air, la phrase étant coupée par la parenthèse ; puis reprise avec un autre verbe ; mais une apodose vient régulièrement clore le tout. Cet entortillement des phrases laisse penser que la subtilité des images n'a pas échappé à Origène ; il tenait sans doute à garder le langage biblique de « génération » et de « progéniture » pour inculquer son idée que la culpabilité réside aussi dans l'intention.

2, 4. *Inuenimus ergo in Psalmis de hoc scriptum :* « *Filia Babylonis misera, beatus, qui retribuet tibi retributionem*
188 *quam retribuisti nobis ; beatus, qui tenebit et allidet paruulos tuos ad petram* ᵏ ». Etiamsi nondum aliquid operis gessit Babylonius in nobis iste conceptus, dum adhuc 'paruulus' est, non miserearis eius nec parcas ei, sed statim interfice —
192 odibilis enim est —, perime, occide 'elidens ad petram'. *'Petra autem est Christus* ˡ'. Quis ergo tantus ac talis est, ut non exspectet omnino, usque quo crescat in eo Babylonia suboles nec augeantur in eo opera confusionis, sed in primis
196 statim initiis, ubi nasci coeperint et ex uoluntatis motibus coalescere atque, ut ita dicam, ubi caput coeperint de uulua animae proferre perniciosa desideria maligni spiritus inspiratione concepta, arripiat statim et 'elidat ad petram', id est
200 adducat ad Christum, ut in conspectu tremendi iudicii eius posita exolescant et pereant ?

2, 5. Haec dicta sunt nobis de generali fornicatione, quae species habet plurimas, quarum una est haec quae in consue-
204 tudine ob corporale stuprum fornicatio nominatur. Ego uero legens Apostolum, cum uenissem ad eum locum in quo dicit : « *Qui se iungit Domino, unus spiritus est* ᵐ » et : « *Qui se iungit meretrici, unum corpus est* ⁿ », quaerebam si est ali-

---

k. Ps 136, 8-9   l. 1 Co 10, 4   m. 1 Co 6, 17   n. 1 Co 6, 16

---

1. Cf. *Hom. in Ios.* XV, 3 : « Ces petits enfants de Babylone ne signifient rien d'autre que les "pensées mauvaises" qui jettent le trouble et la confusion dans notre cœur. Ces pensées, c'est lorsqu'elles sont encore toutes petites et à leurs débuts qu'il faut les saisir et les briser contre la pierre qui est le Christ ; il faut les égorger sur son ordre. » (*SC* 71, p. 343. Trad. A. Jaubert). — *C. Celse*, VII, 22 : « Les petits de Babylone, qui signifie confusion, sont les pensées confuses inspirées par le vice qui naissent et se développent dans l'âme. S'en rendre assez maître pour briser leurs têtes contre la fermeté et la solidité du Logos, c'est briser les petits de Babylone contre le roc et à ce titre, devenir heureux... » (*SC* 150, p. 65. Trad. M. Borret).

Pénitence 2, 4. Voici donc ce que nous trouvons dans les *Psaumes* à ce sujet : « Malheureuse fille de Babylone, heureux qui te traitera comme tu nous as traités ! Heureux qui saisira et brisera tes tout petits contre le roc [k] ! » Quoique ce 'babylonien' conçu en nous n'ait encore produit aucun acte, profite de ce qu'il est tout petit, pour, sans pitié, sans ménagement, au plus vite, le faire mourir — c'est qu'il est haïssable ! — massacre-le, tue-le « en l'écrasant contre le roc ». Mais « ce roc, c'est le Christ [l] » [1]. Qui donc est capable de saisir au plus tôt et d'écraser contre le roc la descendance babylonienne qui est en lui, sans attendre le moins du monde qu'elle ait grandi ni que se soient développées en lui « les œuvres de la confusion » ? Qui donc doit à l'inverse dès les tout premiers débuts, alors que les mouvements de la volonté en sont à naître et à prendre force, lorsque, pour ainsi dire, les pernicieux désirs conçus sous l'inspiration de l'esprit malin commencent à sortir la tête hors de la matrice de l'âme, qui donc doit les saisir aussitôt et les écraser contre le roc, c'est-à-dire les amener au Christ, de manière que mis en face du jugement redoutable ils dépérissent et meurent [2] ?

Le Seigneur ou la prostituée ? 2, 5. Voilà ce qui nous a été dit sur la fornication en général, mais il y en a plusieurs espèces, et c'est une seule d'entre elles qu'en raison de la souillure corporelle on nomme d'ordinaire fornication.

Quant à moi, j'ai lu l'Apôtre ; parvenu à l'endroit où il dit : « Celui qui s'unit au Seigneur n'est avec lui qu'un seul esprit [m] » et « celui qui s'unit à la prostituée n'est avec elle qu'un seul corps [n] », je me demandais s'il y a un état inter-

---

2. La pensée reste en suspens. C'est que l'interrogation qui précède n'est qu'oratoire et sa longueur, ici coupée en deux, fait oublier que c'est le lecteur lui-même qui est en cause.

208 quid aliud medium praeter hoc, ut aut Domino quis iunga-
tur aut meretrici ; et pro uiribus meis discutiens, profundum
satis et reconditum in his uerbis intuebar Apostoli sensum
qui ita definierit quod omnis anima aut 'Domino' coniuncta
212 sit aut 'meretrici', et intellexi quod Dominum quidem dixerit uirtutes, quae Christus est, id est 'uerbum', 'sapientiam',
'ueritatem', 'iustitiam' ° ceteraque huiusmodi, meretricem
uero omnes e contrario malitiae species. Hoc etiam apud
216 Salomonem dici intellego in eo quod ait de meretrice, quia
« *Per fenestras prospicit in plateas, et si quem uiderit insi-
pientium adolescentulorum et inopem sensuum transeuntem
iuxta angulos domus suae et loquentem in tenebris uesperti-*
220 *nis, cum silentium fuerit nocturnum uel caligo noctis, mulier
autem occurrit ei, speciem habens meretricis quae facit iuue-
num euolare corda* ᵖ ». Haec ergo, quae dicitur 'meretrix',
ipsa est malitia, et qui se iunxerit huic meretrici, 'unum cor-
224 pus' malitiae efficitur. Sicut ergo 'qui se iungit Domino',
iungit se sapientiae, iungit se iustitiae, iungit se pietati et
ueritati et cum his omnibus 'unus' efficitur 'spiritus', — ita
et 'qui se iungit' huic 'meretrici', iungit se impudicitiae,
228 impietati, iniquitati, mendacio et simul omnibus peccatorum
malis, cum quibus 'unum corpus' efficitur.

3, 1. Verumtamen « *applicuit Israel in Sattin* ᵃ ». In interpretatione Hebraicorum nominum Sattin inuenimus in lin-
232 gua nostra responsionem uel refutationem dici. 'Applicuit'
ergo 'Israel' ad responsionem uel refutationem. Non bene
'applicuit'. Vide denique quid incurrerit in hac positus man-

o. cf. Jn 1, 1 ; 1 Co 1, 30 ; Jn 14, 6   p. cf. Pr 7, 6-10
3. a. Nb 25, 1

médiaire entre l'union au Seigneur et l'union à la prostituée. Examinant la chose autant que je le pouvais, je trouvais à ces paroles de l'Apôtre un sens suffisamment profond et caché : car en déterminant ainsi que toute âme est unie soit au Seigneur soit à la prostituée, j'ai compris qu'il entendait par Seigneur cet ensemble de « puissances » qui est essentiellement le Christ, à savoir le Verbe, la Sagesse, la Vérité, la Justice º, et les autres du même ordre, tandis qu'il entendait au contraire par prostituée toutes les formes du mal. Et je m'aperçois que Salomon le dit aussi à propos de la prostituée, car : « elle regarde par les fenêtres sur les places, et si, parmi les jeunes écervelés, elle voit passer à l'angle de sa demeure un étourdi en quête de conversation dans les ténèbres du soir, alors quand règne le silence nocturne et l'obscurité de la nuit, elle vient à sa rencontre, mise comme une prostituée à faire rêver le cœur des jeunes gens ᴾ ». Or cette femme qu'il appelle prostituée, est le mal en personne, et quiconque s'unit à cette prostituée forme un seul corps de mal avec elle. Ainsi, de même que celui qui s'unit au Seigneur, s'unit à la Sagesse, s'unit à la Justice, s'unit à la Piété et à la Vérité, et forme avec toutes ces puissances un seul Esprit, — de la même façon celui qui s'unit à cette prostituée, s'unit à l'impudicité, à l'impiété, à l'injustice, au mensonge et en même temps à tous les maux du péché, avec lesquels il forme un seul corps.

La « réfutation » par Dieu

3, 1. Néanmoins « Israël arriva à Sattim ᵃ ». Dans « *Sens des noms propres hébraïques* » ¹ nous trouvons en notre langue pour « Sattim » le sens de « réponse » ou « réfutation ». Israël arriva donc à la réponse ou à la réfutation. Ce ne fut pas une bonne arrivée. Regarde où il est allé se four-

---

1. *In interpretatione hebraicorum nominum.* Il s'agit de l'onomasticon dont faisait usage Origène, non pas de l'ouvrage attribué à Philon, cf. Wutz, *op. cit.* p. 14.

sione. Fornicatus est cum mulieribus Madianitarum et refu-
236 tatus est a Deo, quia non solum fornicatus, sed et 'idolis
gentium consecratus est' et 'comedit', ex his, quae fuerant
idolis immolata ᵇ quae utique exsecrabilia sunt apud Deum.
« Qui » enim « consensus templo Dei cum idolis ? ᶜ ».

240 Verum ego etiam de his quae Apostolus Paulus ad
Corinthios scribit dicens : « Si quis autem te uiderit scientiam habentem in idolio recumbere, nonne conscientia eius,
cum sit infirma, aedificabitur ad manducandum immo-
244 lata ? ᵈ », ualde miratus sum. Videtur enim non tam rem
ipsam grauem pronuntiare quam illius offensam qui haec
uidens simili prouocatur exemplo, cum non simili scientia
muniatur, ita ut ostendat eum qui 'habens scientiam recum-
248 bit in idolio', non tam sui quam alterius damni effici reum.

3, 2. Sed uide ne forte non hoc solum fiebat apud
Corinthios, ut 'in idolio recumberent' et 'immolata idolis
manducarent'. Sed forte, quoniam studiosi litterarum
252 Graecarum homines erant et amatores philosophiae, deside-
rio adhuc studiorum ueterum tenebantur et philosophorum
dogmata quasi 'idolis immolata edebant' ; quae tamen lae-
dere fortasse non poterant eos qui plenam scientiam uerita-

---

b. cf. Nb 25, 2 s.   c. 2 Co 6, 16   d. 1 Co 8, 10

1. On rapprochera ici l'histoire (dans Eusèbe, *H.E.* VII, 7) de Denys
d'Alexandrie à qui l'on reprochait de lire des livres hérétiques, et qui,
comme son maître Origène, se considérait autorisé à se livrer à l'étude de
ces livres, dangereux pour le plus grand nombre. Cf. aussi le symbole des
mariages étrangers et des concubines dans *Hom. in Gen.* XI,2, SC 7 bis,
p. 285 : « Si à propos de telles unions... la réfutation des contradicteurs permet d'amener quelques-uns de ceux-ci à la foi... alors nous semblerons
avoir eu des enfants de la dialectique ou de la rhétorique comme d'une
étrangère ou d'une concubine ». — *Hom. in Ex.* 11, 6, SC 321, p. 347 : « S'il
nous arrive de trouver quelque opinion exprimée avec sagesse par des
païens, ... il ne convient pas, sous prétexte que nous détenons la loi, ... de

rer à cette étape. Il se livra à la fornication avec les femmes madianites et Dieu le repoussa, car il ne se contenta pas de se livrer à la fornication, mais il se voua aux idoles des païens, mangeant des viandes immolées aux idoles [b], chose particulièrement en abomination devant Dieu. « Quel accord peut-il y avoir, en effet, entre le temple de Dieu et les idoles ? [c] »

La question des idolothytes Franchement, moi aussi, je me suis toujours vivement étonné de ce que l'Apôtre Paul écrit aux Corinthiens : « Si quelqu'un te voit, toi qui as la science, attablé dans un temple d'idoles, sa conscience à lui qui est faible ne va-t-elle pas se croire autorisée à manger des viandes immolées aux idoles [d] ? » Car il semble déclarer que le fait en lui-même n'est pas aussi grave que le tort causé à celui qui, témoin de la chose, est incité à en imiter l'exemple, sans être garanti par une science égale ; ce qui montre que le détenteur de la science qui est attablé dans un temple d'idoles, n'est pas aussi coupable du dommage qu'il se cause à lui-même que de celui qu'il cause à autrui.

Les « viandes » intellectuelles 3, 2. Mais réfléchis, ce qui se passait chez les Corinthiens n'était sans doute pas seulement d'être attablés dans un temple et de manger des viandes immolées aux idoles ; c'étaient des gens férus de littérature grecque, épris de philosophie, toujours attirés par le goût des anciennes études ; ils se nourrissaient de doctrines philosophiques comme de viandes immolées [1]. Cela peut-être pouvait ne pas nuire à ceux qui avaient reçu dans sa plénitude la science de la vérité ; mais si ceux qui étaient moins avancés dans la science

---

nous enfler d'orgueil ni de mépriser les paroles des sages, mais comme dit l'Apôtre "... retenez ce qui est bon" (1 *Th*. 5,21) ».

256 tis acceperant. Hi autem qui in Christo minus eruditionis
habebant, si imitarentur eos legentes talia et illis adhuc studiis operam dantes, uulnerari poterant et diuersorum dogmatum uariis erroribus implicari. Sic ergo fiebat ut laedere-
260 tur alius, unde is qui habebat plenam scientiam ueritatis
laedi non poterat. Sed quoniam caritas non quaerit quod sibi
utile est, sed quod multis, obseruari oportet talem uerbi
capere cibum qui non solum nos aedificet et delectet, sed et
264 qui uidentes non offendat aut laedat. Est ergo non solum in
cibis 'idolis immolatum', sed et in uerbis. Et ego puto quia,
sicut omnis sermo qui pietatem et iustitiam et ueritatem
docet, Deo consecratus est et Deo immolatus, ita et omnis
268 sermo qui ad impudicitiam uel iniustitiam uel impietatem
respicit, 'idolis immolatus' est, et qui eum recipit quasi 'idolis immolata manducet'.

3, 3. « *Manducauit* » ergo « *populus de sacrificiis eorum, et*
272 *adorauerunt idola eorum* e ». Non solum 'manducauerunt',
sed et 'adorauerunt'. Vide ordinem mali : seruos Domini
prima concupiscentia decepit, inde uentris ingluuies, pos-
trema eos captiuauit impietas. Impietatis autem merces exso-
276 luitur fornicatio. Si relegas quae scripta sunt de Salomone,
inuenies eum, et quidem '*cum esset sapientissimus* f', multis
'*mulieribus inclinasse latera sua* g', cum lex Dei dicat : « *Non
multiplicabis tibi mulieres, ne forte fornicari te faciant a Deo
280 tuo* h ». Ille ergo 'cum esset sapientissimus' et ingentibus apud
Deum meritis i, tamen quia se tradidit multis mulieribus j,
deceptus est. Ego puto quod multae mulieres multa dogmata
et multarum gentium diuersae philosophiae nominentur.

---

e. Nb 25, 2   f. cf. 1 R 4, 31   g. cf. Si 47, 19
h. cf. Dt 17, 17 ; 1 R 11, 2   i. cf. 1 R 4, 29 ; 10, 24   j. cf. 1 R 11, 1

du Christ les imitaient avec de pareilles lectures et s'adonnaient encore à ces études menées jusqu'alors, ils pouvaient
en être blessés et se laisser entraîner aux erreurs des différentes doctrines. C'est ainsi qu'il arrivait qu'un préjudice
atteignît l'un alors que l'autre, qui avait pleine science de la
vérité, ne pouvait pas être atteint. Mais puisque la charité
demande qu'on ne cherche pas ce qui est utile à soi-même,
mais à un grand nombre, il faut veiller avec soin à prendre
cet aliment qu'est la parole de telle façon qu'il ne nous
apporte pas seulement de l'édification et du contentement,
mais aussi qu'il n'offense ni ne lèse ceux qui nous regardent.

Il y a donc immolation aux idoles non seulement au
moyen d'aliments, mais encore par des paroles. Et je pense
que toute parole qui enseigne la piété, la justice et la vérité
est consécration et immolation à Dieu, tandis que toute
parole qui pousse à l'impudicité, à l'injustice ou à l'impiété
est une immolation aux idoles, et celui qui la reçoit s'en
nourrit comme d'une viande immolée aux idoles.

Progression du mal 3, 3. « Le peuple » donc a « mangé de
leurs sacrifices, et il adora leurs idoles ᵉ ». Ils
ne se contentèrent pas de manger, mais aussi
ils « adorèrent ». Remarque la progression du mal : la concupiscence d'abord a eu prise sur les serviteurs du Seigneur,
puis la gloutonnerie, et finalement l'impiété s'est emparée
d'eux. L'impiété est le salaire de la prostitution. Relis ce qui
a été écrit de Salomon : tu vas trouver que bien qu'il fût le
plus sage des hommes ᶠ, il livra ses flancs à beaucoup de
femmes ᵍ, alors que la loi de Dieu dit : « Tu n'auras pas un
grand nombre de femmes de peur qu'elles ne t'entraînent par
la débauche loin de ton Dieu ʰ ». Il a beau avoir été d'une très
grande sagesse et très méritant aux yeux de Dieu ⁱ, il se laissa
séduire en s'abandonnant à un grand nombre de femmes ʲ.

Je pense que ce grand nombre de femmes représente les
nombreuses doctrines et les diverses philosophies qui s'en-

284   Quae cum singula agnoscere et perscrutari utpote uir scien-
tissimus et sapientissimus uoluisset, semet ipsum intra legis
diuinae regulam tenere non potuit, sed decepit eum
Moabitica philosophia et persuasit ut 'idolo' Moabitico
288   'immolaret', similiter et Ammonitarum, sed et reliquarum
gentium, quarum mulieres dicitur recepisse et aedificasse
templa uel 'immolasse idolis' earum [k]. Grande ergo est et uere
opus Dei multis dogmatibus quasi mulieribus misceri nec
292   tamen a ueritatis regula declinare, sed constanter dicere :
« *Sexaginta sunt reginae et octoginta concubinae, et adoles-*
centulae quarum non est numerus ; una est tamen columba
mea, perfecta mea, una est matri suae, una est genitrici
296   *suae* [l] ».

3, 4. Sed isti '*adorauerunt idola et consecrati sunt*
Beelphegor [m]'. 'Beelphegor' idoli nomen est quod apud
Madianitas praecipue a mulieribus colebatur. In huius ergo
300   idoli mysteriis 'consecratus est Israel'. Interpretationem
tamen nominis ipsius cum requireremus attentius inter
hebraea nomina, hoc tantum inuenimus scriptum quia
'Beelphegor species sit turpitudinis'. Noluit tamen declarare
304   quae uel qualis species uel cuius esset turpitudinis, hones-
tati credo consulens qui interpretatus est, uti ne auditum
pollueret audientium. Igitur cum multae sint turpitudinum
species, una quaedam ex pluribus turpitudinis species
308   Beelphegor appellatur. Vnde sciendum est quod omnis qui

---

k. cf. 1 R 11, 7-8   l. Ct 6, 8-9   m. cf. Nb 25, 2-3

1. Pour le sens du nom fourni à Origène, cf. *supra*, p. 33, n. 1. Cf. WUTZ,
loc. cit. p. 155. Béelphégor est composé, sous cette forme grecque et latine
que nous lui connaissons, des deux noms de Baal, le dieu commun de la
fécondité, et de Péor, un des sanctuaires proches du désert de Juda, où on
lui rendait un culte. Pour Origène, l'interprétation de Béelphégor est
« forme de turpitude ». C'était le sens que lui donnait PHILON, *Mut. nom.*
107, disant : Béelphégor s'interprète « bouche au-dessus de la peau » et il

seignent chez les nations païennes. Voulant toutes les
connaître et les pénétrer en savant et en sage qu'il était, il ne
put garder la règle qui le maintenait à l'intérieur de la loi
divine, et il se laissa tromper par la philosophie moabite ; il
se laissa persuader d'immoler à l'idole de Moab et à celle des
Ammonites, ainsi qu'à celles des autres nations païennes ;
l'Écriture dit qu'il en reçut des femmes, qu'il leur construi-
sit des temples ou fit des immolations à leurs idoles [k]. C'est
vraiment une grande affaire, une affaire de Dieu, que de
frayer, comme on le ferait avec des femmes, avec tant de
doctrines sans s'écarter de la règle de vérité, et de pouvoir
dire avec fidélité : « Il y a soixante reines et quatre-vingts
concubines, et des jeunes filles sans nombre ; une seule
pourtant est ma colombe, ma parfaite, elle est l'unique de sa
mère, l'unique de celle qui lui a donné le jour [l] ».

**Béelphégor :
consécration
à la turpitude**
3, 4. « Mais eux adorèrent les idoles et
se consacrèrent à Béelphégor [m] ». Béelphégor est le nom d'une idole qui chez les
Madianites était honorée surtout par les
femmes. Israël se consacra donc aux mystères de cette idole.
En cherchant attentivement le sens de son nom dans la liste
des noms hébreux [1], nous n'avons trouvé que cette note :
'Béelphégor est une forme de turpitude'. Le traducteur n'a
cependant pas voulu indiquer la sorte ou l'espèce de la turpitude, ni de qui elle était le fait : souci d'honnêteté, je pense,
pour ne pas offenser les oreilles des auditeurs. Or comme il
y a beaucoup de sortes de turpitude, l'une d'entre elles est
appelée Béelphégor. Il faut donc savoir que tout homme qui
commet un acte honteux et qui tombe dans une des espèces

---

avait expliqué qu'il s'agissait de ces gens « qui dilatent tous les orifices de
leur corps pour recevoir les influx répandus sur eux de l'extérieur ». On
comprend qu'Origène ait invoqué, pour ne pas détailler les formes de la
turpitude, « un souci d'honnêteté par crainte d'offenser les oreilles des
auditeurs ».

aliquid turpe committit et in aliquam speciem turpitudinis declinat, 'Beelphegor' Madianitarum daemonio 'consecratur'. Sed et per singula peccata quae committimus, maxime
312 si iam non subreptione aliqua, sed studio affectuque peccamus, illi sine dubio daemoni cui peccatum illud quod admisimus inoperari curae est, consecramur. Et fortasse continget nobis tot daemoniis esse consecratos quot peccata
316 committimus, et in singulis quibusque delictis uelut mysteria quae dicunt illius aut illius idoli suscipimus.

3, 5. Et fortasse propter hoc dicebat Apostolus : « *Iam enim mysterium iniquitatis operatur* [n] ». *Circumeunt* ergo
320 spiritus maligni et *quaerunt* quomodo unumquemque decipiant [o] et per illecebram peccati mysteriis suis consecrent, et neque sentientem neque intellegentem, uerbi causa, per fornicationis peccatum introducunt ad daemonium
324 Madianitarum et consecrant Beelphegor, consecrant turpitudini. Similiter et per alia peccata, ut diximus, aliis daemonibus homines consecrantur.

Sed tu obserua diligentius quod scriptum est, et '*sta in uiis*
328 *et interroga quae sint uiae Domini aeternae et quae sit uia bona, et incede in ea* [p]' et non accedas ad ianuas domus malitiae. Sed si senseris malignum spiritum loqui in corde tuo, ut te ducat ad aliquod opus peccati, intellege quia te ducere

---

n. 2 Th 2, 7   o. cf. 1 P 5, 8   p. Jr 6, 16

1. En effet, un péché, c'est un démon qui agit. Origène exprime sa pensée à ce sujet dans *Hom. in Jos.* XV, 5 : « Il se trouve chez presque tous les hommes différents esprits qui cherchent à susciter en eux les divers genres de péché. Par exemple il y a l'esprit de fornication et l'esprit de colère, l'esprit d'avarice et l'esprit d'orgueil » (*SC* 71, p. 349). On lira dans le même ouvrage l'*appendice* I, p. 63-67, sur les anges des vices et sur l'angélologie d'Origène, par A. JAUBERT. Les conceptions antérieures à partir desquelles celle-ci s'est formée sont à chercher dans le judaïsme.

2. « Les chemins éternels du Seigneur », *viae Domini aeternae*. Quels sont ces chemins éternels, τρίβους αἰωνίους (LXX) ? Moralement, le sens

de la turpitude, se consacre à Béelphégor, démon des Madianites. A chacun des péchés, également, que nous commettons, surtout si nous ne péchons pas par surprise mais consciemment et avec complaisance, nous nous consacrons, c'est évident, à celui des démons dont le rôle est de produire le péché que nous avons commis [1]. Et il peut nous arriver d'être consacrés à autant de démons que nous commettons de péchés, et à chacune de ces fautes, d'adopter pour ainsi dire les mystères qui se rapportent, prétendument, à telle ou telle idole.

3, 5. Il semble bien que c'est à cause de cela que l'Apôtre disait : « Déjà s'accomplit le mystère d'iniquité [n] ». C'est que les esprits méchants « rôdent, cherchant à tromper chacun [o] » et à le consacrer à leurs mystères par la séduction du péché ; sans qu'il s'en doute ni sans qu'il le comprenne, ils l'introduisent, par exemple, par le péché de fornication au démon des Madianites, et en le consacrant à Béelphégor, ils le consacrent à la turpitude. Il en va de même pour d'autres péchés qui, comme nous avons dit, consacrent les hommes à d'autres démons.

Quant à toi, sois attentif à observer ce qui est dit dans l'Écriture : « Arrête-toi en chemin : demande les chemins éternels du Seigneur [2] et quel est le bon ; celui-là prends-le et avance [p] » ; n'approche pas des portes de la maison du mal. Mais si tu t'aperçois qu'un esprit malin parle dans ton cœur et qu'il t'entraîne à une œuvre de péché, comprends bien qu'il veut te mener et te consacrer à quelque démon,

---

n'est pas douteux, on dira : ceux qui conduisent à la vie éternelle. Mais la Vulgate a traduit le mot par « antiquae viae » et de Vieilles Latines par « *ab antiquo* ». Effectivement, les traductions de l'hébreu donnent : « les sentiers d'autrefois », « de jadis », « des générations passées », « traditionnels », « de toujours », selon les Bibles. On saisit les nuances que peut prendre le mot d'« éternels » dans le texte sacré quand il s'applique métaphoriquement à un objet temporel.

332 uult ut consecret te alicui daemoni, ducere te uult ut susci-
    pias mysteria diabolica, mysteria iniquitatis. Et hoc est,
    puto, quod scribit Apostolus : « *Cum autem gentes essetis,*
    idolorum forma euntes, prout ducebamini q ». A quo uel a
336 quibus 'ducebamini' ? Ab spiritibus nempe malignis duce-
    bamini ad opera peccatorum.

    3, 6. Haec audiens uigilans quique auditor dicet fortas-
    sis : quid ergo faciemus ? Si circumeunt spiritus maligni
340 unumquemque nostrum et ducunt ac pertrahunt ad pecca-
    tum, nemo autem alius est qui ad iustitiam trahat, qui inui-
    tet et ducat ad pudicitiam, ad pietatem : quomodo non uide-
    bitur ad pereundum quidem late uia patere r, ad salutem
344 uero nusquam ullus aditus dari ? Immo uero aduerte dili-
    gentius, si potes adaperto cordis oculo interiora mecum
    considerare mysteria, et uidebis quanto maior in secretis
    salutis nostrae cura geritur quam facultas ad decipiendum
348 praebetur. Adest unicuique nostrum, etiam '*minimis* s' qui
    sunt in Ecclesia Dei, angelus bonus, angelus Domini, qui
    regat, qui moneat, qui gubernet, qui pro actibus nostris cor-
    rigendis et miserationibus exposcendis cotidie '*uideat*
352 *faciem Patris qui in caelis est* t', sicut Dominus designat in
    Euangeliis. Et iterum secundum ea quae Iohannes in
    Apocalypsi scribit, unicuique Ecclesiae generaliter angelus
    praeest u, qui uel collaudatur pro bene gestis populi uel
356 etiam pro delictis eius culpatur.

---

q. 1 Co 12, 2   r. cf. Mt 7, 13   s. cf. Mt 18, 10   t. cf. Mt 18, 10
u. cf. Ap 1, 20 ; 2, 1.8.12.18...

---

1. *L'œil du cœur* : d'aucuns ont donné à cette expression une origine
stoïcienne ; elle est aussi paulinienne (*Ep.* 1,18).
2. *Tous les jours* : Rufin a écrit *cotidie,* mais le texte de Matthieu comporte le mot *semper,* sans cesse.

qu'il veut t'amener à participer aux mystères du diable, aux mystères d'iniquité. Je pense que c'est ce que veut dire l'Apôtre quand il écrit : « Quand vous étiez païens, marchant comme feraient des idoles, vous vous laissiez entraîner sans résister ^q ». Qui était, quels étaient ceux qui vous entraînaient ? Ce ne pouvait être que des esprits du mal qui vous conduisaient aux œuvres des péchés.

La contrepartie : les anges gardiens **3, 6.** A ces paroles, tout auditeur attentif dira peut-être : Que ferons-nous donc ? Si les esprits du mal rôdent autour de chacun de nous, nous entraînant, nous attirant au péché, sans qu'il y ait d'autre part personne à nous engager à la justice, personne à nous inviter et à nous mener à la chasteté, à la piété, comment la voie vers la perdition ne paraîtrait-elle pas largement ouverte ^r, tandis que pour le salut, il n'y a d'accès nulle part ? — Mais non, sois attentif, cherche plutôt, en ouvrant l'œil du cœur ¹, à contempler avec moi, si tu peux, les mystères intérieurs ; tu verras alors combien plus les efforts secrets faits pour notre salut l'emportent sur les possibilités laissées à la séduction. Il y a auprès de chacun d'entre nous, fût-il le plus petit ^s dans l'Église de Dieu, un bon ange, un ange du Seigneur, pour le diriger, le conseiller, le gouverner, un ange qui, pour corriger nos actes et implorer la miséricorde, « voit tous les jours ² la face du Père qui est dans les cieux ^t », selon l'indication du Seigneur dans les *Évangiles*. Et en nous accordant encore à ce qu'écrit Jean dans l'*Apocalypse*, il y a pour chaque Église en général un ange qui la préside ^u, qui est félicité pour la bonne conduite du peuple ou blâmé pour ses fautes ³.

---

3. Cf. *Hom.* XI, 4,1-2 (*SC* 442, p. 35-39) ; *Hom. in Lc* XIII, 35 ; *Hom. in Lev.* 9,4 ; HUET, *Origeniana* II, 5,19-20.

3, 7. In quo etiam stupendi mysterii admiratione per-
moueor quod in tantum Deo cura de nobis sit, ut etiam
angelos suos culpari pro nobis et confutari patiatur. Sicut
360 enim cum paedagogo traditur puer, si forte minus dignis nec
secundum paternam nobilitatem imbutus appareat disciplinis, continuo culpa ad paedagogum refertur, nec ita puer a
patre ut paedagogus arguitur, nisi si durior fuerit et paeda-
364 gogi monita spreuerit atque in lasciuiam pronus ac proter-
uiam salutaria eius uerba contempserit, illis magis obtempe-
rans qui luxuriam suadent et ad lasciuiam prouocant.

Et quid fiat illi animae, prophetae uocibus disce :
368 « *Derelinquetur* » inquit « *filia Sion sicut tabernaculum in
uinea, et sicut casa custodiaria in cucumerario, sicut ciuitas
quae expugnata est* ᵛ » ; et iterum : « *Auferetur maceria eius
et erit in conculcationem, et diripient eam omnes qui tran-*
372 *seunt uiam* ˣ, *et singularis ferus depascetur eam* ʸ ». Haec
patietur, si non acquiescat monitis angeli qui sibi positus est
ad salutem. Sui namque arbitrii est anima et in quam uolue-
rit partem est ei liberum declinare ; et ideo iustum Dei iudi-
376 cium est, quia sponte sua siue bonis siue pessimis monito-
ribus paret.

3, 8. Vis tibi adhuc et amplius aliquid ex Scripturis diuinis ostendam quomodo maior cura salutis erga homines
380 Deo est quam diabolo perditionis ? Numquid non sufficie-
bat angelorum diligentia aduersus insidias daemonum et
aduersum eos qui ad peccandum homines trahunt ? Ipse
'*Vnigenitus* ᶻ', ipse, inquam, Filius Dei adest, ipse defendit,
384 ipse custodit, ipse nos ad se trahit. Audi quomodo ipse
dicit : « *Et ecce ego uobiscum sum omnibus diebus usque ad
consummationem saeculi* ᵃᵃ ». Nec sufficit eum esse nobis-

v. Is 1, 8   x. cf. Is 5, 5   y. Ps 79, 14   z. cf. Jn 1, 18
aa. Mt 28, 20

3, 7. Ici, en plus, je m'émerveille devant ce mystère stupéfiant, que Dieu ait pour nous tant de sollicitude qu'il se prête même à ce que les anges soient incriminés et confondus à notre place. C'est comme lorsqu'un enfant est confié à un pédagogue : si l'enfant se montre instruit en des matières inconvenantes et sans rapport avec l'honorabilité paternelle, la faute en retombe immédiatement sur le pédagogue ; l'enfant n'est pas grondé à l'égal du pédagogue, sauf s'il s'est entêté, s'il a méprisé les avis du pédagogue et si, enclin au libertinage et porté à l'impudence, il a dédaigné les paroles salutaires du maître pour se conformer de préférence à ceux qui lui conseillaient la luxure et le provoquaient à la débauche.

Qu'arrive-t-il à cette âme ? Sache-le par les paroles du Prophète : « La fille de Sion sera abandonnée comme une tente dans une vigne et comme une hutte de gardiens dans un champ de concombres, comme une cité prise d'assaut [v] ». Et de nouveau : « Son mur sera détruit ; elle sera foulée aux pieds et pillée par tous les passants [x] ». Et encore : « Le sanglier sauvage la broutera [y] ». Voilà ce qu'elle endurera si elle ne suit pas les avis de l'ange préposé à son salut. Car l'âme ne dépend que d'elle-même, et elle a la liberté de se diriger du côté qu'elle veut ; aussi le jugement de Dieu est-il juste, car c'est par elle-même qu'elle obéit aux bons ou aux mauvais conseillers.

3, 8. Veux-tu que je te montre encore mieux d'après les Écritures divines que Dieu veille plus attentivement au salut des hommes que le diable ne travaille à leur perdition ? L'action des anges contre les attaques des démons et contre ceux qui entraînent les hommes au péché ne suffisait-elle pas ? Eh bien ! le Fils Unique [z] lui-même, le Fils de Dieu, dis-je, lui-même est là, qui nous défend, qui nous garde, qui nous attire à lui. Écoute ses propres paroles : « Voici que je suis avec vous tous les jours jusqu'à la consommation du siècle [aa] ». Et il ne

L'économie du salut

cum, sed quodammodo uim nobis facit, ut nos pertrahat ad
388 salutem ; ait enim in alio loco : « *Cum autem exaltatus fuero,
omnia ad me pertraham* bb ». Vides quomodo non solum
inuitat uolentes, sed et cunctantes 'trahit'. Vis audire quomodo 'trahat' etiam cunctantes ? Non concessit illi qui uole-
392 bat '*ire et sepelire patrem suum* cc', nec spatium temporis
dedit, sed ait illi : « *Sine mortuos sepelire mortuos suos, tu
autem sequere me* dd ». Et alibi dicit : « *Nemo mittens manum
suam in aratrum et retro respiciens aptus est regno Dei* ee ».

396   **3, 9.** Quod si amplius adhuc uis de hoc cognoscere sacramento, ostendam tibi de Scripturis quod etiam ipse Deus
Pater dispensationem salutis nostrae non neglegit, sed et ipse
nos ad salutem non solum uocat, sed et 'pertrahit'. Sic enim
400 Dominus dicit in Euangelio : « *Nemo uenit ad me, nisi quem
Pater meus caelestis attraxerit* ff ». Sed et '*paterfamilias*', qui
'*mittit seruos suos inuitare amicos ad nuptias filii sui*', posteaquam 'excusauerunt' illi qui priores fuerant inuitati, dicit
404 seruis : « *Exite ad uias et angiportus, et quoscumque inue-
neritis, cogite introire* gg ». Sic ergo non solum inuitamur a
Deo, sed et trahimur et cogimur ad salutem.

     Sed nec Sanctus quidem Spiritus in huiuscemodi dispensa-
408 tionibus deest ; et ipse enim dicit : « *Segregate mihi Paulum
et Barnabam in ministerium quod adsumpsi eos* hh », et iterum prohibet Paulum ire in Asiam et rursum cogit eum ire
Hierosolymam, praedicens ei quia uincula et carceres eum
412 maneant ibi ii. Quod si '*angeli Domini circumdant in circuitu
timentium eum, ut eripiant eos* jj', si Deus Pater, si Filius, si
Spiritus Sanctus non solum hortantur et prouocant, sed et
'pertrahunt', quomodo non multo maior cura pro nobis geri-
416 tur ad salutem quam ab aduersariis procuratur ad mortem ?

---

     bb. Jn 12, 32   cc. cf. Mt 8, 21   dd. Mt 8, 22   ee. Lc 9, 62
ff. Jn 6, 44   gg. cf. Lc 14, 21-23 ; Mt 22, 3.9   hh. Ac 13, 2
ii. cf. Ac 16, 6 ; 21, 11 s   jj. Ps 33, 8

lui suffit pas d'être avec nous, mais il nous fait violence en quelque sorte pour nous attirer au salut. Car il dit en un autre passage : « Quand j'aurai été élevé, j'attirerai tout à moi bb ». Tu vois qu'il ne se contente pas d'inviter les consentants : il tire aussi les hésitants. Tu veux savoir comment il tire aussi les hésitants ? A celui qui voulait « aller ensevelir son père cc », il ne lui en laissa pas le temps, mais il lui dit : « Laisse les morts ensevelir leurs morts ; quant à toi, suis-moi dd ! » Il dit ailleurs : « Quiconque a mis la main à la charrue et regarde en arrière est impropre au royaume de Dieu ee ».

3, 9. Et si tu veux en savoir davantage sur ce mystère, je te montrerai par les Écritures que Dieu le Père lui-même ne néglige pas la dispensation de notre salut : il ne se contente pas de nous appeler au salut, il nous y attire. C'est ainsi que le Seigneur dit dans l'*Évangile* : « Nul ne vient à moi, à moins que mon Père du ciel ne l'ait attiré ff ». Le père de famille aussi, qui envoie ses serviteurs inviter des amis aux noces de son fils, dit aux serviteurs, après les excuses des premiers invités : « Allez dans les rues et les ruelles, et tous ceux que vous trouverez, forcez-les à entrer gg ». Ainsi donc nous ne sommes pas seulement invités par Dieu, mais aussi tirés et forcés au salut.

Mais le Saint-Esprit non plus n'est pas absent de ces dispensations du salut. Lui-même dit en effet : « Mettez-moi à part Paul et Barnabé pour l'œuvre à laquelle je les ai destinés hh » ; il empêche aussi Paul d'aller en Asie et le force encore de retourner à Jérusalem, où il lui prédit que des chaînes et la prison l'attendent ii. Si « des anges sont disposés tout à l'entour de ceux qui craignent le Seigneur pour les délivrer jj », si Dieu le Père, si le Fils, si l'Esprit-Saint ne se contentent pas d'encourager ni d'inviter, mais aussi « attirent », comment penser que le souci de notre salut ne soit pas une affaire plus importante que celle où s'efforcent nos adversaires pour notre perte ?

Haec autem dicta sint pro eo quod 'consecratus est populus Beelphegor'.

4, 1. « *Et iratus est* », inquit, « *furore Dominus contra*
420 *Israel. Et dixit Dominus ad Moysen : Assume principes
populi et ostenta illos Domino contra solem, et auertetur ira
furoris Domini ab Israel* a ».

Nescio si de his disserentes non offendamus aliquos ; sed
424 et si offendamus, '*oboedire magis et deseruire oportet uerbo
Domini quam gratiae hominum* b'. Peccauit Israel, 'dixit
Dominus ad Moysen, ut assumat omnes principes et osten-
tet eos Domino contra solem'. Populus peccat et 'principes
428 ostentantur contra solem', id est ad examinandum producuntur, ut arguantur a luce.

Vides quae sit conditio 'principum populi' : non solum
pro suis propriis arguuntur delictis, sed et pro populi pec-
432 catis coguntur reddere rationem, ne ipsorum sit culpa quod
populus deliquit, ne forte non docuerint, ne forte non
monuerint neque solliciti fuerint arguere eos qui initium
culpae dederint, uti ne contagio dispergeretur in plures.
436 Haec enim omnia facere principibus imminet et doctoribus.
Si enim illis haec non agentibus nec sollicitudinem gerenti-
bus circa plebem peccauerit populus, ipsi ostentantur et ipsi

---

4. a. Nb 25, 4   b. Ac 5, 29

1. Remarquer les précautions d'Origène avant de blesser peut-être des
chefs — des évêques — qui se sont mis en cas d'être jugés. — *Expose-les
devant le Seigneur face au soleil :* J. DE VAULX (*Les Nombres*, p. 299) com-
mente ainsi : « Les coupables sont empalés pour Yahweh devant le soleil,
selon un antique usage, probablement païen ». G. DORIVAL (*BA IV*, p. 460),
après avoir exposé les interprétations anciennes du verbe employé dans le
texte hébreu, à savoir « mettre à mort », « empaler », « pendre », « cruci-
fier », « rompre et exposer », signale que le verbe employé dans la LXX,
παραδειγματίζειν suppose qu'il s'agit « d'un châtiment public exemplaire », mais dont on ne peut préciser le mode. Origène n'a cure de ce
genre de précision littéraliste : chez lui, le symbolisme a tôt fait de le faire

Voilà bien ce qu'il fallait dire comme explication pour le passage : « le peuple fut consacré à Béelphégor ».

L'« exposition » des chefs du peuple

4, 1. « Et le Seigneur, dit l'Écriture, s'enflamma de colère contre Israël. Et le Seigneur dit à Moïse : Prends les chefs du peuple et expose-les devant le Seigneur face au soleil ; et l'ardeur de la colère du Seigneur se détournera d'Israël [a] ».

Je ne sais si, en traitant de ce sujet, nous n'allons pas blesser quelques personnes. Mais même si nous en blessons, « il vaut mieux obéir à la parole de Dieu et la servir que de se rendre agréable aux hommes [b] ». Israël a péché, et le Seigneur a dit à Moïse : « Prends tous les chefs et expose-les devant le Seigneur face au soleil [1] ». Le peuple pèche, et ce sont les chefs qui sont exposés face au soleil ; c'est-à-dire qu'ils sont amenés à l'instruction pour être jugés par la lumière.

Responsabilité des chefs de l'Église

Tu vois la condition des chefs du peuple. Non seulement ils sont accusés de leurs propres fautes, mais ils sont obligés de rendre compte aussi des péchés du peuple [2]. N'est-ce pas leur faute si le peuple a péché, n'ont-ils pas omis d'enseigner, d'avertir, négligé d'accuser les instigateurs de la faute au risque de voir la contagion s'étendre davantage ? Car tous ces devoirs incombent aux chefs et aux docteurs. Si faute de les avoir remplis, faute de s'être souciés du peuple, ils l'ont laissé tomber dans le

aboutir, on va le voir dans les paragraphes qui suivent, à une interprétation eschatologique, où c'est le Soleil de Justice qui distribue au Jugement dernier les châtiments mérités.

2. On peut rapprocher ce texte de celui de *Hom. in Lev.* 2, 3 (*SC* 286, p. 101) qui montre le pontife offrant des victimes à Dieu pour son péché et pour la faiblesse du peuple.

ad iudicium producuntur. Arguit enim eos Moyses, id est
440 lex Dei, uelut neglegentes et desides ; et in ipsos conuerte-
tur iracundia Dei 'et cessabit a populo ᶜ'. Haec si cogitarent
homines, numquam cuperent neque ambirent ad populi
principatum. Sufficit enim mihi si pro meis propriis arguar
444 delictis, sufficit mihi pro memet ipso et peccatis meis reddere rationem. Quid mihi necesse est etiam pro populi peccatis 'ostentari' et 'ostentari' ante solem, ante quem nihil
potest abscondi, nihil obscurari ?

448   4, 2. Sed fortassis etiam in hoc sit aliquis arcanus et
reconditus sensus, qui plus aliquid doceat quam communis
haec habere uidetur expositio. Fortassis enim referri et hoc
potest ad illos 'principes populi' de quibus paulo superius
452 diximus. Venient enim et angeli ad iudicium nobiscum et
stabunt pro nobis 'ante solem iustitiae ᵈ', ne forte aliquid
etiam ex ipsis causae fuerit quod nos deliquimus, ne forte
minus erga nos operis et laboris expenderint, quo nos a pec-
456 catorum labe reuocarent. Nisi enim esset aliquid etiam in
ipsis quod in causa nostri culpandum uideretur, numquam
diceret sermo Scripturae ad angelum illius uel illius Ecclesiae
quia habes, uerbi gratia, quosdam 'tenentes doctrinam
460 Balaam ᵉ', uel quia 'dereliquisti caritatem tuam pristinam ᶠ'
uel patientiam tuam uel alia huiusmodi quae iam superius
memorauimus, pro quibus in Apocalypsi angeli uniuscuiusque culpantur Ecclesiae.

464   Si enim mercedem sperat angelus, uerbi gratia, qui me
consignatum accepit a Deo pro his quae bene gessi, certum
est quia et culpari sperabit pro his quae a me non bene gesta
sunt. Et ideo 'ostentari' dicuntur 'contra solem', procul

---

c. cf. Nb 25, 4   d. cf. Ml 4, 2   e. cf. Ap 2, 14   f. cf. Ap 2, 4

1. Ici reprend le développement sur le Jugement des anges laissé en suspens au § 3, 7.

péché, c'est eux qui sont « exposés », c'est eux qui sont tra-
duits en jugement. Car Moïse, c'est-à-dire la loi de Dieu, les
accuse de négligence et de paresse ; la colère de Dieu se tour-
nera contre ces gens-là et du coup épargnera le peuple [c]. S'ils
y songeaient, jamais les hommes n'auraient le désir ni l'am-
bition d'être mis à la tête du peuple. Il me suffit, moi, d'être
accusé de mes propres fautes, il me suffit d'avoir à rendre
compte de moi-même et de mes péchés. Pourquoi me fau-
drait-il encore être exposé pour les péchés du peuple, « être
exposé face au soleil » devant lequel rien ne peut être caché
ni obscurci ?

**Les anges
au Jugement**
 4, 2. Mais peut-être se cache-t-il encore
là quelque sens mystérieux et secret,
quelque enseignement plus profond que
cette explication banale ne le laisse paraître. Car on pourrait
le rapporter à ces chefs de peuple dont nous parlions il y a
un instant. En effet les anges aussi [1] viendront avec nous au
Jugement et se tiendront à notre place « devant le Soleil de
Justice [d] » : n'auraient-ils pas quelque responsabilité dans
nos défaillances, n'auraient-ils pas été avares de leur travail
et de leur peine pour nous éloigner de la souillure des
péchés ? Si en effet il n'y avait rien en eux qui méritât le
blâme à cause de nous, jamais l'Écriture ne dirait à l'ange de
telle ou telle Église par exemple : « Il y a chez toi des partisans de la doctrine de Balaam [e] », ou « Tu as abandonné ton
premier amour [f] » ou « ta patience », et tu as failli à ces
autres devoirs que nous avons mentionnés plus haut, pour
lesquels, dans l'*Apocalypse*, les anges de chaque Église reçoivent un blâme.

 Si en effet l'ange que Dieu a commis à ma garde, pour
prendre un exemple, attend une récompense pour mes
bonnes actions, il est évident qu'il doit s'attendre à être
blâmé pour les mauvaises. Aussi est-il dit qu'« ils sont exposés face au soleil », et ce, évidemment, pour qu'apparaisse si

468 dubio ut appareat utrum per meam inoboedientiam an per
illius neglegentiam peccata commissa sint, per quae siue
'Beelphegor' siue alii cuilibet idolo pro qualitate scilicet peccandi 'consecrarer'. Quod si princeps meus — angelum dico
472 qui consignatus est mihi — non defuit, sed commonuit de
bonis et locutus est in corde meo, in eo dumtaxat in quo me
conscientia reuocabat a peccato, sed ego, contemptis eius
monitis et spreto conscientiae retinaculo, praeceps in pec-
476 cata prorupi, duplicabitur mihi poena uel pro contemptu
monitoris uel pro facinore commissi.

4, 3. Nec mireris sane si angelos dicimus uenire cum
hominibus ad iudicium, cum Scriptura dicat quia : « *Ipse*
480 *Dominus ad iudicium ueniet cum senioribus populi et cum*
principibus eius [g] ». 'Ostentantur' ergo 'principes' et, si in
illis culpa est, 'desinit ira Dei a populo'. Debet igitur acrior
nobis esse sollicitudo actuum nostrorum scientibus quod
484 non solum nos 'ante tribunal Dei [h]' pro actibus nostris sta-
bimus, sed et angeli pro nobis ad iudicium deducentur tamquam 'principes' et duces nostri. Propterea enim et Scriptura
dicit : « *Oboedite praepositis uestris et obtemperate iis in*
488 *omnibus ; ipsi enim peruigilant, quasi rationem pro anima-*
bus uestris reddituri [i] ».

5, 1. Post haec refertur quia, '*cum uidisset Finees filius*
Eleazar filii Aaron sacerdotis' Israelitem quendam introisse
492 ad mulierem Madianiten, '*rapto siromaste in manu sua,*
ingressus sit prostibulum et utrumque per ipsa pudenda
transfoderit [a]'. Et pro hoc, inquit, « *Dixit Dominus ad*

g. Is 3, 14   h. Rm 14, 10   i. He 13, 17
5. a. cf. Nb 25, 6-8

1. Rufin a conservé le mot rare de *siromastes* pour la lance. G. Dorival
(*BA IV*, p. 463) explique que ce mot a un sens agricole (*sonde à silo* ; les
silos étant enterrés, un manche de bois à pointe de fer aidait à trouver leur

c'est par ma désobéissance ou par sa négligence qu'ont été commis les péchés par lesquels je me consacrais ou à Béelphégor ou à tout autre idole selon la nature du péché. Et si mon chef, je veux dire l'ange qui a été commis à ma garde, n'a pas été pris en défaut, mais m'a conseillé en bien, s'il a parlé à mon cœur, à ce cœur du moins où la conscience me retenait de pécher, et si moi, faisant fi de ses conseils et du barrage de la conscience, je me suis précipité dans le péché, alors je recevrai double châtiment, l'un pour avoir méprisé le conseiller, l'autre pour avoir commis le méfait.

4, 3. Ne t'étonne pas si nous disons que les anges sont cités au Jugement avec les hommes, puisque l'Écriture dit : « Le Seigneur lui-même viendra en Jugement avec les anciens du peuple et ses chefs [g] ». Les chefs, donc, « sont exposés » et, s'ils sont coupables, « la colère de Dieu ne se tourne pas contre le peuple ». Nous devons par conséquent surveiller nos actes avec un plus grand soin puisque nous savons qu'« au tribunal de Dieu nous aurons à comparaître [h] » pour rendre compte de nos actes, et que les anges aussi comparaîtront au titre d'avoir été nos chefs et nos guides. C'est pourquoi l'Écriture dit : « Obéissez à vos supérieurs et soyez-leur dociles en tout, car ils veillent sur vos âmes, comme ayant à en rendre compte [i] ».

Histoire de Phinées   **5, 1.** Ensuite, il est rapporté que « Phinées fils d'Éléazar, fils du prêtre Aaron » ayant vu s'introduire un Israélite chez une Madianite, prit une lance en main [1], entra dans le lieu de prostitution et les transperça tous les deux par le bas-ventre [a]. A cause de cela, dit l'Écriture, « le Seigneur adressa la

---

emplacement) et un sens militaire (*lance* ; le mot est équivalent à δόρυ en d'autres textes). Quel est le sens que Rufin a voulu privilégier en gardant le mot technique de *siromastes* ?

Moysen : Finees filius Eleazar filii Aaron sedauit iracundiam
496 *meam* [b] ».

Haec aedificauerint priorem populum ; tibi autem, qui a
Christo redemptus es et cui de manibus gladius corporalis
ablatus est et datus est '*gladius Spiritus* [c]', arripe hunc gla-
500 dium ; et si uideris israeliticum sensum cum madianiticis
scortantem meretricibus, id est cum diabolicis se cogitationibus uolutantem, nolo parcas, nolo dissimules, sed statim
percute, statim perime. Ipsam quoque uuluam, id est secreta
504 naturae discutiens et penetrans illum ipsum peccandi fomi-
tem deseca, ne ultra concipiat, ne ultra generet et maledicta
peccatorum suboles israelitica castra contaminet. Hoc enim
si facias, continuo sedabis iracundiam Domini ; praeuenisti
508 enim iudicii diem, qui '*dies irae*' dicitur '*et furoris* [d]', et
exterminato a te fomite peccati, qui nunc uulua Madianitis
mulieris appellatur, securus uenies ad iudicii diem.

Et ideo surgentes, oremus ut inueniamus paratum semper
512 istum '*gladium Spiritus*' per quem exterminentur et semina
ipsa et conceptacula peccatorum, ac propitius nobis fiat
Deus per uerum Fineem ipsum Dominum nostrum Iesum
Christum, cui '*gloria et imperium in saecula saeculorum.*
516 *Amen* [e]'.

---

b. Nb 25, 11   c. Ep 6, 17   d. cf. Rm 2, 5   e. cf. 1 P 4, 11

parole à Moïse et dit : Phinées fils d'Éléazar fils d'Aaron a apaisé ma colère b ».

Cela a pu édifier le peuple de la première alliance. Mais toi, qui as été racheté par le Christ et à qui a été donné « le glaive de l'Esprit c » à la place du glaive matériel qui t'a été ôté des mains, saisis « le glaive de l'Esprit », et si tu vois une pensée israélite se souiller avec des prostituées madianites, c'est-à-dire s'agiter dans ton esprit avec des réflexions diaboliques, n'épargne pas, n'hésite pas, frappe tout de suite et tue. En fracassant les organes, c'est-à-dire en atteignant et en pénétrant les endroits secrets de la nature, retranche le foyer même du péché, qu'il ne conçoive plus, qu'il n'enfante plus et que la descendance maudite des péchés ne vienne plus corrompre le camp des israélites. Si tu fais cela, tu apaiseras tout aussitôt la colère du Seigneur, car tu as prévenu le jour du Jugement, dont l'Écriture dit qu'« il est un jour de colère et de fureur d », et après avoir exterminé en toi le foyer du péché, qui reçoit ici le nom des organes de la Madianite, tu iras en toute assurance au jour du Jugement.

Aussi levons-nous, et prions pour que soit toujours à notre portée ce « glaive de l'Esprit » par lequel seront exterminés à la fois les germes et les réceptacles des péchés. Que Dieu nous soit rendu propice par le véritable Phinées, qui est Jésus-Christ lui-même, notre Seigneur, « à qui soit la gloire et la puissance pour les siècles des siècles. Amen e ».

HOMÉLIE XXI

HOMÉLIE XXI
(*Nombres* Chap. 26)

NOTICE

Le second dénombrement

Origène reprend ce qu'il a annoncé dans l'homélie précédente et qu'il n'a pas eu le temps de développer.

Le dénombrement a lieu pour que puisse être partagée la terre promise selon les lois d'héritage communiquées par Dieu à Moïse. Mais ce n'est pas Moïse qui constitue les lots de chacun, car Moïse a conduit un premier peuple qui a été rejeté et qui « est tombé » dans le désert, peuple de la circoncision ; le distributeur de l'héritage, c'est Josué, qui porte le nom de Jésus, fils de Navé, et qui introduit dans l'héritage paternel le second peuple, celui qui vient des Nations. Le nom de Josué/Jésus permet de se sentir immédiatement plongé dans le christianisme et de comprendre la distribution des parts de l'héritage comme une image de la rétribution finale au Jugement dernier (§ 1,1-2).

Les Lévites sont dispensés de prendre part au partage. C'est que leur part n'a plus rien de terrestre : ils appartiennent à une catégorie spéciale, tout occupée de Dieu seul ; ils ont désiré la Sagesse, connaître les secrets divins, ils se sont élevés aux plus hautes régions du ciel, leur héritage ne consiste pas en une part, mais en le Seigneur lui-même (§ 1,3).

Sans être parvenus à ces sommets, les autres héritent tout de même de la « terre des vivants » : on n'y meurt pas, on y est heureux, on n'y voit plus comme dans « un miroir ni d'une manière obscure », on y est illuminé par les rayons de la Sagesse ; bref la part de l'héritage de ces chrétiens fidèles est au dessus du créé, c'est le Créateur (§ 1,4).

Un certain aspect des choses tracasse Origène : le texte biblique sur les parts semble favoriser les puissants et appauvrir les faibles. Alors Origène cherche si la Bible ne contient pas l'éloge des faibles et du petit nombre, plutôt que celui du grand nombre. L'Évangile lui indique la voie large de la perdition et la voie resserrée du salut. Et l'Arche de Noé lui offre une analogie en plaçant au sommet de ses étages qui vont en se rétrécissant l'unité même de Dieu qui offre le salut à ceux qui montent jusqu'à lui (§ 2,1).

Origène peut donc faire l'éloge du petit nombre. Et ce que reçoit ce petit nombre, qui passe pour meilleur quelle que soit la catégorie où il se range, c'est toujours une part de Dieu. Est-ce un petit bonheur de recevoir une minime parcelle de terre, quand on sait que l'héritage est le Seigneur lui-même et que cette parcelle ne se mesure pas à la quantité de terre, mais au tout de Dieu qui la donne ? (§ 2,2).

Ce qui ne veut pas dire que la multitude soit déshéritée. Le grand nombre, fût-il celui des étoiles, a part à l'héritage promis à Abraham. Le grand nombre peut être de qualité, comme le petit nombre, à l'inverse, peut aussi être de médiocre qualité et ne recevoir qu'un minime héritage (§ 2,3).

Un dernier point de vue : les parts d'héritage sont attribuées par tirage au sort. Il ne s'agit pas du hasard comme chez les païens. Mais c'est un sort que Dieu, qui connaît le cœur de chacun, dirige en fonction des mérites et des vertus. Il peut y avoir des privilèges d'élection, ces privilèges sont ceux des meilleurs et les élus les tiennent de Jésus, le Fils du Père. Ainsi n'y a-t-il pas d'injustice dans la distribution des parts du royaume. Tel est le sort que nous espérons partager avec les saints.

HOMILIA XXI

De eo quod secundo populus numeratus est

1, 1. Numeri sunt quos legimus, et in priore quidem lectione tempore exclusi sumus, ne aliquid etiam de secunda dinumeratione diceremus ; sed conueniens est omissa uel
4 exclusa nunc reddere.

Igitur per praeceptum Domini primo numeratus est populus, sed quoniam illi qui primo fuerant adsciti '*ceciderunt* ᵃ' propter perseuerantiam delictorum, secundus nunc
8 populus qui in lapsorum locum rediuiua generatione successit, uocatur ad numerum, et quod de illis prioribus dictum non fuerat, de his dicitur. Postea enim quam per tribus et plebes domosque ac familias collectus est numerus, dicit
12 Dominus ad Moysen : « *His distribuetur terra in sortem ex numero nominum. Pluribus plura dabuntur in sortem, et exiguis exiguam dabis hereditatem* ᵇ ». Si de prioribus dictum fuisset quia '*his distribuetur terra in sortem*', falsum
16 utique fuisset, quia '*ceciderunt*' illi '*in deserto*' propter

---

1. a. cf. 1 Co 10, 5   b. Nb 26, 53-54

---

* Cette homélie se rapporte au chapitre 26 du Livre des Nombres.

1. Origène reprend le texte biblique laissé de côté à l'homélie précédente. Il s'était engagé à y revenir, v. *supra Hom.* XX, 1,1. On remarque que Rufin a taxé ce texte « reporté » des deux mots d'*omissa uel exclusa*. C'est un doublet. Origène n'a ni voulu omettre ni pensé exclure ce qu'il va dire maintenant ; il a mis à l'écart provisoirement ce qui était de trop pour l'homélie précédente. Rufin excelle, on le verra souvent, par goût de l'em-

HOMÉLIE XXI

Le second dénombrement[*]

1, 1. Ce sont « Les Nombres » que nous lisons. Dans la précédente leçon, le temps nous a manqué pour parler aussi du second dénombrement ; il faut rattraper maintenant ce qui a été laissé de côté[1].

Promesse d'héritage Donc, sur l'ordre de Dieu, le peuple a été dénombré une première fois. Mais comme ceux qui avaient été inscrits la première fois « sont tombés[a] » pour avoir persisté dans leurs péchés, un second peuple maintenant, dont la génération renouvelée remplace les défaillants de la première, est appelé à faire partie du Nombre, et il est dit de lui quelque chose qui n'avait pas été dit du premier. En effet, après avoir assemblé le Nombre par tribus, par clans, par maisons et par familles, le Seigneur dit à Moïse : « La terre leur sera partagée en lots d'héritage d'après le nombre des noms. Aux plus nombreux seront donnés des lots plus grands ; aux peu nombreux tu donneras un héritage restreint[b] ». S'il avait été dit de ceux de la première fois qu'ils recevraient la terre en lots d'héritage, ç'eût été évidemment faux, puisqu'ils sont tombés dans le désert à cause de leurs péchés, mais ce qui n'a pas été dit

---

phase, par besoin de symétrie ou d'harmonie, à élargir sa phrase dans des doublets de cette sorte. Le traducteur français ne se juge pas tenu par la redondance rufinienne. Cf. ORIGÈNE, *Hom. in Gen. SC* 7 bis (1996), Introd. p. 21-22 (*sur Rufin traducteur*).

delicta sua. Quod ergo primis non est dictum, postremis dicitur, quibus et cuncta quae promittuntur impleta sunt.

1, 2. Haec autem nolo putes solius historiae textu
20 concludi ; mysteria sunt quae per legis imaginem conscribuntur. Reprobatur enim prior populus qui est *'in circumcisione'*, et introducitur secundus qui congregatur *'ex gentibus'*, et ipse est qui hereditatem consequitur paternam. Et a quo
24 consequitur ? Non a Moyse, sed ab Iesu. Nam Moyses etiam si dat aliquibus hereditatem, non dat intra Iordanen nec transit omnino Iordanen, sed extra Iordanen dat terram, non *'fluentem lac et mel* [c]*'*, sed pecoribus aptam et muta animalia
28 atque irrationabiles pecudes melius quam rationabiles homines nutrientem. Iesus uero meus secundo populo terram quam dat terra est *'lacte et melle fluens* [d]*'*, immo fauus mellis est prae omni terra. Et Moyses quidem hereditatem non dat
32 in clero nec sorte distribuit nec potest *'per plebes et domos ac familias et nomina* [e]*'* merita singulorum diuina sorte pensare ; hoc solus facit Iesus, cui *'omne iudicium Pater tradidit* [f]*'* ; ipse

---

c. cf. Jos 5, 6   d. Jos 5, 6   e. cf. Nb 1, 20   f. cf. Jn 5, 22

---

1. Comme toujours chez Origène, l'histoire fournit le sens littéral, mais ce n'est pas celui qu'il vise. Le lecteur sait que l'histoire n'est qu'un tremplin chez notre auteur pour passer au sens mystérieux du texte : à l'intelligence spirituelle, où les choses d'en bas, reflétant celles d'en haut, permettent de saisir ce qu'elles sont dans l'autre monde.

2. Selon Origène, l'auteur du *Livre des Nombres* se place en esprit à Jérusalem et reconnaît que Moïse ne partage pas le territoire qui sépare la Ville Sainte du Jourdain, c'est-à-dire la Palestine, car c'est là que doit résider de par le Seigneur, le peuple de Dieu qu'installera Josué. Moïse n'a d'autorité que pour partager aux tribus qui viennent d'en faire la conquête, le territoire de Canaan, terre de l'Est d'au-delà du Jourdain ou Transjordanie ou « Moab », terre ingrate puisque n'y coulent ni le lait ni le miel. Vue simplificatrice chez Origène, qui rejoint opportunément ses idées spirituelles.

3. *Diuina sorte pensare : « tirer au sort en parts divines »*. Le tirage au sort n'est pas un acte aveugle pour l'Écriture ni pour Origène. Celui-ci écrit

pour les premiers, est dit pour ceux qui sont venus ensuite,
et pour eux les promesses ont toutes été accomplies.

Moïse et Jésus   1, 2. Mais ne va pas croire que tout se
borne exclusivement au texte de l'his-
toire [1]. Ce sont des mystères qui sont consignés sous l'image
de la loi. Un premier peuple est rejeté, c'est celui de la circoncision ; un second est introduit, il est issu des Nations
où il se rassemble, et c'est à lui que revient l'héritage paternel. Et de qui le tient-il ? Pas de Moïse, mais de Jésus. Car
Moïse, même s'il donne un héritage à quelques-uns, ne
donne pas de terre en deçà du Jourdain et ne traverse pas le
Jourdain [2] ; au delà du Jourdain, il donne de la terre « où ne
coulent ni lait ni miel [c] », mais qui est bonne pour le bétail
et qui est mieux à même de nourrir des animaux muets et
des troupeaux sans raison que des hommes raisonnables.
Quant à la terre que donne mon Jésus au second peuple,
c'est « une terre où coulent le lait et le miel [d] », disons plutôt : c'est un rayon de miel qui vaut mieux que n'importe
quelle terre. Moïse, lui, ne fait pas de lots ni ne distribue de
parts d'héritage « en fonction des clans, des maisons, des
familles et des noms [e] », puisqu'il ne peut tirer au sort en
parts divines [3] les mérites de chacun ; cela, seul Jésus le fait,
lui à qui « son Père a remis tout jugement [f] » : il sait com-

en *Hom. in Jos.* XXIII, 1 (*SC* 71, p. 453) : « Dans l'usage ordinaire des
hommes, lorsqu'on fait un tirage au sort, c'est au hasard (*fortuitu*) qu'on
attribue la sortie de tel lot plutôt que de tel autre ; il en est autrement dans
la Sainte Écriture », ... p. 461 : « il faut affirmer qu' aucun d'entre nous n'est
étranger à ce genre de sort que règlent les décisions de Dieu » ; ce genre de
sort est donc constitué par une volonté cachée de Dieu, que l'homme ne
sait pas encore lire. Pour la répartition des lieux, Origène dit encore (*ibid.*
p. 463) qu'ils « contenaient en eux-mêmes dans les cieux la cause et la raison qui réglaient sur la terre la distribution des sorts ». Cf. plus loin, dans
nos homélies, sur ce tirage au sort, *Hom.* XXVIII, 2, 2-4, 3, p. 357-367.

scit quomodo populum suum non solum *per tribus et fami-*
36 *lias et domos,* uerum et *per nomina* unumquemque digna et
competenti mansione dispenset.

1, 3. Sunt tamen aliqui in istis, qui conditionem sortis
supereminent et omnino nec adducuntur ad sortem. Omnes
40 leuitae, id est omnes qui intente et indesinenter permanent
in ministerio Dei et peruigiles in seruitio eius excubias
gerunt, sortem inter ceteros non accipiunt ; sed nec omnino
in terra est sors eorum, sed ipse Dominus sors iis et heredi-
44 tas esse memoratur ᵍ. Per hos illi mihi uidentur indicari qui
nullis corporeae naturae obstaculis hebetati, sed omnium
uisibilium gloriam supergressi in sola sibi sapientia Dei et
uerbo eius uiuendi usum exercitiumque posuerunt, qui
48 corporeum nihil requirunt, nihil rationis alienum.
Concupierunt enim sapientiam, concupierunt secretorum
Dei agnitionem et *'ubi est cor eorum, ibi est et thesaurus*
eorum ʰ'. Isti ergo hereditatem non habent in terris, sed
52 supergrediuntur caeli summa fastigia et ibi semper in
Domino, semper in uerbo eius, semper in sapientia et in
uoluptate scientiae eius deliciabuntur. Hic iis cibus, hoc erit

---

g. cf. Nb 18, 20   h. cf. Mt 6, 21

1. *Intente et indesinenter* : doublet rufinien, v. *supra,* note 1. C'est le
grec εἰς τὸ διηνεκές. — Ces Lévites dont Dieu seul est l'héritage sont le
symbole des saints, des âmes parfaites, qui se détachent du monde et se
rendent libres pour Dieu seul. Origène les a déjà décrits dans nos homélies, cf. *Hom.* III, 2, 3-4, *SC* 415, p. 80-83 ; *Hom.* X, 1, 7, *ibid.* p. 276-279.
Autre allusion dans *Hom. in Lev.* XV, 3, *SC* 287, p. 259.
2. On a fait remarquer dans la précédente édition le « renversement de
la maxime évangélique ». C'était bien tenir compte de la valeur des adverbes
qui structurent la phrase. L'Évangile (*Mt* 6,21 aussi bien que *Lc* 12,34) dit
en effet, en résumé : « Vbi thesaurus, ibi cor », Là où est le trésor, là est

ment établir son peuple en une demeure juste et honorable et comment le répartir non seulement en tribus, familles et maisons, mais aussi individuellement d'après le nom de chacun.

Le cas des Lévites

1, 3. Il y en a pourtant parmi eux qui sont au-dessus de l'affectation des lots et n'ont pas à se rendre à la distribution des parts. Ce sont les Lévites, c'est-à-dire tous ceux qui sans relâche [1] s'adonnent à servir Dieu et passent la nuit à monter la garde à son service ; tous ceux-là ne reçoivent pas leur lot parmi les autres, car leur part n'est en rien sur la terre : il est rappelé que c'est le Seigneur lui-même qui est leur lot et leur héritage [g]. Ils me paraissent représenter ceux qui ne se laissent pas entraver par les empêchements de la nature corporelle et qui ont dépassé la gloire de toutes les choses visibles : c'est en fonction de la sagesse de Dieu, unique à leurs yeux, et en fonction de sa parole, qu'ils ont établi leur mode de vie et leur façon d'agir ; ils ne recherchent rien de corporel, rien d'irraisonnable. Ils ont en effet désiré la Sagesse, ils ont désiré la connaissance des secrets divins : « Là où est leur cœur, là est aussi leur trésor [h2] ». Ils n'ont donc pas d'héritage sur la terre, mais ils se sont élevés par delà les régions les plus hautes du ciel : et là, à tout jamais, ils jouiront avec délices du Seigneur, de sa parole, de sa sagesse, de la séduction de sa science. Pour eux, ce sera la nourriture, ce sera le breuvage ; ces richesses, ce sera le royaume. Voilà donc quel

(*ou* sera) le cœur. Le trésor est en premier et détermine l'attrait ou l'attachement du cœur. Tous les passages d'Origène qui utilisent cette citation ne manquent pas, grâce au jeu alterné de *ubi/ibi* de lui donner le sens que nous précisons. Cf. v.g. *In Io. comm.* XIX, 138, *SC* 290, p. 129 ; *In Gen. hom.* 1, 13, *SC* 7 bis, p. 58/59 ; *Sel. in Ps. Hom.* 1 *in Ps.* 38, *PG* 12, 1400 D ; *Hom. in Jer.* V, 13, *SC* 232, p. 310. Seul, notre passage opère l'inversion des termes. Distraction d'Origène ? ou nuance voulue ?

poculum, istae diuitiae, hoc erit regnum. Tales ergo erunt,
56 et in his erunt illi quibus hereditas ipse Dominus erit.

1, 4. Qui autem inferiores sunt nec in istum profectuum
uerticem peruenerunt, hereditatem terrae accipient, licet
sublimioris alicuius et potentioris. *'Terra'* enim *'uiuentium* [i]*'*
60 repromittitur, quae utique idcirco *'terra uiuentium'* dicitur
quod nesciat mortem. Et isti quidem agni et isti beati, sed
beatiores illi qui iam non *'per speculum et in aenigmate'*
neque in substantiis corporalibus, sed *'facie ad faciem* [j]*'*
64 Deum uidebunt, sapientiae illuminatione radiati et merae
diuinitatis capaces per puritatem cordis effecti, portio-
nemque suam non in creatura sed in Creatore habentes, *'qui
est super omnia Deus benedictus in saecula* [k]*'*.

68 **2, 1.** Ait ergo : « *Ex numero nominum pluribus plura
dabuntur in sorte, et exiguis exiguam dabis hereditatem ;
unicuique sicut recensitus est dabitur hereditas eius* [a] ».
Historia hoc est quod docet ut, si qua tribus numerosior
72 habetur in populis, maiora terrae spatia sortiatur ; si qua
autem minore hominum numero censetur, breuiore posses-
sione contenta sit.
Sed quoniam terrae huius diuisionem hereditatemque ter-
76 renam speciem dicimus tenere et *'imaginem futurorum
bonorum* [b]*'* ac formam caelestis illius quae fidelibus et sanc-

---

i. cf. Ps 26, 13   j. cf. 1 Co 13, 12   k. Rm 9, 5
2. a. Nb 26, 53-54 ; 33, 54   b. cf. He 10, 1

---

1. Entrevoyant d'ici-bas le même héritage et le définissant par rapport
à l'attente inquiète de son cœur, saint Augustin dira, près de deux cents ans
plus tard, tout à la fin de *La cité de Dieu (XXII, xxx)* : « Là, nous nous
reposerons et nous verrons ; nous verrons et nous aimerons ; nous aimerons et nous louerons. Voilà ce qui sera à la fin, sans fin. Et quelle autre
fin avons-nous, sinon de parvenir au royaume qui n'aura pas de fin ? »
(*Œuv.s.Aug.* 37, p. 719). Origène, plus spéculatif ; Augustin, plus affectif.
Cf. un peu plus loin, fin du § 1,4.

sera l'état, quels seront les biens de ceux pour qui « le Seigneur lui-même sera leur héritage » [1].

1, 4. Quant à ceux qui sont plus bas et ne sont pas parvenus à ce sommet des progrès, ils recevront une terre en héritage, assez élevée toutefois et assez puissante [2]. Car il leur est promis « la terre des vivants [i] » ; on l'appelle justement « terre des vivants », parce qu'elle ne connaît pas la mort. Ils sont certes grands, ceux qui l'habitent, ils sont heureux, mais plus heureux sont ceux qui désormais « ne verront plus dans un miroir et d'une manière obscure » ni à travers des substances corporelles, « mais verront Dieu face à face [j] », illuminés des rayons de la Sagese et rendus capables, par la pureté de leur cœur, de saisir la pure Divinité, car ils n'ont pas leur part dans la créature, mais dans le Créateur « qui est au-dessus de tous les êtres, Dieu béni dans les siècles [k] ».

Le grand et le petit nombre

2, 1. L'Écriture dit donc : « D'après le nombre des noms, aux plus nombreux reviendra une part plus grande dans le partage ; aux peu nombreux tu donneras un héritage restreint ; à chacun, reviendra son héritage selon qu'il a été recensé [a] ». L'enseignement de l'« histoire » est celui-ci : si une tribu est plus nombreuse, elle doit avoir en partage une plus grande étendue de terre ; mais si il y en a une dont les hommes recensés sont moins nombreux, elle doit se contenter d'un domaine plus petit.

Mais nous disons que le partage et l'héritage de cette terre représentent l'aspect terrestre et « l'image des biens à venir [b] ». Ils indiquent le modèle de l'héritage céleste en

---

2. C'est un second rang dans les récompenses éternelles, réservé aux fidèles qui n'ont pas atteint la perfection. Cette catégorie garde encore quelque chose de terrestre, malgré la gloire.

tis speratur hereditatis ostendere, requiro in illa hereditate quae speranda est, qui sint plures et qui sint pauci, et inue-
80 nio ibi beatiores paucos haberi quam plures. Nam qui '*per uiam latam et spatiosam quae ducit ad perditionem*' egerint iter, '*multi*' dicuntur[c] ; qui uero per '*artam et angustam uiam*' perrexerint '*quae ducit ad uitam*', '*pauci*[d]' appellan-
84 tur. Et iterum in aliis dicitur : « *Quam pauci sunt qui saluan-tur !*[e] » et iterum in aliis : « *Vbi multiplicatur iniquitas, refri-gescet caritas multorum*[f], — non paucorum. Sed et in arca quae a Noe constructa est, ubi mensurae caelitus dantur, in
88 inferioribus '*trecentorum cubitorum*' ponitur '*longitudo*' et '*quinquaginta latitudo*[g]' » ; ubi uero textus eius ad altiora consurgit, in angustum cogitur et paucorum cubitorum conclusione colligitur, ita ut summitas eius in unius cubiti
92 spatium consummetur, propterea quod in inferioribus qui-dem ubi lata et spatiosa habebantur loca, uel bestiae uel pecudes erant locatae, in superioribus uero aues, in summis autem quae angustiora et artiora erant, ibi homo rationabi-
96 lis collocatur. Ipse uero uertex in unum cubitum colligitur ; omnia enim ad monadem rediguntur, quae tamen Trinitatis sacramentum in numero ter centum cubitorum designat, et huic sacramento proximus ponitur homo utpote rationabi-
100 lis et Dei capax.

2, 2. Sed et inde, quae sit differentia inter paucos et mul-tos, colligamus indicia. Pone omnem humani generis nume-rum et ex uniuersis gentibus elige fideles : sine dubio pau-
104 ciores erunt quam sunt uniuersi. Tunc deinde ex fidelium numero elige meliores : certum est quod multo inferior

---

c. cf. Mt 7, 13   d. cf. Mt 7, 14   e. cf. Lc 13, 23   f. Mt 24, 12
g. cf. Gn 6, 15

1. Cf. *Hom. in Gen.* II, 1. *SC* 7 bis, p. 78-83, un passage exactement parallèle sur la construction de l'arche.

lequel fidèles et saints mettent leur espérance. Dans cet héritage à espérer, je cherche quels sont ceux qui sont 'nombreux' et quels sont ceux qui sont 'peu nombreux'. Et je
trouve que ce sont les moins nombreux qui sont reconnus
comme plus heureux que les autres. Car à prendre la route,
« par la voie large et spacieuse qui conduit à la perdition, ils
sont 'nombreux' [c] », est-il dit ; alors qu'ils sont qualifiés de
peu nombreux à continuer « par la voie étroite et resserrée
qui conduit à la vie [d] ». Et il est encore dit ailleurs : « Que
peu nombreux sont ceux qui sont sauvés [e] ! ». Et ailleurs
encore : « A cause de l'iniquité croissante, l'amour se refroi-
dira chez beaucoup [f] », — et non pas chez un petit nombre.
Dans l'arche construite par Noé, aussi, où les dimensions
viennent du ciel, il est établi pour les étages inférieurs une
longueur de trois cents coudées et une largeur de cinquante [g]. Mais à mesure que l'assemblage s'élève aux étages
supérieurs, l'arche se resserre et se réduit à un petit nombre
de coudées, si bien qu'au sommet elle n'a plus que l'étendue d'une seule coudée. La raison en est que les parties
basses, où étaient ménagés de vastes et larges espaces, rece-
vaient les bêtes et les troupeaux, et les plus hautes, les
oiseaux ; quant au sommet étroit et resserré, c'est la place de
l'homme raisonnable. Ce sommet tient en une seule coudée,
parce que tout se ramène à l'Unité, qui, elle-même, signifie
le mystère de la Trinité par le nombre des trois cents coudées. L'homme, puisqu'il est raisonnable et capable de Dieu,
est placé tout près de ce mystère [1].

**Heureuse situation
du petit nombre**

2, 2. Mais alors, recueillons les
indications qui marquent les différences entre petit et grand nombre.
Prends le nombre total du genre humain et fais choix, en
toutes les nations, des « fidèles » : évidemment, ils seront
moins nombreux que l'ensemble. Puis, dans le nombre des
« fidèles », choisis les meilleurs : à coup sûr, c'est un nombre

numerus remanebit. Et item ex ipsis quos elegeris, elige rursum perfectiores : pauciores profecto repperies. Et quanto
108 amplius eligendo processeris, tanto exiguos et paucissimos
inuenies, usque quo ultimo uenias ad unum aliquem qui
confidenter dicat quia : « *Amplius quam omnes illi labo-
raui* [h] ».

112   Hi ergo qui hoc modo plures sunt, plus terrae et plus corporeae hereditatis accipient ; pauci autem exiguum aliquid
de terra consequentur, quia plus in Domino habent ; alii
autem nihil omnino terrenae hereditatis accipient, si qui
116 digni fuerint sacerdotes esse et ministri Dei ; '*horum*' enim
ex integro ipse '*Dominus hereditas*' erit [i]. Et quis ita beatus
est ut uel inter paucos exiguum terrae accipiat uel inter electos sacerdotes et ministros solum Dominum capere heredi-
120 tatis sorte mereatur ? Licet etiam ipsi propter iumenta [j] sua
accipiant aliquid terrae, sed illius terrae quae urbibus conti-
gua est et adhaeret ciuitatibus.

2, 3. Potest tamen adhuc et alio modo intellegi sermo iste
124 qui dicit ut pluribus multiplicetur hereditas. Vnus enim iustus secundum hoc quod '*acceptus est Deo* [k]', pro pluribus
habetur. Denique et scriptum est : « *Per unum sapientem
habitabitur ciuitas, tribus autem iniquorum desolabuntur* [l] ».
128 Et unus iustus pro toto mundo reputatur, iniqui autem,
etiamsi multi sint, exigui et pro nihilo ducuntur apud Deum.

---

h. 1 Co 15, 10   i. cf. Nb 18, 20   j. cf. Jos 14, 4   k. cf. Ac 10, 35
l. Si 16, 4

---

1. Propension d'Origène à établir une hiérarchie de degrés de sanctification entre les fidèles. On comprend bien que les plus parfaits soient de
moins en moins nombreux au fur et à mesure qu'on monte aux sommets
de la perfection. De là à établir comme un système clos de valeur entre les
hommes et à les classer définitivement selon le système, il y a un risque
qu'on a accusé Origène d'avoir franchi. On peut dire ici que l'image de

fortement restreint qui restera. Et de même parmi ceux que tu auras choisis, choisis encore les plus parfaits : tu en trouveras encore moins. Et plus tu avanceras dans cette sélection, plus tu trouveras de petits groupes et en tout petit nombre, jusqu'à ce que tu arrives à la fin à un personnage unique, qui dise résolument : « Plus qu'eux tous j'ai travaillé [h] » [1].

Ceux qui sont plus nombreux selon ce compte, recevront plus de terre et plus d'héritage matériel ; mais ceux qui sont en petit nombre acquerront de la terre en petite quantité, car ils possèdent davantage dans le Seigneur ; mais d'autres aussi pour avoir été de dignes prêtres et ministres de Dieu ne recevront absolument rien de l'héritage terrestre ; car pour eux, « le Seigneur sera tout leur héritage [i] ». Et qui est assez heureux, soit pour recevoir, s'il est du petit nombre, une minime parcelle de terre, soit pour mériter de recevoir en part d'héritage, s'il est du nombre des prêtres et des ministres, le Seigneur seul ? Il est vrai que ceux-ci aussi reçoivent, à cause de leurs troupeaux [j], un peu de terre, mais c'est de la terre qui touche les villes et qui est attachée aux cités.

Autres sens   **2, 3.** Cependant on peut encore comprendre d'une autre manière cette parole que l'héritage des plus nombreux sera amplifié. Un seul juste, dans la mesure où il est agréable à Dieu [k], équivaut à plusieurs personnes. N'est-il pas écrit : « Un seul sage peuplera une cité, mais la tribu des impies sera dévastée [l] » ? Un seul juste vaut le monde entier, mais les méchants, fussent-ils nombreux, sont comptés pour rien devant Dieu [2].

---

l'arche trop complaisamment maniée entraîne notre auteur à introduire, entre les parfaits et les moins parfaits, des étages de valeur et à mettre à leur pointe de manière surprenante comme personnage unique, un saint Paul inattendu, parce qu'il a dit « plus qu'eux tous, j'ai travaillé ».

2. « Sont comptés pour rien » : doublet de Rufin, *exigui et pro nihilo*.

Est ergo et multitudo laudabilis, sicut uidemus etiam ad
Abraham dictum, cum « *Eduxit eum foras et dixit ad eum :*
132 *respice ad caelum si potes dinumerare stellas ; ita erit semen
tuum* [m] ». In quo et hoc intuere quomodo iustus intus est et
in interioribus semper consistit, quia intus '*in abscondito
orat patrem* [n]' et '*omnis gloria filiae regis*', id est animae
136 regalis, '*intrinsecus est* [o]' ; sed tamen Deus '*educit eum foras*',
cum res postulat et rerum uisibilium ratio deposcit. Potest
ergo et hoc modo multis istis qui sunt '*sicut stellae caeli in
multitudine* [p]' multiplicari hereditas et exiguis illis, uidelicet
140 qui, etiamsi numero multi sunt, uitae tamen suae indignitate
et uilitate exigui habentur, exigua hereditas poni.

3, 1. « *Per sortem* » inquit « *erit hereditatis distributio* [a] ».
Hoc quidem praecipitur, sed cum uenio ad Scripturas, uideo
144 ipsum Moysen, cui ista mandantur, sorte non uti in diuisione hereditatis '*Ruben*' et '*Gad*' et '*dimidiae tribus
Manasse* [b]'. Sed et Iesus Naue extra sortem dat hereditatem
tribui '*Iuda*' et '*Caleb* [c]', extra sortem dat et tribui '*Effrem*'
148 et '*dimidiae tribui Manasse* [d]', in ceteris sors mittitur, '*et
prima sors Beniamin procedit* [e]' et inde iam tribuum reliquarum. Vnde puto quod et in illa regni caelorum beata
hereditate erunt aliqui, qui non ueniant ad sortem neque
152 cum ceteris, quamuis sint sancti, numerabuntur ; sed erit
egregia quaedam et eximia eorum hereditas, sicut fuit Caleb
ex tribu Iuda et Iesu ipsius filii Naue.

---

m. Gn 15, 5   n. cf. Mt 6, 6   o. cf. Ps 44, 14   p. cf. He 11, 12
3. a. Nb 26, 55   b. cf. Nb 32, 33 ; 33, 14 ; Jos 18, 7
c. cf. Jos 14, 13   d. cf. Jos 16, 4 s.   e. cf. Jos 18, 11

---

1. Semblable développement sur le « dehors » et le « dedans », *Hom. in
Nb.* VI, 1, 2, *SC* 415, p. 143 ; *Hom. in Ez.* VII, 1, *SC* 352, p. 250-253 ; *Hom.
in Lev.* IV, 6, *SC* 286, p. 184-185.
2. *Egregia quaedam et eximia*, « choisi et exceptionnel ». Un peu plus
loin : *egregii quique et eximii* ; deux lignes après : *optima quaeque et praecipua* ; plus loin : *praecipuos quosque et eximios* ; plus bas encore : *eximios*

La multitude aussi peut être prise en un sens favorable, comme le prouve la parole dite à Abraham lorsque Dieu « le fit sortir au dehors et lui dit : Regarde le ciel, si tu peux y compter les étoiles, ainsi sera ta descendance [m] ». Considère ici que le juste est au-dedans et se tient toujours à l'intérieur [1], car c'est « à l'intérieur que le juste prie le Père dans le secret [n] », et « toute la gloire de la fille du roi », c'est-à-dire de l'âme royale, « est au-dedans [o] » ; mais « Dieu le fait sortir » quand les circonstances le demandent et quand l'ordre des choses visibles l'exige. Il se peut donc que l'héritage soit augmenté pour ce grand nombre « qui est comme celui des étoiles [p] », et diminué pour les petits, c'est-à-dire pour ceux qui, sans être petits par le nombre, sont néanmoins considérés comme petits à cause de leur indignité et de leur bassesse.

Le partage au sort et les récompenses exceptionnelles

3, 1. « Le partage se fera par le sort [a] ». Tel est l'ordre qui est donné. Mais quand je prends les Écritures, je vois Moïse, qui l'a reçu, se dispenser du sort pour l'héritage de Ruben et de Gad, et de la demi-tribu de Manassé [b]. Jésus fils de Navé donne ausi son héritage à la tribu de Juda et à Caleb [c] sans passer par le sort ; il le donne aussi sans passer par le sort à la tribu d'Éphraïm et à la demi-tribu de Manassé [d], mais pour les autres, on tire au sort ; et le sort tombe d'abord sur Benjamin [e], ensuite sur les autres tribus. D'où je déduis qu'au bienheureux héritage du Royaume des cieux, il y en aura qui ne passeront pas par le sort ; ils ne seront pas comptés avec les autres, bien qu'ils soient des saints, mais leur héritage sera choisi et exceptionnel [2], comme il en a été pour Caleb de la tribu de Juda et pour Jésus lui-même fils de Navé.

---

et electos. Un bouquet de doublets, où Rufin, certainement, se complait, mais où l'on se demande pourtant si tous viennent de lui...

Sicut enim, uerbi causa, cum post proelium uictoribus
156 prouinciae partiuntur et spolia, egregii quique et eximii bellatores non cum ceteris militibus in diuisione spoliorum
ducuntur ad sortem, sed optima quaeque et praecipua iis
uirtutum merito decernuntur, ceteri uero utuntur sorte solo
160 iure uictoriae, ita mihi uidetur et Dominus meus Iesus
Christus facturus ; quosdam enim, quos scit abundantius
quam ceteros laborasse et quorum gesta magnifica subli-
mesque uirtutes ipse cognoscit, illis praecipuos quosque et
164 eximios atque, ut ita audeam dicere, similes sibi honores
decernit et glorias.

Aut non tibi uidetur simile aliquid suae beatitudinis caris-
simis suis conferre discipulis, cum dicit : « *Pater uolo ut ubi*
168 *ego sum, et isti sint mecum* ᶠ », et cum iterum dicit quia :
« *Sedebitis et uos super duodecim thronos iudicantes duode-*
cim tribus Israel ᵍ », et iterum : « *Sicut tu in me, Pater, et ego*
in te, ut et isti in nobis unum sint ʰ » ? Haec omnia non sorte
172 descendunt, sed electionis praerogatiua donantur ab eo qui
corda et mentes hominum uidet solus, qui nos quoque,
etiamsi non inter eximios et electos atque illos qui supra sortem sunt, in sortem tamen sanctorum dignetur adducere ;
176 '*Cui est gloria et imperium in saecula saeculorum. Amen* ⁱ'.

f. Jn 17, 24   g. Mt 19, 28   h. Jn 17, 21   i. cf. 1 Pi 4, 11

Après un combat, quand on partage provinces et butin entre les vainqueurs, les combattants qui se sont signalés et sont remplis de mérites ne viennent pas tirer au sort le butin avec les autres soldats, mais on leur décerne, en récompense de leur courage, la principale et la meilleure part, tandis que les autres tirent au sort en vertu du seul droit de la victoire. Ainsi fera, me semble-t-il, mon Seigneur Jésus Christ : à certains dont il sait qu'ils ont peiné plus abondamment que les autres et dont il connaît les actions mémorables et les très hautes vertus, il décerne des honneurs et des titres de gloire exceptionnels, et si je puis ainsi m'exprimer, comparables à ceux qui sont les siens.

Ne te semble-t-il pas qu'il communique à ses meilleurs disciples quelque chose de sa béatitude lorsqu'il dit : « Père, je veux que là où je suis, ils y soient avec moi [f] », et lorsqu'il dit encore : « Vous siégerez sur douze trônes, jugeant les douze tribus d'Israël [g] », ou encore : « Comme tu es en moi et moi en toi, que ceux-ci aussi soient un en nous [h] » ? Tout cela ne provient pas du sort, mais c'est un privilège d'élection accordé par Celui qui, seul, voit les cœurs et les pensées des hommes. Et nous aussi, bien que nous ne soyons pas parmi les élus exceptionnels ni parmi ceux qui sont au-dessus du sort, qu'il daigne cependant nous faire partager le sort des saints. « A lui la gloire et la puissance pour les siècles des siècles. Amen, [i] ».

HOMÉLIE XXII

HOMÉLIE XXII

(*Nombres* 27, 1-23)

NOTICE

Les filles de Salphaat. — Josué, successeur de Moïse

L'histoire des filles de Salphaat mérite d'être contée, — ce que fait d'abord Origène à la suite de la Bible, reconnaissant par là la valeur du texte littéral pour signifier des lois qui ont passé, estime-t-il, en usage dans le monde entier (§ 1,1-2). Relevons son estime pour le droit des femmes.

Mais, comme à l'ordinaire, Origène cherche en cette anecdote un sens spirituel. Si les filles de Salphaat sont au nombre de cinq et qu'elles revendiquent une part d'héritage, c'est qu'elles représentent les cinq sens corporels par lesquels toute œuvre bonne s'accomplit et donne droit à une part d'héritage dans le Royaume (§ 1,3a).

La curiosité d'Origène va plus loin : l'Écriture dit que le père de ces filles est mort. Mort, qu'est-ce à dire ? Il faut comprendre que Salphaat est mort à l'intelligence spirituelle et que c'est la raison pour laquelle il n'a que des filles, car ces filles — ces cinq sens corporels — ne sont capables que de services et d'actes d'obéissance, ce qui les place, en tant que simples fidèles, en un rang inférieur à ceux dont Dieu lui-même est la part d'héritage (§ 1,3b-4).

Car il y a des degrés dans l'héritage céleste : au fils mâle, à la fille, au frère, à l'oncle, au parent éloigné, correspondent des droits célestes qui vont en décroissant, et qu'Origène s'ingénie à définir. C'est peut-être, dit-il, hardiesse de sa part, mais s'il donne à quelques-uns envie de mieux connaître les mystères pour en avoir une meilleure part, il ne le regrettera pas (§ 2,1-2).

L'Écriture en vient à la mort de Moïse, « récit admirable », plein de leçons. L'homme parfait meurt en un lieu élevé ; de là il contemple la Terre Promise. La perfection de sa vie sur la terre le prépare à être au niveau de la Sagesse et des dons spirituels dont il jouira dans l'autre monde (§ 3,1-2).

Cependant il est dit dans l'Écriture que Moïse a transgressé la parole de Dieu, — il avait en effet douté de la puissance de Dieu à fournir de l'eau aux Hébreux dans le désert ; affaire racontée en *Nb* 20, 8-13 — (cf. *BA IV,* notes p. 388-389 sur *Nb* 20, 12). Comme tous les hommes, Moïse a donc subi la loi du péché, et, semblablement à tous, pour faire éclater la miséricorde de Celui qui seul est sans péché (§ 3,3).

Mais Origène passe vite sur le péché de Moïse ; il trouve intéressant de considérer comment Moïse a assuré sa succession. Il voit dans le désintéressement de Moïse vis-à-vis des membres de sa famille, un modèle à proposer aux chefs du peuple de son temps, c'est-à-dire aux évêques. Ceux-ci ne doivent pas chercher à créer une dynastie de chefs dans leur descendance, pas davantage ne doivent-ils céder à la pression populaire ou à des sentiments humains. Qu'ils s'en tiennent à une désignation conforme aux vues du Seigneur Dieu (§ 4,1). C'est ce que fit Moïse quand il désigna, sur l'ordre de Dieu, Jésus fils de Navé comme son successeur (§ 4,2).

Ayant évoqué la mort de Moïse selon l'histoire, Origène ne peut s'empêcher de considérer que la mort de Moïse est la fin de la loi entendue selon la lettre. Or Paul dit que le terme de la loi, c'est le Christ. C'est donc par le Christ que nous entrons dans la terre promise, en ce lieu « où il n'y a plus de guerre, où chacun se repose sous sa vigne et dort sous son olivier, dans la bénédiction du Père, du Fils et de l'Esprit » (§ 4,3-4).

HOMILIA XXII

De filiabus Salphaat
et de successore Moysis

1, 1. Quinque filiae fuerunt, quarum etiam nomina in Scriptura comprehensa sunt, de Salphaat quodam israelita progenitae, qui *mortuus est in deserto* [a] nulla uirili subole
4 derelicta. Istae ergo filiae Salphaat interpellant Moysen et sortem paternae hereditatis exposcunt dicentes : *Ne deleatur nomen patris earum de medio plebis suae, quia non est ei uir filius natus* [b]. Refert pro hoc Moyses consultationem
8 ad Deum [c]. Omnipotentis autem Dei clementia non spernit nec despicit consultationem quae offertur a puellis, et non solum responsa dare dignatur, sed in tantum probat et amplectitur uerba earum, ut ex ipsis aeterna hominibus iura
12 constituat et saeculis omnibus obseruanda. *Ait* enim *loquens Dominus ad Moysen : Recte locutae sunt filiae Salphaat ; dabis iis possessionem in medio fratrum patris sui, et dabis sortem patris ipsarum ipsis. Et filiis Israel loqueris dicens :*
16 *Homo si mortuus fuerit et filius non fuerit ei, dabitis hereditatem eius filiae eius ; quod si non fuerit ei filia, dabitis hereditatem fratri eius ; quod si non fuerint ei fratres, dabitis hereditatem fratri patris eius ; quod si non fuerint fratres*

---

1. a. cf. Nb 27, 3   b. Nb 27, 4   c. Nb 27, 5

1. Conservés par l'Écriture, les noms sont les suivants : Mahla, Noa, Hogla, Milka et Tierça, (orthographe Bibl. Jér.) On a remarqué qu'ils correspondent à des noms de villes situées à l'Ouest du Jourdain.

HOMÉLIE XXII

Les filles de Salphaat
Installation de Josué, successeur de Moïse

I. Histoire des filles de Salphaat

1, 1. Il y avait cinq filles, dont l'Écriture a même retenu les noms ensemble [1] ; elles étaient nées de l'israélite Salphaat, qui « mourut dans le désert [a] » sans avoir laissé de descendance mâle. Ces filles de Salphaat s'adressent donc à Moïse et réclament leur part de l'héritage paternel, en disant que « le nom de leur père ne doit pas être retranché de son clan pour n'avoir pas eu d'enfant mâle [b] ». Moïse soumet la question à Dieu [c]. La bonté de Dieu Tout-Puissant ne méprise pas [2] la question posée par les jeunes filles, et non seulement elle daigne répondre, mais elle approuve et accueille si bien leur revendication que celle-ci devient la base de droits éternels pour les humains, valables dans tous les siècles. « Le Seigneur, en effet, parla à Moïse et dit : Les filles de Salphaat ont raison. Tu leur donneras une propriété au milieu des frères de leur père et tu leur donneras la part d'héritage qui leur revient de leur père. Aux fils d'Israël, tu diras : Si un homme meurt sans avoir de fils, vous donnerez son héritage à sa fille ; et s'il n'a pas de fille, vous donnerez l'héritage à son frère ; et s'il n'a pas de frères, vous donnerez l'héritage

---

2. Dans les deux mots de même sens, *spernit* et *despicit*, nous retrouvons le goût de Rufin pour les doublets.

20 *patris eius, dabitis hereditatem domestico qui fuerit propin-*
    quior ei ex tribu sua, et capiet hereditatem eius. Et erit hoc
    filiis Israel iustificatio iudicii, sicut constituit Dominus
    Moysi [d].

24 **1, 2.** Haec secundum historiam quid uigoris habeant,
    omnibus palam est qui sciunt leges istas non solum apud
    filios Israel custodiri, sed et apud omnes homines, qui tamen
    legibus uiuunt. Vnde apparet quod libertas filiarum Salphaat
28 non solum ipsis hereditatem contulit, sed et perpetua
    uiuendi iura saeculo dedit. Vides quanta sit etiam historiae
    ipsius utilitas in lege Dei. Quis potest leges istas aliquando
    dissoluere, quibus uniuersus utitur mundus ?
32 Sed tamen nos quaeramus quomodo etiam spiritaliter
    aedificemur. Potest enim fieri ut neque filiae mihi sint
    secundum carnem neque aliquid ruris cuius capi possit here-
    ditas. Quid ergo ? Nihil apud eum qui huiusmodi est lex ista
36 operabitur, et erit alicui otiosum quod diuina uoce sancitum
    est ? Requiramus ergo etiam apud spiritalem legem quae sint
    istae quinque filiae, quarum etiamsi pater mortuus fuerit pro
    aliquo peccato, ipsae tamen hereditatem ex uerbo Dei
40 capiant.

    1, 3. In superioribus, cum de spiritalibus filiis tractare-
    mus, uirtutes animi et sensus mentis filios dici docuimus.
    Consequens sine dubio et conueniens uidetur etiam filias

---

d. Nb 27, 6-11

1. Chez PHILON, *De vit. Mos.* II, 234-245, *Œuv. de Phil.* 22, p. 297 s.,
l'histoire des filles de Saphaat est rapportée : « Le Créateur... ne dédaigne
pas de s'occuper d'affaires d'argent pour de jeunes orphelines », mais le
texte ajoute plus loin : « il ne les égala pas en honneur aux combattants »,
car ces derniers reçoivent l'héritage en récompense de leurs actes de bra-
voure. Origène est sensible à l'universalité des lois : « Israël a fondé un droit
durable pour le monde » ; Philon remarque la générosité divine qui élargit
à de faibles et humbles collatéraux les lois sur l'héritage.

au frère de son père ; et si son père n'a pas de frères, vous donnerez l'héritage à son parent le plus proche dans sa tribu, et c'est lui qui recevra l'héritage. Ce sera pour les fils d'Israël une institution de droit, selon ce qu'a enjoint le Seigneur à Moïse [d] ».

1, 2. L'intérêt de ce passage du point de vue historique est évident, si l'on pense que ces lois sont en vigueur non seulement chez les fils d'Israël, mais chez tous les hommes, chez ceux du moins qui vivent sous des lois. La hardiesse des filles de Salphaat non seulement leur a donné un héritage, mais a fondé pour le monde un droit durable. Tu vois quelle est l'utilité de l'histoire elle-même dans la Loi de Dieu. Qui peut abroger des lois passées en usage dans le monde entier [1] ?

Sens spirituel   Que cela ne nous empêche pas de chercher aussi notre édification spirituelle. Il peut arriver que je n'aie ni de fille selon la chair ni de propriété rurale à transmettre en héritage. Alors que faire ? La loi n'aura-t-elle pas d'effet pour celui qui est dans ce cas et ce qui a été sanctionné par la parole divine restera-t-il alors lettre morte ? Cherchons donc encore du côté de la loi spirituelle quelles peuvent être ces cinq filles qui reçoivent malgré tout un héritage en vertu de la parole de Dieu, bien que le père soit mort pour quelque péché.

Fils et filles : la science et les œuvres   **1, 3.** Précédemment [2], ayant à traiter de fils spirituels, nous avons enseigné qu'on appelait fils les vertus de l'âme et les pensées de l'intelligence. Il est donc juste et logique de prendre pour filles les œuvres qui s'ac-

---

2. Cf. *Hom.* XX, 2, 2-3, p. 25-27.

44 opera quae corporis ministerio explentur, accipere. Ideo
denique et quinque iis numerus adscribitur ; quinque enim
corporei sensus sunt, quibus omne opus expletur in corpore.
Istae ergo quinque filiae, id est operum perfectio, etiamsi
48 patre orbentur et remaneant orphanae, non tamen abiciun-
tur ab hereditate neque excluduntur a regno, sed in medio
plebis Dei portionem hereditatis accipiunt.

At enim uideamus quis est pater earum qui *mortuus* eis
52 dicitur ᵉ. *Salphaat* inquit. Salphaat autem interpretatur
'umbra in ore eius'. Pater operum intellectus est. Saepe ergo
accidit et non pauci inter fratres nostros sunt in quibus intellectus altior et profundior nullus, sed est in iis sensus emor-
56 tuus, sicut de quodam scriptum est : *Et emortuum est cor
eius in ipso* ᶠ. Iste ergo, etiamsi ad intellegentiam spiritalem
nihil sapit sed est emortuus, tamen si genuerit filias, id est
opera ministerii, opera obsequiorum, opera mandatorum
60 Dei, hereditatem terrae cum plebe Domini consequetur.
Non poterit quidem inter eos numerari, quorum *portio
Dominus est, quorum hereditas Deus est* ᵍ, non poterit in
ministrorum et sacerdotum numero suscipi ; in plebeio
64 tamen ordine hereditatem terrae repromissionis accipiet :
Multi enim sunt uocati, pauci autem electi ʰ.

1, 4. Ostenditur tamen et causa ex ipsius nominis interpretatione, qua iste Salphaat non potuerit filios generare, sed

---

e. cf. Nb 27, 3   f. cf. 1 S 25, 37   g. cf. Dt 32, 9   h. Mt 22, 14

---

1. Les vertus du nombre cinq ont déjà été rapidement signalées, mêlées
à d'autres, dans une note de l'*Hom.* V, 2, 2 (*SC* 415, p. 128). Que toutes les
œuvres corporelles s'accomplissent par l'office des cinq sens, cette vérité
commune, à laquelle Origène fait ici allusion, est ainsi exprimée par
PHILON, *De plant.* 133 : « Cinq est le nombre propre de la sensation, et, à
dire le vrai, la sensation est l'aliment de notre esprit », et Philon de se livrer
à une énumération complète : par les yeux, sont mises à notre portée les
couleurs et les formes, par les oreilles la diversité des sons, par les narines
les odeurs, par la bouche les saveurs, par les doigts la rugosité ou le lisse,

complissent par l'office du corps. Aussi est-ce le nombre de cinq qui leur est assigné, car le corps a cinq sens au moyen desquels s'accomplit toute œuvre corporelle [1]. Ces cinq filles, donc, c'est-à-dire la perfection des œuvres, même privées de leur père et restées orphelines, ne sont ni écartées de l'héritage ni exclues du royaume : elles appartiennent au peuple de Dieu et reçoivent leur part d'héritage.

Mais voyons qui est leur père, dont elles disent qu'il est mort [e]. D'après l'Écriture, c'est « Salphaat ». Mais Salphaat veut dire : « l'ombre dans sa bouche ». Le père des œuvres, c'est l'intelligence. Or — et c'est un cas fréquent — bon nombre de nos frères ont une intelligence sans envergure ni profondeur [2] ; la pensée chez eux est éteinte, comme chez cet homme dont il est écrit que « son cœur s'éteignit au dedans de lui-même [f] ». Cet homme ne comprend rien à l'intelligence spirituelle et il est éteint ; si toutefois il a mis au monde des filles, c'est-à-dire s'il a rendu des services, s'il a été complaisant, s'il a agi selon les commandements de Dieu, il obtiendra sa part de terre en héritage avec le peuple du Seigneur. Il ne pourra évidemment pas être compté au nombre de ceux dont la part est le Seigneur, dont l'héritage est Dieu [g], il ne pourra pas entrer au nombre des ministres et des prêtres ; il recevra pourtant en héritage sa part de terre promise, à son rang dans le peuple, car « beaucoup sont appelés, mais peu sont élus [h] ».

1, 4. Cependant on comprend d'après la signification même de son nom pourquoi ce Salphaat n'a pas pu avoir de

---

par le toucher répandu par tout le corps le froid ou le chaud (cf. *Œuv. de Phil.* 10, p. 85).

2. Cette constatation, que nous serions spontanément portés à qualifier de peu charitable, est à comprendre comme Origène, qui diversifiait les chrétiens, de par leur mérite, en catégories de parfaits et de simples et leur accordait proportionnellement des dispositions d'esprit propres à pénétrer plus ou moins profondément dans les mystères de la foi.

68 filias ; interpretatur enim, ut diximus, 'umbra in ore eius'.
Vides ergo quoniam, si qui umbram legis habet in ore et *non
ipsam imaginem rerum* [i], hic, quia nihil spiritale, nihil pro-
fundi intellectus sentire potest, sed sola umbra legis in ore
72 eius est, sensus uiuos et spiritales non potest generare ; generare tamen potest opera et actus quae sunt simplicioris uitae
ministeria. Et ideo ostendit in his clementia Dei quod inno-
centiores quique, etiamsi sensu deficiant, habeant tamen
76 opera bona, non excludantur ab hereditate sanctorum. Recte
ergo locutae sunt filiae Salphaat.

2, 1. Post haec ponitur lex Dei de successione, ut primo
filius, filia secundo in loco succedat, tertio *frater*, quarto
80 *patris frater* ; quintus uero gradus certum aliquem non designat, sed quisque ille *propinquior ex omni familia* [a] fuerit, ut
ipse succedat. In his tam integer et perfectus est historiae
sensus, ut nihil requirere uideatur extrinsecus.

84 Tamen si qui bene in spiritalibus legibus eruditus est et
pleniore scientiae lumine radiatus, ille potest intellegere
diuersos istos successionum gradus et quomodo primus sit
consequendae caelestis hereditatis gradus doctrinae et scien-
88 tiae merito, qui est masculus *filius*, secundus operum praerogatiua quae *filia* est, tertius compassionis alicuius et imi-
tationis propter quod et *frater* nominatur. Sunt enim
nonnulli qui sponte quidem sua et proprio intellectu nihil
92 agunt, positi tamen inter fratres ex imitatione ceterorum
eadem uidentur agere quae et illi agunt qui intellectu pro-

i. cf. He 10, 1
2. a. cf. Nb 27, 11

fils, mais seulement des filles. Son nom signifie en effet, comme nous avons dit : « l'ombre dans sa bouche ». Tu comprends que si quelqu'un a dans la bouche l'ombre de la loi, sans avoir « la représentation même des choses [i] », celui-là ne peut rien ressentir de spirituel ni concevoir aucune pensée profonde ; comme il n'est sensible qu'à l'ombre de la loi dans sa bouche, il ne peut donner le jour à des pensées vivantes et spirituelles, mais il peut cependant donner le jour à des œuvres et à des actes qui sont des services dans une vie plus humble. Et cela manifeste la clémence de Dieu, car on voit que les innocents, à défaut d'intelligence, produisent de bonnes œuvres et ne sont pas exclus de l'héritage des saints. Les filles de Salphaat avaient donc raison.

**La loi
de succession**
2, 1. Ensuite est établie par Dieu une loi de succession : l'héritage revient en premier lieu au fils, en second lieu à la fille, en troisième au frère, en quatrième au frère du père ; le cinquième degré n'indique aucune personne déterminée, mais attribue l'héritage « au parent le plus proche de toute la famille [a] ». Ici, le sens historique est si complet et si achevé qu'il ne réclame aucun éclaircissement supplémentaire.

**Degrés dans
l'héritage céleste**
Cependant, un bon connaisseur des lois spirituelles, plus abondamment éclairé des lumières de la science, peut comprendre ces divers degrés de succession ; le premier est celui de l'héritage céleste accordé au titre de la connaissance et de la science : c'est celui du fils mâle. Le second est le privilège des œuvres : c'est celui de la fille. Le troisième répond à une sorte de sympathie et d'imitation, aussi est-il appelé frère ; car il y a des gens qui ne font rien ni par volonté propre ni par réflexion personnelle ; se trouvant toutefois au milieu de leurs frères, ils accomplissent par imitation les mêmes actions que ceux qui sont animés d'une vie intellec-

prio mouentur. Datur ergo etiam istis tertius hereditatis sub titulo fraterni nominis gradus.

96   **2, 2.** Quartus uero, quem *fratrem patris* nominat, potest fortassis intellegi ille ordo hominum qui audita a patribus et ueterum narratione suscepta conantur implere et non tam propriis sensibus moti nec praesentis doctrinae commoni-
100   tionibus excitati quam ueterum uel traditione uel consuetu-dine sola instituti boni tamen aliquid gerunt. Vltimus ergo gradus scribitur ille qui quolibet pacto his *proximus* fuerit ; quasi si diceret, siue occasione siue ueritate doctrinae si qui
104   aliquid boni fecerit, non peribit boni operis merces, sed lar-giente Domino locum hereditatis accipiet. Haec quidem a nobis audacter fortassis praesumpta et in medium prolata uideantur, non tamen erit absurdum si *spiritalibus spirita-*
108   *lia* [b] proponentes secretioris eos intellegentiae aemulatores cupidosque reddamus.

3, 1. Post haec historia refertur et narratione mirabilis et intellectu magnifica. Ponitur enim quomodo *Deus dixerit ad*
112   *Moysen, ut adscenderet in montem* [a], et inde cum pros-pexisset et intuitus fuisset omnem terram repromissionis, ibi defungeretur. Sed ille qui populi curam magis quam sui gereret, orat ad Dominum ut *prouideat hominem* [b] qui regat

---

b. cf. 1 Co 2, 13
3. a. Nb 27, 12 s.   b. cf. Nb 27, 16

1. On saisit dans ce paragraphe et le précédent la tendance prononcée d'Origène à instituer distinctions, catégories, degrés entre les êtres humains. C'est une sorte de tournure de son esprit. Fort de la méthode allégorique, il se plaît à scruter l'avenir ; il établit la hiérarchie des âmes dans la vie future en s'appuyant sur le texte de l'*Épître aux Hébreux* (10,1) où il est dit que les biens actuels ne sont que *l'ombre des biens à venir*, lesquels sont *la réa-lité des choses*. On passe ainsi des choses d'en bas à celles d'en haut, les seules qui valent en considération des mystères à pénétrer. On peut relire

tuelle personnelle. On leur donne donc le troisième rang dans l'héritage, celui qui répond au nom de frère.

2, 2. Quant au quatrième degré, appelé frère du père, on peut y voir la catégorie des hommes qui s'efforcent d'accomplir les recommandations venant de leurs pères et les traditions transmises par le récit des anciens ; ceux-là ne sont guère animés de sentiments personnels ni remués par les enseignements actuels ; formés uniquement aux traditions ou aux usages des anciens, ils ne laissent pas cependant de faire quelque bien. — Le dernier degré est celui de la parenté la plus proche des précédents, quelle qu'elle soit. Ce qui revient à dire : quel que soit le bien qu'on ait fait, soit occasionnellement soit en connaissance de cause, on ne perdra pas le bénéfice de sa bonne action, mais on recevra de la libéralité du Seigneur une part d'héritage. Il est peut-être hardi de notre part d'aborder ces matières et d'en parler en public ; mais ce ne sera pas déraisonnable si, exprimant « pour des spirituels des réalités spirituelles [b] », nous les encourageons à une connaissance plus profonde et à un désir plus grand du sens des mystères [1].

II. Mort de Moïse

3, 1. Ensuite retour à l'histoire : un superbe récit, admirable de signification. On lit que Dieu dit à Moïse de monter sur la montagne [a], puis que, lorsqu'il aurait aperçu et contemplé de là toute la terre promise, il y mourrait. Mais lui, plus soucieux du sort du peuple que du sien propre, demande au Seigneur de « désigner d'avance un homme [b] »

---

ici dans cette perspective la première *Homélie sur les Nombres*, SC 415, p. 30 s. A. MÉHAT avait longuement développé ce point de vue dans l'Introduction à la première édition de nos *Homélies*, SC 29, p. 17-48.

116 populum : *Ne fiat* inquit *synagoga haec sicut oues quibus non est pastor* ᶜ.

3, 2. Vide ergo primo omnium quomodo qui perfectus et beatus est, non in ualle nec in aliqua terrae planitie aut in
120 colle aliquo, sed in monte, id est in alto et arduo defungitur loco. Vitae namque eius consummatio et perfectio habebatur in excelso. Sed et oculis suis contueri iubetur omnem terram repromissionis et diligenter ex eminenti statione cuncta
124 perspicere. Oportebat enim summam perfectionis consecuturo nihil incognitum remanere, sed cunctorum quae uidentur et audiuntur habere notitiam ; ob hoc credo ut omnium quae in carne positus corporali cepit adspectu, in spiritu
128 effectus et nuda mente ad auditoria et discipulatum sapientiae properans uelociter eorum rationes adsequatur et causas. Nam quid uidebitur utilitatis ut discessuro de saeculo et finem uitae huius protinus accepturo ostenderentur ter
132 rae et loca, quorum nec laborem perpessurus esset nec gratiam suscepturus ?

3, 3. Perterret me sane sermo qui sequitur et ad dicendum timidum reddit ac trepidum, quod de magno illo
136 Moyse *famulo* et amico *Dei* ᵈ cui *facie ad faciem* ᵉ locutus est Deus, per quem signa et uirtutes mirificae perpetratae sunt, tam grauia, tam periculosa referuntur ᶠ. Quid enim dicit ei Deus ? *Et apponeris* inquit *ad populum tuum et tu,*
140 *sicut appositus est Aaron frater tuus in Or monte* ᵍ. Et quasi

---

c. Nb 27, 17   d. cf. Jos 1, 7 *et al. undecies*   e. cf. Ex 33, 11
f. cf. Nb 27, 14   g. Nb 27, 13

---

1. L'expression *Moyses famulus Domini* (ou équivalemment *Moyses seruus Dei*) fonctionne comme une épithète de nature. La concordance de la Vulgate l'a relevée 12 fois dans le *Livre de Josué*.

qui conduise le peuple, « pour que cette assemblée ne soit pas comme des brebis qui n'ont pas de pasteur ᶜ ».

Préparation de l'intelligence pour la vie future

3, 2. Remarque avant tout qu'homme parfait et heureux, il ne meurt pas dans une vallée ni dans une plaine ou sur une colline, mais sur une montagne, c'est-à-dire en un lieu élevé et d'accès difficile. Car c'est sur les hauteurs que sa vie était accomplie et trouvait sa perfection. Et d'après l'ordre reçu, c'est aussi d'un poste élevé qu'il doit contempler de ses yeux la Terre promise dans toute son étendue et en examiner tous les aspects avec le plus grand soin. Il fallait en effet que rien ne restât inconnu à celui qui allait atteindre le sommet de la perfection, et qu'il sache tout de ce qui se voit et de ce qui s'entend. La raison en est, je pense, que pour tous les objets qu'il aura connus sous leur apparence matérielle en séjournant dans la chair, il lui faudra, une fois entré dans le monde spirituel et pressé d'aller, en pure intelligence, à l'écoute et à l'école de la Sagesse, il lui faudra rapidement en trouver les raisons et les causes. Quelle utilité y aurait-il, en effet, pour quelqu'un qui va quitter ce monde, de lui montrer, juste à la fin de cette vie, des terres et des lieux où il ne devrait plus endurer de peine ni recevoir de bienfait ?

Moïse coupable

3, 3. Le texte qui vient ensuite, franchement m'effraye : il me fait hésiter et je redoute d'avoir à parler. Car il est question de Moïse, qui fut par excellence le serviteur et l'ami de Dieu ᵈ ¹, celui à qui Dieu a parlé face à face ᵉ, celui par qui ont été opérés des signes et des miracles étonnants. Or c'est à son sujet que sont rapportées des paroles si dures, si menaçantes ᶠ. Qu'est-ce donc que Dieu lui a dit ? — « Et tu seras, toi aussi, enseveli auprès de ton peuple, comme Aaron, ton frère, a été enseveli sur le mont Or ᵍ ». Et comme pour lui expliquer la

causam mortis exponens dicit : *Propter quod transgressi estis uerbum meum in deserto Sin, cum restitit synagoga ne me sanctificaret. Non me sanctificastis in aqua coram iis* [h].
144 Ergone in culpa est etiam Moyses ? Etiam ipse transgressionis crimen incurrit, etiam ipse factus est sub peccato. Idcirco credo cum confidentia dicebat Apostolus quia : *Regnauit mors ab Adam usque ad Moysen* [i] ; accessit enim
148 *usque ad Moysen* et nec ipsi pepercit. Et ideo, opinor, dicebat quia *Peccatum introiuit in hunc mundum, et per peccatum mors, in quo omnes peccauerunt* [j], et iterum : *Conclusit Deus omnes sub peccato, ut omnibus misereatur* [k]. Sed *gra-*
152 *tias Domino nostro Jesu Christo*, qui nos *liberauit de corpore mortis huius* [l], ut, *ubi abundauit peccatum, superabundaret gratia* [m]. Nam Moyses quomodo aliquem liberare potuisset a peccatis, cum etiam ipsi dicatur quia *Transgressi estis uer-*
156 *bum meum in deserto Sin, et non me sanctificastis in aqua coram filiis Israel* [n] ? ut manifestum sit quod ille debeat solus requiri, *qui* solus *peccatum non fecit, nec inuentus est dolus in ore eius* [o].

160   **4, 1.** Sed interim uideamus Moysi magnificentiam. Recessurus de saeculo orat Deum ut prouideat ducem populo. Quid agis, o Moyses ? Numquid filii tibi non sunt

---

h. Nb 27, 14   i. Rm 5, 14   j. Rm 5, 12   k. Rm 11, 32
l. cf. Rm 7, 24-25   m. cf. Rm 5, 20   n. Nb 27, 14   o. cf. 1 P 2, 22

---

1. Il faut se reporter ici au chapitre 20 des *Nombres* : le peuple est dans le désert de Sin ; il se plaint de manquer d'eau, et s'en prend avec injures à Moïse et à Aaron. Dieu dit à Moïse de prendre son bâton et de frapper le rocher pour avoir de l'eau. Moïse se demande s'il pourra faire sortir de l'eau du rocher ; il frappa donc le rocher deux fois — là est le signe qu'il doute de la parole du Seigneur ; là est la faute —, et beaucoup d'eau surgit. Et le Seigneur fit comprendre à Moïse et Aaron que puisqu'ils n'avaient pas eu la foi, ils n'entreraient pas dans la terre promise. Et le texte de conclure : C'est ici l'eau de la querelle, parce que les fils d'Israël ont proféré des injures devant le Seigneur. — ORIGÈNE a déjà expliqué de la même façon, au cours de sa catéchèse sur les *Nombres*, la faute de Moïse, cf. *Hom.* VI, 3, 5, *SC* 415, p. 153.

raison de sa mort, il ajoute : « C'est parce que vous avez
transgressé ma parole dans le désert de Sin, lorsque
l'Assemblée a refusé de me sanctifier. A l'eau, devant eux,
vous ne m'avez pas sanctifié [h][1]. » Moïse est-il donc aussi en
faute ? Oui, lui-même encourt l'accusation d'avoir transgressé ; oui, lui-même a été soumis au péché. Voilà pourquoi, je pense, l'Apôtre disait avec assurance : « La mort a
régné depuis Adam jusqu'à Moïse [i] ». Elle est venue jusqu'à
Moïse et ne l'a pas épargné. Et c'est à mon avis ce qui lui
faisait dire : « Le péché est entré dans le monde, et par le
péché la mort ; en lui tous ont péché [j][2] ». Et encore : « Dieu
a enfermé tous les hommes dans le péché pour leur faire
miséricorde à tous [k] ». Mais « grâces soient rendues à Notre
Seigneur Jésus-Christ qui nous a libérés de ce corps de
mort [l] », afin que là « où le péché a abondé, surabondât la
grâce [m] ». Comment, en effet, Moïse aurait-il pu délivrer
quelqu'un des péchés, alors qu'il lui est dit, à lui : « Vous
avez transgressé ma parole dans le désert de Sin, et, à l'eau,
vous ne m'avez pas sanctifié devant les fils d'Israël [n] » ? Il
fallait que fût évident à tous que le recours devait être cherché uniquement en Celui qui seul « n'a pas commis le péché
et sur les lèvres de qui n'a pas été trouvé de mensonge [o] ».

**Exemple de Moïse :
contre le népotisme** 4, 1. Cependant admirons la grandeur de Moïse. Au moment de
quitter ce monde, il prie Dieu de
désigner un chef pour le peuple. — Que fais-tu Moïse ?

---

2. On sait les discussions auxquelles a donné lieu cette phrase de s. Paul
et particulièrement le ἐφ’ᾧ *in quo*, de la fin de la phrase ; on trouvera un
résumé succinct des différents points de vue, dans les notes de *Rm* 5,12-13
de la TOB. Ici, dans la phrase telle qu'elle est découpée par Origène/Rufin,
in quo paraît renvoyer au neutre *peccatum* qui précède et nous autorise à
penser, selon la note j verset 12 de la TOB, « à la mystérieuse inclusion de
tous les hommes dans l'acte même du péché » entré dans le monde avec
Adam.

Gersom et Eleazer ? Aut si aliquid de ipsis dubitas, non sunt
164 filii fratris magni et egregii uiri ? Quomodo non oras Deum
pro ipsis, ut eos constituat populo duces ? Sed discant eccle-
siarum principes successores sibi non eos qui consanguini-
tate generis iuncti sunt, nec qui carnis propinquitate socian-
168 tur, testamento signare neque hereditarium tradere Ecclesiae
principatum, sed referre ad iudicium Dei et non eligere illum
quem humanus commendat affectus, sed Dei iudicio totum
de successoris electione permittere.

172 Numquid non poterat Moyses eligere principem populo
et uero iudicio eligere et recta iustaque sententia, ad quem
dixerat Deus : *Elige presbyteros populo quos tu ipse scis pres-*
byteros esse [a], et elegit tales in quibus continuo Dei *Spiritus*
176 *requiesceret, et prophetarent omnes* [b] ? Quis ergo ita potuit
eligere principem populi ut Moyses poterat ? Sed hoc non
facit, non eligit, non audet. Cur non audet ? Ne posteris
praesumptionis relinquat exemplum. Sed ausculta quid
180 dicit : *Prouideat* inquit *Dominus Deus spirituum et omnis*
carnis hominem super synagogam hanc, qui egrediatur ante
faciem eorum et qui ingrediatur, et qui producat eos et qui
reducat [c]. Si ergo tantus ille ac talis Moyses non permittit
184 iudicio suo de eligendo principe populi, de constituendo
successore, quis erit qui audeat uel ex plebe, quae saepe cla-

---

4. a. cf. Nb 11, 16   b. cf. Nb 11, 25   c. Nb 27, 16-17

1. C'est ici un passage important pour l'historien. Origène met en garde
contre le danger du népotisme et des intérêts familiaux. On voit que dès
cette époque, où le risque du martyre aurait dû tenir les âmes dans les plus
hautes dispositions, tous les fidèles, même dans le clergé, ne savaient pas,
dans l'esprit de l'Évangile, renoncer aux avantages des situations domi-
nantes. On lira même un peu plus bas, dans quelques lignes, une allusion
à la possibilité d'influencer une élection (d'évêque) en s'appuyant sur la cla-
meur populaire avide de privilèges et d'argent. Origène s'élève résolument
contre un abus de ce genre. Mais on aurait tort de généraliser les traits.
On se rappelle qu'Origène a eu maille à partir avec Démétrios, l'évêque

N'as-tu pas tes fils Gersom et Éléazer ? Ou bien, si tu n'as pas toute confiance en eux, n'as-tu pas les fils de ton frère qui est un homme important et remarquable ? Pourquoi ne pries-tu pas Dieu d'en faire les chefs du peuple ? — Que les chefs des Églises apprennent par là à ne pas désigner par testament des successeurs qui leur sont unis par les liens du sang ou par une proche parenté et à ne pas instaurer dans l'Église un principat héréditaire, mais qu'ils s'en remettent au jugement de Dieu ; et qu'ils n'élisent pas celui que leur suggèrent des sentiments humains, mais qu'ils s'en remettent au jugement de Dieu pour tout ce qui regarde l'élection du successeur [1].

Moïse ne pouvait-il pas choisir un chef pour le peuple et le choisir par un discernement véritable, par une décision droite et juste, lui à qui Dieu avait dit : « Choisis comme Anciens pour le peuple des gens que tu connais toi-même comme Anciens [a] », et qui les choisit tels qu'aussitôt « l'Esprit de Dieu reposa sur eux et que tous prophétisèrent [b] ». Qui donc pouvait désigner un chef du peuple à meilleur escient que Moïse ? Mais il ne le fait pas, il ne désigne personne, il n'ose pas. Pourquoi n'ose-t-il pas ? Il craint de laisser à la postérité un exemple d'usurpation. Écoute-le : « Que le Seigneur Dieu des esprits et de toute chair établisse sur cette assemblée un homme qui sorte et qui entre devant eux, et qui les fasse sortir et les fasse rentrer [c] ». Si donc un aussi grand homme que Moïse ne s'en remet pas à son propre jugement pour le choix d'un chef du peuple à établir comme son successeur, qui donc, — soit du peuple, qui se laisse ordinairement manœuvrer et qui est souvent incité à crier pour réclamer des avantages, voire de

d'Alexandrie, ce qui pourrait expliquer des ressentiments. Il faut plutôt, comme le dit H. Crouzel, *Origène*, p. 289, comprendre qu'Origène, s'adressant à des chrétiens dans ses homélies, ne craint pas d'accuser les traits pour être plus efficace.

moribus ad gratiam aut ad pretium fortasse excitata moueri
solet, uel ex ipsis etiam sacerdotibus, quis erit qui se ad hoc
188 idoneum iudicet, nisi si cui oranti et petenti a Domino reue-
letur ?

4, 2. Sicut et Deus dicit ad Moysen : *Adsume ad temet
ipsum Iesum filium Naue, hominem qui habet Spiritum Dei*
192 *in semet ipso, et impones manus tuas super eum ; et statues
eum coram Eleazar sacerdote, et praecepta dato ei in
conspectu totius synagogae, et praecipe de ipso coram iis ; et
dabis claritatem tuam super illum, ut audiant eum filii*
196 *Israel* [d]. Audis euidenter ordinationem principis populi tam
manifeste descriptam ut paene expositione non egeat. Nulla
hic populi acclamatio, nulla consanguinitatis ratio, nulla
propinquitatis habita contemplatio est. Propinquis agrorum
200 et praediorum relinquatur hereditas, gubernatio populi illi
tradatur quem Deus elegit, *homini* scilicet tali, qui *habet*,
sicut scriptum audistis, *in semet ipso Spiritum Dei* [e] et *praecepta Dei in conspectu eius sunt* [f], et qui Moysi ualde notus
204 et familiaris sit, id est in quo sit claritas legis et scientia, ut
possint eum audire filii Israel.

4, 3. Verum quoniam mysteriis cuncta referta sunt, non
possumus quae pretiosiora sunt omittere, etiamsi haec quae
208 secundum litteram mandantur necessaria uideantur et utilia.
Consideremus ergo quae sit Moysi mors : finis sine dubio
legis, sed legis illius quae secundum litteram dicitur. Quis
autem eius finis est ? Sacrificiorum scilicet interruptio cete-
212 rorumque quae simili obseruantia mandantur in lege. Haec
ergo ubi finem accipiunt, Iesus suscipit principatum : *Finis
enim legis Christus ad iustitiam omni credenti* [g]. Et sicut de

d. Nb 27, 18-20   e. cf. Nb 27, 13   f. cf. Ps 18, 23   g. Rm 10, 4

l'argent, soit aussi des prêtres eux-mêmes, — qui donc oserait s'estimer capable d'une telle décision, à moins que ce
choix ne lui ait été révélé par le Seigneur à sa prière et à sa
demande ?

Installation de Jésus, fils de Navé 4, 2. C'est ainsi que Dieu dit à Moïse : « Prends avec toi Jésus fils de Navé, un homme en qui repose l'Esprit, et tu lui imposeras les mains ; tu le placeras en face d'Éléazar le prêtre ; donne-lui tes ordres devant toute l'Assemblée et, devant eux, donne les ordres qui le concer-
nent ; et tu feras resplendir sur lui ta gloire pour que les fils d'Israël l'écoutent [d] ». Tu trouves là, à l'évidence, l'introni-
sation du chef du peuple, et si bien décrite qu'elle peut presque se passer de commentaire. Ici, aucune acclamation populaire, aucune considération de consanguinité ou de parenté. Aux proches, l'héritage des champs et des domaines ; mais la conduite du peuple est confiée à celui que Dieu a choisi, c'est-à-dire à un homme qui porte en lui-
même, comme l'Écriture vient de le dire, l'Esprit de Dieu [e], qui garde devant les yeux les préceptes divins [f], un bon connaisseur et un familier de Moïse, ce qui veut dire qu'il possède la lumière de la loi et de la science, afin que les fils d'Israël puissent l'écouter.

4, 3. Mais comme les mystères abondent en tous ces textes, nous ne pouvons omettre les plus précieux, quelles que soient la nécessité et l'utilité de ceux qui sont transmis par la lettre. Considérons donc ce qu'est la mort de Moïse : à coup sûr la fin de la loi, mais de la loi entendue selon la lettre. Et quelle est cette fin ? C'est la cessation des sacrifices et des autres observances analogues contenues dans la loi. Quand elles prennent fin, Jésus reçoit le commande-
ment. « Car le terme de la loi, c'est le Christ pour la justi-
fication de tout croyant [g] ». Il a été dit des anciens que « tous

prioribus dictum est quia : *Omnes in Moysen baptizati sunt*
216 *in nube et in mari* [h], ita et de Iesu dicatur quia *omnes in Iesu*
baptizati sunt in Spiritu sancto et aqua [i]. Iesus namque est
qui transit aquas Iordanis [j] et in ipsis quodammodo iam
tunc populum baptizat ; et ipse est qui terram hereditatis,
220 terram sanctam partitur uniuersis, non priori populo, sed
secundo ; prior enim populus propter praeuaricationem
suam *cecidit in deserto* [k]. De Iesu temporibus dicitur quia
terra quieuit a bellis [l], quod de Moysis tempore dici non
224 potuit. Sed de Iesu hoc dicitur meo Domino, non illo Naue.

4, 4. Et atque utinam mea terra cesset a bellis ! Et cessare
posset, si ego Iesu principi meo fideliter militarem. Si enim
pare019am meo Domino Iesu, numquam *caro* mea *insurget*
228 *aduersum spiritum* [m] meum nec impugnabitur terra mea ab
aduersariis gentibus, diuersis scilicet concupiscentiis, stimu-
lata. Oremus ergo, ut Iesus regnet super nos et *cesset terra*
nostra *a bellis*, cesset ab impugnationibus carnalium deside-
232 riorum ; et cum ista cessauerint, tunc *unusquisque* requiescet *sub uite sua et sub ficu sua* [n] et sub oliua sua. Sub uela-
mento enim Patris et Filii et Spiritus sancti requiescet anima
quae pacem in se recuperauerit carnis ac spiritus. *Ipsi*
236 aeterno Deo *gloria in saecula saeculorum. Amen* [o].

---

h. 1 Co 10, 2   i. cf. Jn 1, 33   j. cf. Jos 3, 15 s. ; 4, 10 s.
k. cf. 1 Co 10, 5   l. cf. Jos 11, 23   m. cf. Ga 5, 17
n. cf. 1 R 4, 25   o. cf. 1 P 4, 11

---

1. Il est difficile de lire ces paragraphes 2-4, sans entrer complètement
dans l'ambivalence des noms propres Josué/Jésus, en laquelle nous maintient Origène. Les mystères abondent, dit Origène, et le principal est ici
que ce qui est accompli par Josué dans l'histoire de la sortie d'Égypte
devient, transposé dans l'actualité du N.T., le fait de Jésus. C'est Josué qui
a fait passer le Jourdain au peuple d'Israël (cf. *Jos* 3,15 s), mais Origène
écrit que c'est Jésus qui le fit et qu'il y baptisait déjà le peuple. La première

ont été baptisés en Moïse dans la nuée et dans la mer [h] » ; de la même façon, il est dit de Jésus que tous ont été baptisés en Jésus dans l'Esprit Saint [i] et dans l'eau. Car c'est Jésus qui a fait passer les eaux du Jourdain, et il y baptise alors déjà en quelque façon le peuple ; et c'est lui qui distribue la terre de l'héritage [j], la terre sainte à tous, non pas à l'ancien peuple, mais au nouveau ; car l'ancien peuple à cause de ses péchés « est tombé dans le désert [k] ». Du temps de Jésus il est dit que « la terre s'est reposée de la guerre [l] », ce qui n'a pas pu être dit du temps de Moïse. Mais cela est dit de Jésus mon Seigneur, non du fils de Navé [l].

4, 4. Puisse ma terre se reposer de la guerre. Elle pourrait y parvenir si je combattais fidèlement en prenant Jésus pour mon chef. Si en effet j'obéis à mon Seigneur Jésus, jamais ma chair ne s'élèvera contre mon esprit [m], jamais ma terre ne sera attaquée par les nations ennemies, c'est-à-dire excitée par les diverses concupiscences. Prions donc pour que Jésus règne sur nous, pour que notre terre se repose de la guerre, se repose des assauts des désirs charnels. Lorsque cela aura cessé, alors chacun dormira sous sa vigne, sous son figuier [n] et sous son olivier. Sous le couvert, en effet, du Père, du Fils et de l'Esprit Saint, reposera l'âme qui aura recouvré la paix de la chair et de l'esprit.

Au Dieu éternel, gloire dans les siècles des siècles. Amen [o].

---

partie de la phrase appartient, peut-on dire, à Josué et la seconde à Jésus, mais en ce domaine où Josué est type de l'avenir, type de Jésus, il est indispensable de rapprocher les opérations qui se correspondent, comme les personnages qui se resssemblent. On trouvera dans l'introduction d'A. JAUBERT aux *Homélies* d'Origène *sur Josué*, SC 71, p. 46-58, un développement sur le passage mystique du Jourdain procuré par Josué/Jésus à toute âme en route vers la Terre promise. Sur le mystère du nom de Jésus, cf. J. DANIÉLOU, *Sacramentum futuri*, p. 203-232.

HOMÉLIE XXIII

HOMÉLIE XXIII

(*Nombres* 28, 1 - 29, 39)

NOTICE

« Mes présents, mes dons »

Préambule d'Origène. Autrefois, la législation de l'Ancien Testament sur les fêtes et les sacrifices, considérée dans la solennité où se déroulaient rites et célébrations, était l'expression quelque peu fastueuse du culte que l'humanité se devait de rendre à Dieu son Créateur. C'est comme avec un regret qu'Origène évoque ce brillant passé, mais il a vite fait de signifier que tout cela est aboli au profit d'un culte spirituel, sans grandeur terrestre, mais bien plus désirable, car il nous fait passer du visible à l'invisible et du temporel à l'éternel (§ 1,1-2).

Dieu, par la Bible, jadis, a prescrit d'offrir des dons au Seigneur. Mais un don n'est que la restitution au Seigneur de ce qui lui appartient. Comme si Dieu avait besoin de quelque chose ! (§ 2,1). L'homme ne peut sans impiété revendiquer le droit de « donner » quelque chose à Dieu. Dans une fête cependant, Dieu attend de nous que nous nous donnions à lui, dans un esprit de conversion, avec une plus grande fidélité. Cela met en fête le Saint-Esprit (§ 2,2).

Puisqu'il y a fête de Dieu, c'est au ciel qu'il faut nous transporter pour alimenter la réjouissance des anges et des puissances célestes. Mais si nos progrès spirituels procurent joie au ciel, il faut, à l'inverse, entendre les plaintes du Seigneur et l'affliction des anges à la vue des pécheurs qui n'ont pas un épi, pas une grappe à offrir au temps de la moisson, et c'est ce qui se traduit dans le texte, en face du vide de l'âme qui pèche, par ces mots de refus et de mépris, prêtés à Dieu : « vos fêtes », alors qu'il dit ailleurs splendidement « mes fêtes » pour parler de ces fêtes qui réjouissent et la terre et le ciel (§ 2,4-6).

Après ces considérations générales sur la festivité divine, Origène va étudier chacune des fêtes indiquées aux chap. 28-29 du *Livre des Nombres* et les commenter (§ 3,1). Ce qui nous frappe dès l'abord, c'est que les dispositions, tirées de l'Ancien Testament, s'accommodent sans peine, sous le regard inévitablement allégorique d'Origène, à la vie du fidèle chrétien.

Première fête : celle de la célébration perpétuelle. Le juste doit maintenir sans relâche ses efforts vers la perfection (§ 3,1). Prière incessante. Mais le péché produit une interruption malheureuse à cette continuité. Pas de fête ni de célébration, pour le pécheur en état de péché !

Deuxième fête : celle du Sabbat. Cesser toute œuvre séculière et vaquer aux œuvres spirituelles (§ 4,1) est l'essence de cette fête, dont les observances juives n'ont pas lieu de nous retenir. S'il est recommandé dans l'A.T. de ne pas porter de fardeau ce jour-là, c'est que le fardeau, symboliquement c'est le péché. Et s'il est dit de rester chez soi, c'est que l'âme spirituelle cultive un lieu d'où elle ne doit pas sortir, qui est le Christ. Le Christ, toute Justice, toute Vérité, toute Sagesse est le lieu de l'âme (§ 4,2). Mais Origène signale que Dieu ne cesse pas de travailler, même le Sabbat, en pourvoyant à ce qui est nécessaire au développement du genre humain, et ce jusqu'à la fin du monde : le vrai Sabbat aura donc lieu dans le siècle futur, au delà de toute douleur et de toute tristesse, quand Dieu sera tout en tous (§ 4,3).

Troisième fête : la Néoménie, au renouvellement de la lune. L'âme est unie à la lumière de la Sagesse et aux ardeurs de l'Esprit. L'Église s'établit ainsi et reste en conjonction étroite avec le Christ, soleil de justice. Rénovation qui justifie bien une célébration (§ 5,1-2).

Quatrième fête : la Pâque. « Ce sont les chairs du Verbe de Dieu qui y sont offertes à manger. » Origène ne traite pas de l'Eucharistie, mais ces chairs, ce sont les paroles solides et vigoureuses du Verbe ; quiconque s'en nourrit immole véritablement le sacrifice de la fête de la Pâque (§ 6).

Cinquième fête : la fête des Azymes. Le symbolisme des Azymes, ferment de vérité ou de malice, est clair pour les auditeurs d'Origène. Ce dernier retient surtout qu'il suffit d'un peu de levain pour transformer toute la pâte. En mal comme en bien. Les Azymes sont un prolongement de la fête de la Pâque (§ 7).

Sixième fête : la fête des « Produits Nouveaux ». Elle sert à clore le temps des récoltes. La moisson dépend beaucoup de la façon dont on a semé et de l'endroit où on l'a fait. Pour récolter les fruits de l'Esprit, il faut semer dans l'Esprit : on récoltera alors joie, paix, patience,bonté, douceur et toute espèce de fruits nouveaux (§ 8).

Septième fête : la fête des « Septièmes », qu'accompagne le son des Trompettes. Fête du septième mois, qui, Sabbat de Sabbats, donne lieu à une célébration. Origène retient que le son des Trompettes est comme une proclamation de l'Écriture, qui permet de garder dans son cœur les trésors des prophètes et des Psaumes et de les faire chanter à la louange de Dieu (§ 9).

Huitième fête : fête de l'Expiation. Fête d'affliction, mais de purification, moyennant quoi Dieu redevient favorable à l'âme. Celle-ci voit s'avancer vers elle son Rédempteur, son Seigneur, le Christ Jésus (§ 10).

Neuvième fête : la Scénopégie, fête des Tentes. Origène fait de celle-ci la dernière de la série du *Livre des Nombres*. La fête des Tentes est celle qui réjouit Dieu, car il voit s'avancer vers le Paradis, dans « l'ombre de la vie terrestre », son peuple, cet éternel voyageur qui dénoue la fixation de ses tentes, qui se déplace et qui avance en quittant progressivement l'ici-bas : il le voit se hâter, car elle n'est pas loin sa véritable patrie (§ 11,1).

Les neuf fêtes préfigurent les fêtes du monde à venir, qui sont les fêtes véritables (§ 11,2-3).

HOMILIA XXIII

De eo quod scriptum est :
« munera mea data mea »
et de diuersitate festiuitatum

1, 1. Si obseruatio sacrificiorum et instituta legalia quae in typo data sunt populo Israel usque ad praesens tempus stare potuissent, exclusissent sine dubio Euangelii fidem per
4 quam ex aduentu Domini nostri Iesu Christi gentes conuertuntur ad Deum. Erat enim in illis quae tunc obseruabantur magnifica quaedam et totius reuerentiae plena religio, quae ex ipso etiam primo adspectu obstupefaceret intuentem.
8 Quis enim uidens illud quod appellabatur sanctuarium siue sacrarium et intuens altare, adstantes etiam sacerdotes sacrificia consummantes omnemque ordinem quo cuncta illa gerebantur adspiciens, non putaret plenissimum hunc esse
12 ritum quo Deus creator omnium ab humano genere coli deberet ?

1, 2. Sed gratias aduentui Christi, qui animas nostras auellens ab hoc intuitu ad considerationem caelestium et

---

1. Rufin a-t-il voulu nous faire remarquer qu'il y avait peu de différence entre le mot *sanctuarium* et celui de *sacrarium*, et qu'aussi bien, dans son texte, l'un pouvait être employé pour l'autre. Le premier, *sanctuarium*, renverrait à la partie du Temple, partie consacrée, où sont déposés les objets sacrés ; le second, *sacrarium*, serait un lieu privé, non consacré, où l'on peut déposer de même façon des objets sacrés qui serviront subsidiairement aux rites. Pourquoi, de la part de Rufin, avoir amené cette distinction, d'autant

HOMÉLIE XXIII

Sur ce texte : « Mes présents, mes dons »
et sur les différentes fêtes

Préambule :
Grâces à Dieu
qui nous a délivrés
des apparences

1, 1. Si la pratique des sacrifices et les institutions légales octroyées en figure au peuple d'Israël avaient pu se maintenir jusqu'à présent, elles auraient sans doute éclipsé la foi en l'Évangile qui, depuis l'avènement de notre Seigneur Jésus Christ, amène les païens à se convertir à Dieu. Il y avait en effet dans ces observances d'autrefois l'expression quelque peu fastueuse d'une religion tout imprégnée d'adoration, dont le spectacle surprenait au premier abord. Quand on regardait ce qu'on appelait le sanctuaire ou lieu sacré [1], quand on apercevait l'autel et qu'on voyait alentour, debout, les prêtres en train d'accomplir les sacrifices, quand on assistait au déroulement de tous les rites de la célébration, on ne pouvait s'empêcher de penser que s'accomplissait alors de la manière la plus parfaite le culte selon lequel l'humanité devait honorer Dieu créateur de toutes choses.

1, 2. Mais rendons grâces à l'avènement du Christ qui a dépris nos âmes de ces spectacles pour leur faire considérer

---

qu'elle n'entre pas en jeu dans la suite du texte ? Nous pensons, une fois de plus, au goût littéraire du doublet chez notre traducteur latin. Il a dû se trouver en face du mot grec « ἁγιαστήριον » et il en a donné deux traductions possibles.

16 contemplationem rerum spiritalium contulit et destruxit
quidem illa quae magna uidebantur in terris cultumque Dei
a uisibilibus ad inuisibilia transtulit et a temporalibus ad
aeterna. Sed reuera ipse Dominus Iesus Christus et aures
20 requirit quae haec audiant, et oculos qui haec uideant [a].
Vnde et nos nunc legem datam per Moysen habentes in
manibus et uolentes eam ostendere *legem esse spiritalem* [b],
aures a uobis et oculos tales requirimus qui non ad illa quae
24 sunt destructa respiciant, sed qui ibi haec requirant ubi
Christus est in dextera Dei sedens et *quae sursum sunt*
sapiant, non quae sunt super terras [c].

Sufficiant ergo ista praefationis loco pro his quae dicenda
28 sunt a nobis esse praemissa.

2, 1. Nunc autem ad ea iam quae scripta sunt ueniamus.
Et locutus est, inquit, *Dominus ad Moysen dicens :*
Praecipe filiis Israel et dices ad eos : munera mea, data mea,
32 *hostias meas in odorem suauitatis obseruate, ut offeratis mihi*
in diebus festis meis. Et dices ad eos : hae sunt hostiae meae,
quas offeratis Domino [a]. Nemo suum aliquid offert Deo, sed
quod offert Domini est, et non tam sua quis offert quam ipsi
36 quae sua sunt reddit. Propterea ergo uolens Dominus sacrificiorum et munerum offerendorum sibi ab hominibus leges
scribere, primo omnium ipsorum quae offerenda erant ape-
rit rationem, et dicit : *Munera mea, data mea, sacrificia mea*
40 *in odorem suauitatis obseruate, ut offeratis mihi in diebus*
festis meis. Haec, inquit, munera de quibus uobis praecep-
turus sum ut offeratis mihi in diebus festis meis, data mea
sunt, hoc est a me uobis dantur ; a me enim cuncta quae
44 habet, humanum percipit genus. Ne quis ergo in offerendis

1. a. cf. Mt 13, 13.16   b. cf. Rm 7, 14   c. cf. Col 3, 1-2
2. a. Nb 28, 1-3

les réalités célestes et contempler les choses spirituelles. Il a aboli tout ce qui avait une apparence de grandeur terrestre ; il a fait passer le culte divin du visible à l'invisible et du temporel à l'éternel. En réalité, pour cela, lui-même le Seigneur Jésus Christ requiert des oreilles qui entendent et des yeux qui voient[a]. C'est pourquoi, nous qui avons en main la loi donnée par Moïse et qui voulons montrer que « la loi est spirituelle[b] », nous requérons de vous des oreilles et des yeux qui ne se tournent pas vers des choses abolies, mais qui les recherchent là « où se trouve le Christ siégeant à la droite de Dieu », et « qui ont du goût pour les choses d'en haut, non pour celles de la terre[c] ».

Que ces quelques mots de préambule suffisent, en guise de préface, pour ce que nous avons à dire.

Nos offrandes à Dieu sont des dons de Dieu

2, 1. Venons-en maintenant au texte. « Et le Seigneur parla à Moïse, en ces termes : Prescription pour les fils d'Israël. Dis-leur : Pour mes présents, mes dons, mes victimes en odeur agréable, observez de me les offrir lors de mes fêtes. Et tu leur diras que ce sont mes victimes à moi, celles à offrir au Seigneur[a] ». Personne n'offre du sien à Dieu ; mais ce qu'on offre appartient au Seigneur, et ce n'est pas tant une offrande que l'on fait que la restitution au Seigneur de ce qui lui appartient. C'est pourquoi le Seigneur, voulant promulguer les lois concernant les sacrifices et l'offrande des dons que les hommes doivent lui faire, commence par faire connaître la nature de toutes ces offrandes, et il dit : « Mes présents, mes dons, mes sacrifices en odeur agréable, observez de me les offrir lors de mes fêtes. » Ces présents, dit-il, que je vais vous prescrire de m'offrir lors de mes fêtes, sont mes dons, c'est-à-dire que c'est moi qui vous les donne ; le genre humain reçoit de moi tout ce qu'il possède. Que personne donc ne s'imagine procurer quelque chose à Dieu en lui faisant offrande de pré-

muneribus beneficii se aliquid conferre crederet Deo, et per
hoc impius, in eo ipso quo Deum colere uidebatur, exsiste-
ret — quid enim tam impium, nisi si putet homo uelut indi-
48 genti aliquid se praestare Deo ? —, necessario, ut diximus,
prius edocet hominem, quo sciat se, quidquid obtulerit Deo,
reddere id ei potius quam offerre.

Sed et illud uideamus, quomodo ait : « *Quae offeretis*
52 *mihi in diebus festis meis* ».

2, 2. Habet ergo Deus dies festos suos ? Habet. Est enim
ei magna festiuitas humana salus. Ego puto quod per singulos quosque credentium, per singulos,qui conuertuntur ad
56 Deum et proficiunt in fide, festiuitas oritur Deo. Quomodo
putas laetificat eum, cum is qui fuerat impudicus fit castus,
et qui fuerat iniustus iustitiam colit, et qui fuerat impius efficitur pius ? Istae omnes singulorum quorumque conuer-
60 siones festiuitates generant Deo. Nec dubium autem quin et
Dominus noster Iesus Christus, qui pro salute nostra etiam
sanguinem suum fudit, agat festiuitatem maximam, cum
operae pretium uidet esse, quod *se humiliauit et formam*
64 *serui suscipiens factus est oboediens usque ad mortem* [b]. Agit
festa pariter et Spiritus Sanctus, ubi plura sibi uidet in his
qui conuertuntur ad Deum, templa praeparata.

2, 3. Nam de angelis quid dicam, ad quorum festiuitatem
68 laetantium dicuntur accedere omnes qui conuertuntur ad
Dominum ? Aut non est illis magna festiuitas, cum laetan-
tur *in caelo super uno peccatore paenitentiam agente magis*
quam supra nonaginta nouem iustis qui non indigent paeni-
72 *tentia* [c] ? Agunt ergo etiam angeli diem festum laetantes

b. cf. Ph 2, 7-8   c. Lc 15, 7

sents ! Et que celui-là, de ce fait, ne se comporte pas en
impie dans l'acte même par lequel il paraissait honorer
Dieu ! Quelle impiété ce serait, en effet, de penser que
l'homme puisse donner quoi que ce soit à Dieu, comme si
Dieu en avait besoin ! — Il faut donc, comme nous avons
dit, que Dieu instruise d'abord l'homme pour qu'il sache
que ce qu'il offre à Dieu, il le lui restitue plutôt qu'il ne le
lui offre.

Mais voyons le sens de ce qui suit : « Que vous m'offri-
rez lors de mes fêtes. »

**Les fêtes
de Dieu**
 2, 2. Dieu a-t-il donc ses fêtes ? Oui. Ce lui
est une grande fête que le salut de l'humanité.
Je pense que pour chaque fidèle, pour chacun
de ceux qui se convertissent à Dieu et progressent dans la
foi, il y a occasion de fête pour Dieu. Quelle joie n'éprouve-
t-il pas, dis-moi, quand l'impudique devient chaste, quand
l'injuste se met à pratiquer la justice, quand l'impie devient
un fidèle ? Toutes ces conversions individuelles suscitent
joie et fête pour Dieu. Et il ne fait pas de doute que notre
Seigneur Jésus Christ, qui a même répandu son sang pour
notre salut, ne se réjouisse en une très grande fête lorsqu'il
voit que ce ne fut pas en vain « qu'il s'est humilié, qu'il a
pris la forme d'esclave et qu'il est devenu obéissant jusqu'à
la mort [b] ». Et le Saint-Esprit se met aussi en fête quand il
voit se multiplier pour lui, en ceux qui se convertissent à
Dieu, des temples tout prêts.

**Les fêtes
des anges**
 2, 3. Et que dirai-je des anges, dont l'Écriture laisse entendre que la fête joyeuse s'accroît
de tous les hommes qui se convertissent au
Seigneur ? N'est-ce pas une grande fête pour eux quand « ils
ont plus de joie au ciel pour un seul pécheur qui se repent
que pour quatre-vingt-dix-neuf justes qui n'ont pas besoin
de repentir [c] ? » Les anges célèbrent donc joie et fête à l'oc-

super his qui refugientes consortia daemonum, per exercitia
uirtutum angelicis se festinant sociare consortiis.

2, 4. Mirum fortasse sit quod dicere uolo : causas, ut
76   uidetur, festiuitatis et laetitiae nos Deo et angelis damus ;
nos occasionem laetitiae et exsultationis in terris positi caelo
praebemus, dum super terras ambulantes *conuersationem*
habemus in caelis [d], et per hoc sine dubio diem festum cae-
80   lestibus virtutibus generamus. Sed sicut boni actus nostri et
uirtutum profectus laetitiam festiuitatemque Deo et angelis
gignunt, ita uereor ne mala conuersatio nostra non solum
terris, sed et caelo lamentationes inducat et luctus ; et for-
84   tassis etiam ipsi Deo luctum incutiant humana peccata. Aut
non lugentis est illa uox, cum dicit : *Paenitet me quia feci*
hominem super terram [e] ? Sed et illa Domini et Saluatoris
nostri in Euangelio, ubi dicit : *Hierusalem, Hierusalem,*
88   *quae lapidas prophetas et occidis missos ad te, quotiens uolui*
congregare filios tuos, sicut gallina congregat pullos suos sub
alis suis, et noluisti [f] ! Et ne putes quia de antiquis tantummodo dictum sit quod *lapidauerint prophetas*, et ego hodie
92   si prophetae uerba non audiam, si monita eius spernam,
lapido prophetam et, quantum in me est, occido cuius, scilicet tamquam mortui, verba non audio.

2, 5. Sed et illa humanum genus lamentantis Dei uox est,
96   qua dicitur per prophetam : *Heu me, quoniam factus sum*
sicut qui congregat stipulam in messe et sicut racemos in uin-
demia, quia non est spica neque botrus ad edenda primoge-

d. cf. Ph 3, 20   e. Gn 6, 6   f. Mt 23, 37

casion de ceux qui ont repoussé le commerce des démons et qui s'empressent, par l'exercice des vertus, de s'associer avec les anges.

Joie et douleur dans le ciel

2, 4. Il se pourrait que je vous étonne dans ce que je vais dire. Nous donnons à Dieu et aux anges, comme on le voit, des motifs de fête et de joie ; résidant sur la terre, c'est au ciel que nous fournissons l'occasion de réjouissance et d'allégresse ; tout « en marchant sur la terre, c'est dans les cieux qu'est notre cité [d] » et c'est évidemment par là que nous sommes source de fête pour les puissances célestes. Mais, alors que nos bonnes actions et nos progrès dans les vertus procurent joie et fête à Dieu et aux anges, je crains à l'inverse qu'une mauvaise conduite de notre part n'entraîne, pas seulement sur la terre mais aussi dans le ciel, des lamentations et des plaintes ; et il se peut aussi que Dieu même se lamente des péchés des hommes. N'est-ce pas une plainte que nous entendons quand il dit : « Je me repens d'avoir fait l'homme sur la terre [e] », et quand notre Seigneur et Sauveur dit dans l'Évangile : « Jérusalem, Jérusalem, toi qui lapides les prophètes et qui tues ceux qui te sont envoyés, que de fois j'ai voulu rassembler tes fils comme une poule rassemble ses poussins sous ses ailes, et tu n'as pas voulu [f] ». Ne va pas t'imaginer que ces paroles visent seulement les anciens qui ont lapidé les prophètes. Si moi, aujourd'hui, au lieu d'écouter ce que dit le prophète, je méprise ses avertissements, moi aussi je lapide le prophète, et, autant qu'il est en moi, je tue celui dont je n'écoute pas les paroles, puisque de ce fait c'est comme d'un mort qu'elles émanent.

2, 5. Mais voici encore, comme lamentation sur le genre humain, une parole de Dieu, qui s'exprime par le prophète : « Hélas ! je ressemble à qui ramasse la paille à la moisson, à qui grappille à la vendange : il n'y a pas un épi, pas une

nita ! Hei mihi anima, quoniam periit reuerens a terra, et
100 *qui corrigat in hominibus non est* [g] ! Domini sunt istae uoces
genus humanum lugentis. Ipse enim uenit ad colligendam
messem et inuenit 'stipulam' pro messe, et uenit ad congre-
gandam uindemiam, sed inuenit 'racemos' paucos pro uin-
104 demia, Apostolos scilicet, quos *nisi Dominus Sabaoth reli-*
quisset nobis semen [h] et *granum frumenti nisi cecidisset in*
terram ut fructum plurimum faceret [i], *sicut Sodoma facti*
essemus, et sicut Gomorrha similes fuissemus [j].

108 Angelis quoque Dei, sicut supra diximus, *fit gaudium in*
caelo super uno peccatore paenitentiam agente [k]. Certum est
quod, ubi pro bonis gaudia aguntur, ibi pro contrariis
lamentetur ; si ergo gaudent pro conuerso, necesse est ut
112 lugeant pro peccante.

2, 6. Propterea ergo, quia *grande peccatum peccauit*
Hierusalem [l], secundum quod scriptum est in *Lamentatione*,
in commotionem facta est et perierunt omnes festiuitates
116 eius et dies sollemnes eius, quoniam in loco sancto et in die
festiuitatis Dominum meum Iesum Christum occiderunt. Et
propterea dicit ad eos : *Neomenias uestras et sabbata et dies*
festos uestros odit anima mea [m]. Hic quidem, ubi de mune-
120 ribus mandatur ubi adhuc nulla peccata sunt, *dies festos*

---

g. Mi 7, 1-2   h. cf. Is 1, 9   i. cf. Jn 12, 24   j. cf. Is 1, 9
k. cf. Lc 15, 7   l. Lm 1, 8   m. Is 1, 14

---

1. *Qui corrigat in hominibus.* Le verbe *corrigere* est pris ici au sens
intransitif : « il n'y a personne pour se corriger chez les hommes », personne pour mener une vie droite. La LXX emploie le verbe et la forme
κατορθῶν, dont le sens intransitif, comme en latin, ne peut être mis en
doute. Le mot κατόρθωμα lui-même signifie « une bonne action ». Le *cor-*
rigat de Rufin, qu'on trouve aussi dans la Vet. Lat. chez JÉRÔME (*In Mich.*
7, 2, *CCSL* 76, p. 505, 14), chez AMBROISE (*De Paen.* II, 7, 5, *SC* 179, p. 166,
5), passe dans la Vulg. sous la forme de *qui rectum faciat* (JÉRÔME, *In Amos*
I, 2, 13/16, *CCSL* 76, p. 241) et plus simplement sous celle de *homo rec-*
tus, ce qui est conforme à la Bible hébraïque, (en trad. française : un juste).

grappe à manger en prémices ! Hélas ! ô mon âme ! car le juste a disparu de la terre, et il n'y a plus personne pour se corriger chez les humains [g][1] ! » Telles sont les paroles du Seigneur qui s'afflige sur le genre humain. Car il est venu pour la moisson et il n'a trouvé que de la paille en guise de moisson ; il est venu pour la vendange et il n'a trouvé en guise de vendange que quelques raisins à grappiller, — comprenez qu'il s'agit des Apôtres. Si « le Seigneur Sabaoth ne nous les avait pas laissés pour la semence [h] », si « le grain de blé n'était pas tombé en terre pour produire beaucoup de fruit [i] », « nous serions devenus comme Sodome et nous ressemblerions à Gomorrhe [j] ».

Chez les anges de Dieu aussi, il y a, comme nous avons dit plus haut, « joie dans le ciel pour un seul pécheur qui se repent [k] ». C'est un point assuré que lorsqu'on a à se réjouir d'heureux événements, on en aura aussi d'autres pour s'affliger qui leur sont contraires ; par conséquent, si les anges se réjouissent d'un converti, il est logique qu'ils aient à s'affliger d'un pécheur.

2, 6. Et c'est parce que « Jérusalem a gravement péché [l] », selon qu'il est écrit dans les *Lamentations* [2], qu'elle a été ébranlée et que toutes ses fêtes et ses solennités ont disparu. C'est dans le lieu saint, en effet, et lors d'une solennité qu'ils tuèrent mon Seigneur Jésus-Christ. Et c'est pourquoi il leur dit : « Vos Néoménies [3], vos Sabbats, vos fêtes, je les hais [m]. » A ce sujet, quand il édicte les prescriptions pour les offrandes alors qu'il n'y a pas eu de péché, il dit « mes

---

2. Rufin emploie ici *Lamentatio* au singulier. Ce singulier pour le titre biblique est moins habituel chez les Pères, d'autant qu'ils se réfèrent à *Threni*, pluriel qui vient tout droit du grec Θρῆνοι (LXX), et que ce mot supplante souvent *Lamentationes*.

3. *Néoménie*, nouvelle lune. Occasion de fête, comme on le verra plus bas.

meos dicit ; ubi autem peccatum est, non meos, sed *uestros*
dies festos dicit Dominus.

Haec autem omnia, in quibus uel lugere uel gaudere uel
124 odisse uel laetari dicitur Deus, tropice et humano more acci-
pienda sunt ab Scriptura dici. Aliena porro est diuina natura
ab omni passionis et permutationis affectu, in illo semper
beatitudinis apice immobilis et inconcussa perdurans.

128 **3, 1.** Quia ergo festorum leges habemus in manibus et
inde nunc sermo est, requiramus diligentius qui sit ordo festiuitatum, ut ex ipsis ordinibus et sacrificiorum ritu colligere
possimus, qualiter unusquisque ex suis actibus et conuersa-
132 tionibus sanctis Deo festiuitatem possit parare.

Prima ergo est festiuitas Dei, quae appellatur *indesinens* ᵃ ;
de his enim mandatur quae indesinenter et sine ulla prorsus
interruptione matutinis et uespertinis sacrificiis offerantur.
136 Mandans igitur festiuitatum ritus non primo statim uenit
ad festiuitatem Paschae neque ad Azymorum neque ad
Scenopegiae aliasque de quibus praecipitur, sed hanc pri-

---

3. a. cf. Nb 28, 6

1. *La première des fêtes.* Origène a donc numéroté les fêtes. Les chapitres 28-29 du *Livre des Nombres* sont, en effet, consacrés à la législation
sur les sacrifices, sur les « fêtes » du Seigneur, comme il est dit en *Nb* 28,
2, et elles sont nombreuses. D'où l'utilité de la numérotation. On pourrait
en faire une lecture parallèle avec d'autres endroits du Pentateuque, v.g. *Ex*
23 & 34 ; *Lv* 16 & 23 ; *Dt* 16. La comparaison permet à l'exégète-
critique et à l'historien d'établir des distinctions, des classements, des
ordres de rédaction. Ces problèmes textuels sont ordinairement évoqués
dans les Bibles d'aujourd'hui ; ils l'ont été d'une manière particulière dans
BA 4, p. 487-510, par G. DORIVAL, à qui rien ne semble avoir échappé de
ce qui pose quelque problème dans cet ensemble. Pour nous, attachés à la
visée d'Origène, nous ferons ressortir avec lui l'aspect spirituel qu'il a voulu
dégager de cette législation. Et d'abord, nous constatons qu'il en a écarté
tous les rites sacrificiels proprement dits : le compte des jeunes taureaux,
des agneaux immolés, le poids des offrandes de farine, les libations de vin,
l'heure et la répétition des rites, ... tout cela ne l'intéresse pas ; il l'a mis de

fêtes », mais quand il y a eu le péché, le Seigneur ne dit pas
« mes fêtes », mais « vos fêtes ».

Tous ces termes, où l'on dit que Dieu se lamente ou se
réjouit, qu'il a pris en haine ou qu'il se félicite, comprenons
qu'ils sont employés par l'Écriture au figuré et de manière
humaine. D'ailleurs la nature divine ignore toute passion et
tout mouvement affectif qui l'altérerait : à ces hauteurs de la
béatitude où elle se situe, elle est immuable et perdure
inébranlable.

Les différentes fêtes   3, 1. Puisque nous avons en mains la
législation régissant les fêtes et que c'est
de là que nous sommes partis, deman-
dons-nous avec plus de précision quel est l'ordre des festivités. Nous dégagerons, de l'ordonnancement et des rites
sacrificiels, la manière dont chacun pourra, par ses actions
et par la sainteté de sa vie, apprêter une fête pour Dieu.

I. La fête perpétuelle

La première des fêtes [1] de Dieu est celle qui est dite [a]
« perpétuelle ». En ce qui la regarde, en effet, il est prescrit
que soient offerts perpétuellement et sans aucune interruption les sacrifices matin et soir. Ainsi dans cette législation
des festivités, Dieu ne commence pas d'abord par la fête de
la Pâque, ni par celle des Azymes, ni par celle de la
Scénopégie [2], ni par aucune autre des fêtes prescrites, mais il

---

côté, pour considérer, à travers les modes anciens qui n'ont plus cours
puisque le Nouveau Testament en a aboli la lettre, l'aspect de la relation
par laquelle Dieu se laisse atteindre pour sanctifier l'âme humaine. Il s'agit
donc pour Origène des « fêtes de Dieu », et il lui est bien plus agréable de
parler des fêtes que Dieu se donne et auxquelles l'âme prend sa part, que
de déchiffrer un rituel obsolète dont le littéralisme clouerait l'âme aux
pauvres réalités d'ici-bas.
    2. C'est le fête des Tentes. V. *infra* § 11, 1.

mam posuit, in qua sacrificium indesinens mandat offerri,
140 quo scilicet agnoscat quisque ille uult esse perfectus et sanctus, quia non aliquando quidem agenda est Deo, aliquando
uero non agenda festiuitas, sed semper et indesinenter iustus agere debet diem festum. Sacrificium namque, quod
144 indesinenter et in matutinis et in uespertinis mandatur
offerri, hoc indicat, ut in lege ac prophetis, quae matutinum
tempus ostendunt, et in euangelica doctrina, quae uespertinum, id est in uesperam mundi, Saluatoris ostendit aduen-
148 tum, indesinenti intentione persistat. Has ergo tales festiuitates Dominus dicit : *Et obseruabitis dies festos meos.* Dies
ergo festus est Domini, si ei sacrificium indesinenter offeramus, si *sine intermissione oremus* ᵇ, ita ut *adscendat oratio
152 nostra sicut incensum in conspectu eius mane, et eleuatio
manuum nostrarum fiat ei sacrificium uespertinum* ᶜ. Est igitur prima sollemnitas sacrificii indesinentis, quae a cultori-
bus Euangelii eo modo quo supra exposuimus, debet
156 expleri.

3, 2. Sed quoniam, sicut propheticus sermo perdocuit,
dies festi peccatorum *conuertantur in luctum* et *cantica
eorum in planctum* ᵈ, certum est quia qui peccat et agit dies
160 peccati, agere non potest diem festum ; et ideo illis diebus
quibus peccat, offerre non potest indesinens sacrificium
Deo. Sed ille offerre potest qui indesinenter custodit iustitiam et conseruat semet ipsum a peccato. Qua die autem
164 interruperit et peccauerit, certum est quod in illa die non
offert sacrificium indesinens Deo.

Vereor aliquid dicere quod ex sermonibus apostolicis
intellegi datur, ne forte uidear aliquos contristare. Nam si
168 *oratio iusti sicut incensum offertur in conspectu Dei et eleua-*

---

b. cf. 1 Th 5, 17   c. cf. Ps 140, 1-2   d. cf. Am 8, 10

a mis en premier celle où le sacrifice est offert sans interruption. Par là, il tient à faire comprendre, à qui tend vers
la perfection et la sainteté, qu'il n'y a pas, au service de Dieu,
alternance de jours de fête et de jours sans fête, mais que le
juste doit célébrer sans interruption une fête perpétuelle.
Que signifie en effet ce sacrifice qui doit être offert matin et
soir perpétuellement, si ce n'est que le juste doit maintenir
sans relâche ses efforts vers la perfection en fixant son attention sur la loi et les prophètes — qui correspondent au matin
— et sur la doctrine évangélique — qui correspond au soir,
c'est-à-dire au soir du monde où se situe l'avènement du
Sauveur. — Telles sont les fêtes dont le Seigneur dit : « Vous
observerez mes jours de fête. » Il y a donc fête du Seigneur
si nous lui offrons perpétuellement le sacrifice, si « notre
prière est incessante [b] » et « monte le matin comme un
encens en sa présence, et si l'élévation de nos mains est pour
lui comme le sacrifice du soir [c] ». Telle est donc la première
célébration, celle du sacrifice perpétuel, dont les disciples de
l'Évangile doivent s'acquitter de la manière que nous avons
indiquée plus haut.

3, 2. Mais la parole prophétique va plus loin et enseigne
que les « fêtes des pécheurs sont changées en deuil et leurs
cantiques en lamentations [d] ». Il est évident par là que le
pécheur qui reste sous le coup de son péché ne peut en célébrer la fête ; ainsi du fait de ses péchés est-il dans l'impos-
sibilité d'offrir à Dieu le sacrifice perpétuel. Mais celui-là
seul peut en faire l'offrande qui prend soin sans relâche
d'être juste et qui se garde lui-même du péché. Qu'il se
relâche un jour et qu'il pèche, il est évident que ce jour-là il
n'offre pas le sacrifice perpétuel.

Je crains d'aborder un sujet qui ressort des paroles de
l'Apôtre et à propos duquel je risque de peiner quelques-
uns d'entre vous. Car d'une part, « la prière du juste est
offerte comme de l'encens devant Dieu et l'élévation de ses

tio manuum eius sacrificium est uespertinum [e], dicit autem
Apostolus his qui in coniugiis sunt : *Nolite fraudare inui-*
cem, nisi forte ex consensu ad tempus, ut uacetis orationi et
172 *iterum in id ipsum sitis* [f], certum est quia impeditur sacrificium indesinens his qui coniugalibus necessitatibus seruiunt.
Vnde uidetur mihi quod illius est solius offerre sacrificium
indesinens, qui indesinenti et perpetuae se deuouerit casti-
176 tati. Sed sunt et alii dies festi his qui forte non possunt indesinenter immolare sacrificia castitatis.

4, 1. Secunda ergo festiuitas post indesinentis sacrificii
festiuitatem ponitur sacrificium Sabbati, et oportet sanctum
180 quemque et iustum agere etiam Sabbati festiuitatem. Quae
est autem festiuitas Sabbati, nisi illa, de qua Apostolus
dicit : *Relinquetur ergo sabbatismus*, hoc est Sabbati obse-

---

e. cf. Ps 140, 1-2   f. 1 Co 7, 5

1. On rencontre plusieurs fois chez Origène l'aveu d'une certaine hési-
tation quand il en vient à parler de la relation entre la prière et les œuvres
du mariage. Ainsi, dans le *De Orat.* 31, 4 : « ...j'ai une opinion, peut-être
pénible, mais qui n'est pas méprisabble si l'on y réfléchit avec soin. Il s'agit
de savoir s'il est saint et pur de s'adresser à Dieu dans une chambre où s'accomplit l'œuvre de chair, non pas celle qui est interdite, mais celle qu'autorise l'Apôtre, par indulgence et non par commandement. » Ici même dans
notre homélie, Origène craint d'aborder un sujet qui va peiner les époux,
car les obligations du mariage risquent de se mettre en travers de la continuité de leur saint désir de prière. Et dans les *Hom. in Gen.* V, 4, ayant à
prendre parti sur le comportement, exceptionnel il est vrai, des filles de Lot,
que la Bible ne semble pas vouloir condamner, Origène avoue son hésita-
tion à parler : « Je crains de dire tout haut mon avis, je crains, oui, que leur
inceste n'ait été plus chaste que la chasteté de beaucoup de femmes. » On
notera chez Origène, avant que ne soient dites les conditions de la chasteté
chrétienne, la délicatesse d'approche de la question.

2. *La seconde célébration.* Origène, en ces deux chapitres 28 et 29 des
Nombres, encombrés pour ses auditeurs — si du moins le « lecteur » offi-
ciel en a fait la lecture intégrale du haut de la chaire ! — de toutes les
démarches et de toutes les mesures inhérentes aux sacrifices, Origène, écartant tous ces détails comme nous avons dit dans la note précédente, a déterminé avec netteté le nombre de fêtes auquel ce long texte nous convie.

mains est le sacrifice du soir [e] » ; d'autre part l'Apôtre
s'adressant à ceux qui sont mariés leur dit : « Ne vous refu-
sez pas l'un à l'autre, sauf si c'est d'un commun accord, pour
un temps, afin de vaquer à la prière et revenir ensuite à la
vie commune [f] ». Dans ce cas, il est évident qu'il y a empê-
chement à la continuité du sacrifice pour ceux qui sont tenus
par les obligations du mariage [1]. C'est pourquoi j'estime que
l'offrande du sacrifice perpétuel est réservée à celui-là seul
qui s'est voué indéfectiblement à la chasteté perpétuelle.
Mais il y a d'autres fêtes pour ceux qui ne pourraient pas
offrir le sacrifice perpétuel de la chasteté.

II. Fête du Sabbat

4, 1. La seconde des célébrations [2], après celle du sacrifice perpétuel, concerne le sacrifice du Sabbat. Tous les
saints, tous les justes doivent célébrer la fête du Sabbat.
Quelle est donc cette fête du Sabbat, sinon celle dont
l'Apôtre dit : « Le sabbatisme, — c'est-à-dire l'observation

Il y a neuf fêtes qui préfigurent celles de la vie future, cf. *infra* (p.141).
Nous avons reproduit leur numéro (celui qu'indique Origène) à côté du
titre en manchette de notre édition (chiffres romains). Mais Origène n'est
pas le premier à compter ces fêtes de Dieu et à les commenter. PHILON
D'ALEXANDRIE, *De specialibus legibus*, II, 41-216, l'a fait avant lui et il a
énoncé dix fêtes ; nous notons que le nombre dix, du point de vue de sa
perfection, le ravit. Il est évident qu'Origène connaissait Philon. Ce n'est
pas le lieu de comparer les deux auteurs. On se reportera pour PHILON à
la collection *Les Œuvres de Philon d'Alexandrie*, n° 24, Paris, Cerf, 1975,
p. 261-367, et aux explications de S. DANIEL dans l'Introduction, pages
XXV-XLI. Ce qu'on peut dire ici en un mot, c'est qu'Origène parle en chrétien, imprégné d'un esprit de fête qui épanouit dès ici-bas l'âme en Dieu
par Jésus Christ, tandis que Philon, attentif à la gratitude que l'âme, par ses
comportements, doit rendre à Dieu, se place en pédagogue « au plan de la
vie irréprochable », celui où « la force de la vertu se maintient invincible
au-dessus des passions » (*Spec. leg.* II, 42) : âme élevée en force dans la
Vertu, mais qui, à cause « d'éléments désagréables » (*id.* 55) c'est-à-dire
d'imperfection, ne s'épanouit pas à l'illumination des fêtes de Dieu.

ruatio, *populo Dei* [a] ? Relinquentes ergo iudaicas Sabbati
184 obseruationes, qualis debeat esse christiano Sabbati obseruatio, uideamus. Die Sabbati nihil ex omnibus mundi actibus oportet operari. Si ergo desinas ab omnibus saecularibus
operibus et nihil mundanum geras, sed spiritalibus
188 operibus uaces, ad ecclesiam conuenias, lectionibus diuinis
et tractatibus aurem praebeas, de caelestibus cogites, de
futura spe sollicitudinem geras, uenturum iudicium prae
oculis habeas, non respicias ad praesentia et uisibilia, sed ad
192 inuisibilia et futura, haec est obseruatio sabbati christiano.

4, 2. Sed haec et Iudaei obseruare deberent. Denique
etiam apud ipsos si faber, si structor, et si qui huiusmodi opi-
ficum fuerit, otiatur in die Sabbati. Lector autem legis diui-
196 nae uel doctor non desinit ab opere suo et tamen Sabbatum
non contaminat ; sic enim et Dominus dicit ad eos : *Aut non
legistis quia et sacerdotes in templo Sabbatum uiolant et sine
crimine sunt* [b] ? Qui ergo cessauit ab operibus saeculi et spi-
200 ritalibus actibus uacat, iste est qui sacrificium Sabbati et diem
festum agit Sabbatorum. *Neque onera portat in uia* [c] ; onus
enim est omne peccatum, quemadmodum dicit et propheta :
Sicut onus graue grauatae sunt super me [d] ; *neque ignem
204 accendit* [e], illum scilicet ignem de quo dicitur : *Ite in lumine
ignis uestri et in flamma, quam accendistis* [f]. In Sabbato unusquisque sedet in loco suo et non procedit ex eo. Quis ergo
est locus animae spiritalis ? Iustitia locus eius est, ueritas,
208 sapientia, sanctificatio et omnia quae Christus est, locus animae est. Ex quo loco eam non oportet exire, ut uera Sabbata

4. a. He 4, 9   b. Mt 12, 5   c. cf. Ne 13, 19   d. Ps 37, 5
e. cf. Ex 35, 3   f. Is 50, 11

1. *Ce qu'est le Christ, c'est cela le lieu de l'âme.* On remarquera la force
de cette expression, dont la simplicité et le tranchant évitent que la
recherche de la vertu apparaisse comme de l'abstraction. Quand il s'agit de
la justice, de la vérité et de la sagesse, l'intellect trop porté à spéculer risque
d'en rester à sa spéculation.

du Sabbat — sera réservé au peuple de Dieu [a] ? » Laissons
là les observances juives du Sabbat et voyons ce que doit
être pour un chrétien l'observation du Sabbat. Le jour du
Sabbat, il faut ne s'adonner à aucune des activités du
monde. Par conséquent, observer le Sabbat pour un chrétien, ce sera, après avoir cessé toute activité séculière et
renoncé à tout travail de ce monde, ce sera vaquer aux
œuvres spirituelles, se rendre à l'église avec les autres, écouter attentivement les lectures de l'Écriture sainte et les ser-
mons, penser aux choses célestes, se soucier de l'avenir et
espérer, se représenter le jugement à venir, ne pas se préoccuper des choses actuelles visibles, mais prendre en
compte les réalités futures invisibles.

4, 2. Mais cela, les Juifs aussi devraient l'observer. Car
enfin, chez eux, qu'on soit forgeron, qu'on soit maçon ou
de toute façon travailleur, on chôme le jour du Sabbat.
Quant au lecteur de la loi divine ou au prédicateur, il ne
cesse pas son office, et pourtant il ne profane pas le Sabbat.
C'est ce que le Seigneur leur dit : « N'avez-vous pas lu que
les prêtres dans le temple violent le Sabbat sans se rendre
coupables [b] ? » Celui donc qui s'abstient des œuvres sécu-
lières et se rend libre pour des activités spirituelles, c'est
celui-là qui accomplit le sacrifice du Sabbat et célèbre la fête
sabbatique : « Il ne porte pas de fardeau sur la route [c] », car
le fardeau, c'est le péché, ainsi que dit encore le prophète :
« Comme un lourd fardeau, ils ont pesé sur moi [d] », et « il
n'allume pas de feu [e] », c'est-à-dire de ce feu dont il est dit :
« Allez dans la lumière de votre feu et dans la flamme que
vous avez allumée [f]. » Au Sabbat, chacun reste chez soi et
n'en sort pas. En quelle sorte de lieu se trouve alors l'âme
spirituelle ? Son lieu, c'est la justice, c'est la vérité, c'est la
sagesse, c'est la sanctification ; tout ce qu'est le Christ, c'est
cela le lieu de l'âme [1]. De ce lieu, elle ne doit pas sortir ; elle
doit y observer le vrai Sabbat et passer le jour de fête à

custodiat et diem festum in sacrificiis exigat Sabbatorum, sicut et Dominus dicebat : *Qui in me manet, et ego in eo* [g].

212   **4, 3.** Quod autem diximus uera Sabbata, si altius repetamus quae sint uera Sabbata, ultra hunc mundum est ueri Sabbati obseruatio. Quod enim scriptum est in *Genesi* quia *Requieuit Dominus in die Sabbati ab operibus suis* [h], non
216   uidemus uel tunc factum esse in die septima uel etiam nunc fieri. Semper enim Deum uidemus operari et nullum Sabbatum est, in quo non Deus operetur, in quo non *producat solem suum super bonos et malos et pluat super iustos*
220   *et iniustos* [i], in quo non *producat in montibus foenum et herbam seruituti hominum* [j], in quo non *percutiat et sanet* [k], *deducat in infernum et reducat* [l], in quo non *occidat et uiuere faciat* [m]. Vnde et Dominus in *Euangeliis*, cum Iudaei
224   praescriberent sibi de operatione et curatione Sabbati, respondit iis : *Pater meus usque modo operatur, et ego operor* [n], ostendens per haec in nullo saeculi huius sabbato requiescere Deum a dispensationibus mundi et a prouisio-
228   nibus generis humani. Nam creaturas quidem fecit ex initio et substantias protulit, quantas sibi sciebat utpote rerum conditor ad perfectionem mundi posse sufficere, sed *usque ad consummationem saeculi* [o] ab earum prouisione et dis-
232   pensatione non cessat.

---

g. Jn 15, 5   h. cf. Gn 2, 2   i. Mt 5, 45   j. cf. Ps 146, 8
k. cf. Jb 5, 18   l. cf. Dt 32, 39   m. cf. 2 S 2, 6   n. Jn 5, 17
o. cf. Mt 28, 20

---

1. *Substantias* : le mot n'a pas ici de coloration philosophique. Il représente les choses prises dans leur réalité, les êtres — matériels, spirituels, — nos compagnons d'existence dans la création en développement. C'est le mot grec ὑπόστασις que Rufin traduit ainsi. On le trouve plus haut, par ex. *SC* 415, *Hom.* VI, 2, 1, p. 146, l. 42, et *Hom.* VII, 4, 4, p. 188, l. 275, « en sept jours, toutes les "substantiae" (= tous les êtres, ou toutes les

accomplir les sacrifices du Sabbat, selon la parole du
Seigneur : « Celui qui demeure en moi, moi aussi je
demeure en lui [g] ».

**Le Sabbat
de l'au-delà.
Le repos en Dieu**

4. 3. Nous avons dit ce mot de
« vrai Sabbat ». Si nous creusons la
question de savoir quels sont les vrais
Sabbats, (nous dirons que) c'est dans
l'au-delà qu'a lieu l'observance du vrai Sabbat. Car ce texte
de la *Genèse* que « le Seigneur, le jour du Sabbat, se reposa
de ses œuvres [h] », ne nous laisse entendre ni qu'alors cela se
produisit le septième jour, ni non plus qu'actuellement il en
soit ainsi. Car nous voyons que Dieu ne cesse de travailler
et qu'il n'y a pas de Sabbat où Dieu ne travaille pas, où « il
ne fasse pas lever son soleil sur les bons et les méchants, et
tomber la pluie sur les justes et les injustes [i] », où « il ne fasse
pousser sur les montagnes l'herbe et le gazon pour le service des hommes [j] », où « il ne frappe et ne guérisse [k] », où
« il n'envoie à l'enfer et n'en ramène [l] », où « il ne fasse mourir et ne fasse vivre [m] ». Aussi le Seigneur répond-il dans les
Évangiles aux Juifs qui l'accusaient de travailler et de guérir
le jour du Sabbat : « Mon Père travaille jusqu'à présent, moi
aussi je travaille [n] », montrant par là qu'à aucun des Sabbats
de ce siècle Dieu ne cesse de veiller à l'économie du monde
et d'être le pourvoyeur du genre humain. Car au principe il
fit les créatures et produisit, en tant qu'auteur de toute
chose, autant de substances [1] qu'il estimait en falloir à l'accomplissement du monde ; il ne cesse d'en faire l'appoint et
de les dispenser jusqu'à la fin du monde [o].

---

espèces) de la création visible ont été produites ». Rufin lui-même a écrit
(addit. à EUSEB. *Hist. Eccl.* X, 30, *GCS* VI, 2, p. 992, l. 22) qu'il faut
entendre par *substantia : ipsam rei alicuius naturam rationemque qua
constat* ; « la nature même ou la manière d'être de quelque chose, ce qui la
constitue » (H. Crouzel, *SC* 253, p. 46).

4, 4. Erit ergo uerum Sabbatum, in quo *requiescet Deus ab omnibus operibus suis* [p], saeculum futurum, tunc cum *aufugiet dolor et tristitia et gemitus* [q] et erit *omnia et in omnibus* [r] Deus.

In quo Sabbato concedat etiam nobis Deus diem festum agere secum et cum sanctis angelis suis festa celebrare, offerentes *sacrificium laudis et reddentes Altissimo uota nostra* [s], *quae hic distinxerunt labia nostra* [t]. Tunc fortassis et sacrificium indesinens, de quo supra exposuimus, melius offeretur. Tunc enim melius indesinenter adsistere anima poterit Deo et offerre sacrificium laudis *per Pontificem Magnum* [u], qui est *sacerdos in aeternum secundum ordinem Melchise-dech* [v].

5, 1. Tertia festiuitas ponitur Neomeniae dies, in quo offertur et hostia [a]. Neomenia autem dicitur noua luna. Est ergo et ista festiuitas, cum luna innouatur. Noua autem dicitur, cum soli proxima fuerit effecta et ualde ei coniuncta, ita ut sub claritate eius lateat. Sed mirum fortasse uideatur, immo superfluum, lex diuina mandare. Quid enim religioni conducit lunae nouae, id est cum coniungitur soli et adhaeret ei, obseruare festiuitatem ? Haec si secundum litteram considerentur, non tam religiosa quam superstitiosa uidebuntur ; sed sciebat apostolus Paulus quia non de his loquitur lex neque illum ritum, qui Iudaeis obseruari uidetur,

---

p. cf. Gn 2, 3   q. cf. Is 35, 10   r. cf. Col 3, 11   s. cf. Ps 49, 14
t. cf. Ps 65, 14   u. cf. He 5, 1   v. cf. He 5, 6
5. a. cf. Nb 28, 11

---

1. Comparer cette définition de la Néoménie avec celle de Philon : « la Néoménie par rapport au mois lunaire c'est... cet intervalle de temps entre deux conjonctions de la lune, que les mathématiciens ont parfaitement calculé... c'est le commencement d'un mois. A la Néoménie, rien dans le ciel n'est privé de lumière. Lors de la conjonction..., comme la lune passe endessous du soleil, sa face tournée vers la terre est sombre, tandis qu'à la Néoménie, elle retrouve son éclat naturel » (*De spec. leg.* II, 140, *Œuv. de*

4, 4. Le vrai Sabbat, celui où Dieu « se reposera de toutes ses œuvres [p] », sera donc le siècle futur, quand douleur, tristesse et gémissement s'enfuiront [q] et que Dieu « sera tout en tous [r] ».

Que Dieu nous accorde aussi en ce Sabbat de faire fête avec lui et de le célébrer avec ses saints anges, « en offrant le sacrifice de louange et en rendant au Très-Haut les vœux [s] » « que nos lèvres ont formulés ici-bas [t] ! » C'est alors sans doute que se réalisera mieux l'offrande du sacrifice perpétuel dont nous avons parlé plus haut. Car alors l'âme pourra sans effort se tenir continuellement devant Dieu et offrir le sacrifice de louange par le Grand Prêtre [u] qui est « prêtre pour l'éternité selon l'ordre de Melchisédech [v] ».

III. Fête de la Néoménie : la rénovation

5, 1. La troisième des célébrations est fixée au jour de la Néoménie, où l'on offre aussi une victime [a]. Néoménie veut dire « nouvelle lune ». Cette célébration a donc lieu au changement de lune. On dit que la lune est nouvelle lorsqu'elle s'est rapprochée au plus près du soleil et que sa conjonction avec lui est si étroite qu'elle-même est cachée par l'éclat du soleil [1]. Il peut paraître étonnant, voire extravagant, que la loi divine fasse de cela une prescription. Quel intérêt y a-t-il pour la religion à célébrer la fête d'une nouvelle lune, c'est-à-dire sa conjonction et sa liaison avec le soleil ? Si l'on porte une attention littéraliste à ces phénomènes, ils apparaîtront relever de la superstition plutôt que de la religion. L'Apôtre Paul savait que la loi ne traite pas de ces matières et que ce rite dont on voit l'observance chez les Juifs, le

Ph., 24, p. 317). Cela peut paraître la « lettre » de la science. Cette astronomie compte peu pour Origène, qui ne la méconnaît pourtant pas. Il s'en fait un tremplin pour passer, avec saint Paul, au sens plus savoureux de ce qui aura lieu dans le monde d'en haut, quand l'âme aura traversé l'ombre des choses d'ici-bas, — on ne pouvait mieux dire en la circonstance.

256 sanctus Spiritus praecepit ; et ideo ad eos qui fidem Dei sus-
ceperunt dicebat : *Nemo ergo uos iudicet in cibo aut potu aut
parte diei festi aut Neomenia aut Sabbato ; quae sunt umbra
futurorum* [b]. Si ergo umbra futurorum est Sabbatum, de quo
260 pro uiribus supra explicauimus, et Neomenia *umbra futurorum* est, certum quia et ceterae festiuitates similiter
umbrae sunt futurorum.

5, 2. Sed nunc de Neomenia uideamus. Diximus quod
264 Neomeniae festiuitas appellatur, cum luna innouari coeperit et soli proxima fieri penitusque coniuncta. *Sol iustitiae* [c]
Christus est ; huic si luna, id est Ecclesia sua, quae lumine
ipsius repletur, iuncta fuerit et penitus ei adhaeserit, ita ut,
268 secundum uerbum Apostoli, *qui se iungit Domino, unus
cum eo spiritus fiat* [d], tunc festiuitatem Neomeniae agit ; tunc
enim noua efficitur, *cum abiecerit ueterem hominem, et
induta fuerit nouum qui secundum Deum creatus est* [e], atque
272 ita merito innouationis sollemnitatem, quae est Neomeniae
festiuitas, geret.

Tunc denique est quando neque uideri neque compre-
hendi humanis adspectibus potest. Anima enim cum totam
276 se sociauerit Domino et in splendorem lucis eius tota
concesserit nihilque omnino terrenum cogitat, nihil mundanum requirit nec hominibus placere studet, sed totam se
sapientiae lumini, totam calori Sancti Spiritus mancipauerit
280 *subtilis et spiritalis* [f] effecta, quomodo cerni ab hominibus

---

b. Col 2, 16-17   c. cf. Ml 4, 2   d. 1 Co 6, 17   e. cf. Eph. 4, 24
f. cf. Sg 7, 22.23

---

1. Les deux mots de « subtile » et « spirituelle » renvoient à l'éloge de
la *Sagesse* (*Sg* fin du chap. 7, v.17s.), passage qu'Origène semble avoir particulièrement affectionné. Ici, il en a extrait seulement ces deux mots, mais
il faut les saisir en consonance avec le reste. On se reportera à *SC* 442, *Hom.*
XII, 1, 5 (la Sagesse initie à la profondeur des puits), à *Hom.* XVII, 6, 2 (la
Sagesse s'oppose par sa subtilité à l'épaississement charnel). Il est évidemment hors de notre sujet de présenter (mais il est intéressant d'en connaître

Saint-Esprit n'a pas voulu en faire une prescription ; aussi disait-il à ceux qui ont accueilli la foi de Dieu : « Que nul ne vous critique à propos de nourriture, de boisson, ou en matière de fêtes, de Néoménie ou de Sabbat ; tout cela est l'ombre des choses à venir ᵇ ». Si donc le Sabbat est l'ombre des choses à venir, comme nous l'avons expliqué plus haut à la mesure de nos lumières, et si la Néoménie est l'ombre des choses à venir, alors il est évident que les autres célébrations sont également des ombres des choses à venir.

5, 2. Occupons-nous pour le moment de la Néoménie. On appelle Néoménie, avons-nous dit, la fête qui se célèbre au début de la nouvelle lune quand celle-ci s'approche au plus près du soleil et entre en conjonction étroite avec lui. Or le Christ est le soleil de justice ᶜ. Si la lune, c'est-à-dire son Église, comblée de sa lumière, est en conjonction avec lui, si elle lui est si profondément attachée qu'elle réalise cette parole de l'Apôtre : « Celui qui s'unit au Seigneur ne forme qu'un seul Esprit avec lui ᵈ », elle célèbre alors la fête de la Néoménie ; car elle est devenue nouvelle « en se dépouillant du vieil homme et en revêtant l'homme nouveau qui a été créé selon Dieu ᵉ ». C'est à bon droit qu'elle donne de la solennité à ce renouveau, car c'est une fête de Néoménie.

Finalement, vient un moment où la lune ne peut plus être ni vue ni saisie par des regards humains. Pour l'âme aussi, quand elle est complètement unie au Seigneur, quand elle est tout entière acquise à la splendeur de sa lumière, écartant toute pensée terrestre et renonçant à toute préoccupation du monde, quand elle ne se soucie pas de plaire aux hommes mais s'abandonne complètement à la lumière de la sagesse, quand elle se livre sans réserve aux ardeurs de l'Esprit Saint et qu'elle est devenue « subtile et spirituelle ᶠ¹ », comment

le nombre) les 75 citations de ce passage relevées dans les Œuvres d'Origène (cf. *Biblia Patr.* III, p. 222). — Utile commentaire de *Sg* 7, 17s. dans *Bible d'Osty*.

aut humanis potest conspectibus apprehendi ? *Animalis* namque *homo* intellegere et discernere non potest spirita-lem [g]. Et ideo dignissime diem festum aget et hostiam
284 Neomeniae Domino, utpote per ipsum innouata, iugulabit.

6. Quarto in loco ponitur inter festiuitates Dei Paschae sollemnitas, in qua festiuitate agnus occiditur. Sed uide tu Agnum uerum, *agnum Dei, agnum qui tollit peccatum*
288 *mundi* [a], et dicito quia *Pascha nostrum immolatus est Christus* [b]. Iudaei carnali sensu comedant carnes agni, nos autem comedamus carnem Verbi Dei ; ipse enim dixit : *Nisi comederitis carnes meas, non habebitis uitam in uobis ipsis* [c].
292 Hoc quod modo loquimur, carnes sunt Verbi Dei, si tamen non quasi *infirmis olera* [d] aut quasi *pueris lactis* [e] ali-moniam proferamus. Si perfecta loquimur, si robusta [f], si fortia, carnes uobis Verbi Dei apponimus comedendas. Vbi
296 enim mysticus sermo, ubi dogmaticus et Trinitatis fide repletus profertur ac solidus, ubi futuri saeculi *amoto uela-mine litterae* [g] legis spiritalis sacramenta panduntur, ubi spes animae auulsa de terris iactatur in caelos et in illis colloca-
300 tur *quae oculus non uidit nec auris audiuit nec in cor homi-nis adscenderunt* [h], haec omnia carnes sunt Verbi Dei ; qui-bus qui potest perfecto intellectu uesci et corde purificato, ille uere festiuitatis Paschae immolat sacrificium et diem fes-
304 tum agit cum Deo et angelis eius.

g. cf. 1 Co 2, 14
6. a. cf. Jn 1, 26   b. 1 Co 5, 7   c. Jn 6, 52   d. cf. Rm 14, 2
e. cf. He 5, 12   f. cf. He 5, 14   g. cf. 2 Co 3, 16   h. cf. 1 Co 2, 9

peut-elle être distinguée par des hommes ou saisie par des regards humains ? L'homme psychique en effet ne peut ni comprendre ni distinguer l'homme spirituel [g]. Alors, il sera pleinement juste que l'âme célèbre une fête et immole, à la Néoménie, une victime au Seigneur, puisque c'est par lui qu'elle a été renouvelée.

IV. La Pâque : communion au Verbe

6. En quatrième lieu, parmi les fêtes de Dieu, se place la solennité de la Pâque. En cette fête, on immole un agneau. Quant à toi, regarde l'Agneau véritable, « l'Agneau de Dieu, celui qui ôte le péché du monde [a] », et dis : « Le Christ, notre Pâque, a été immolé [b] ». Les Juifs absorbent matériellement la chair de l'agneau ; mais nous, c'est la chair du Verbe de Dieu que nous devons manger, car il a dit lui-même : « Si vous ne mangez pas ma chair, vous n'aurez pas la vie en vous [c]. »

Ces paroles que nous prononçons en ce moment sont la chair du Verbe de Dieu, à condition toutefois que nous ne les proposions pas comme des légumes pour les faibles [d], ou comme du lait pour les enfants [e]. Si nos paroles sont élevées, solides, vigoureuses [f], ce sont les chairs du Verbe de Dieu que nous vous donnons à manger. Quand on parle de réalités mystiques, — quand on s'exprime dogmatiquement en un exposé solide, empli de foi trinitaire, — quand on déploie après avoir écarté « le voile de la lettre [g] » les mystères de la loi spirituelle dans le siècle à venir, — quand on détache l'âme de ses espoirs terrestres et qu'on les projette dans les cieux en les plaçant en des biens que « l'œil n'a pas vus ni l'oreille entendus et qui ne sont pas montés au cœur de l'homme [h] », — en tout cela ce sont les chairs du Verbe de Dieu qui sont offertes à manger. Celui qui, avec une intelligence parfaite et un cœur purifié, peut s'en nourrir, celui-là immole véritablement le sacrifice festif de la Pâque et célèbre le jour de fête avec Dieu et ses anges.

7. Post hanc, immo continuata huic, festiuitas sequitur Azymorum [a], quam merito celebrabis, si extermines omne *fermentum malitiae* ab anima tua et *azyma sinceritatis ueri-*
308 *tatisque* [b] custodias. Neque enim putandum est omnipotentem Deum leges hominibus pro fermento scribere et propterea iubere *exterminari animam de populo* [c], si qua forte parum aliquid fermenti huius ex farina conspersi in domo
312 sua habuisse deprehenditur ; eamque curam magnopere fuisse diuinae maiestati, qua fermenti huius causa in tantum se dicat offendi, ut *animam quam ipse ad imaginem et similitudinem suam fecit* [d], exterminari pro hoc iubeat et euerti,
316 non mihi uidetur haec diuinis legibus digna esse intellegentia ; sed illud magis est quod horrescit et merito horrescit Deus, si malitiae, si irae, si nequitiae spiritu infermentetur anima et intumescat ad flagitia.
320 Haec non uult esse in anima Deus et tale fermentum nisi abiecerimus de domo animae nostrae, merito exterminabimur. Sed ne contemnas, etiamsi paruam uideris intra te fermentari malitiam, quia *modicum fermentum totam massam*
324 *corrumpit* [e] ; et ideo neque de paruo peccato neglegas, quoniam ex uno peccato generatur et aliud. Sicut enim ex iustitia generatur iustitia et ex castitate castitas — si quis enim primo tenuiter castus esse coeperit, accepto castitatis fer-
328 mento cotidie castior efficitur —, ita et qui semel intra se

---

7. a. cf. Nb 28, 17   b. cf. 1 Co 5, 8   c. cf. Nb 9, 13
d. cf. Gn 5, 3   e. 1 Co 5, 6 ; Ga 5, 9

---

1. Le *Livre des Nombres* 28, 16-17, comme *Ex* 12, 14-15 et *Lv* 23, 5-6, met en relation les deux fêtes de la Pâque et des Azymes, mais les tient séparées, chacune commémorant un aspect différent de la sortie d'Égypte, la mort des premiers-nés pour la première, le pain emporté avant d'avoir levé pour la seconde. Philon avait bien distingué la « fête du Passage » (Pâque) de la « fête des Azymes », tout en disant que la Loi rattachait l'une à l'autre (*De spec. leg.* II, 150). Origène, tenant registre spirituel, n'a aucune difficulté à admettre deux fêtes différentes, l'une étant « le

V. Fête des Azymes : Pureté

7. Après cette fête, ou plutôt dans son prolongement, vient la fête des Azymes [a] [1].

Tu la célébreras avec justesse si tu élimines de ton âme tout « ferment de malice » et si tu gardes « les azymes de sincérité et de vérité [b] ». Mais il ne faudrait pas s'imaginer que, parce que le Dieu Tout Puissant formule pour les hommes des lois sur le levain, il faille pour autant « retrancher une âme de son peuple [c] », alors qu'elle aurait été prise à garder chez elle un peu de levain répandu par mégarde avec la farine. Est-ce que cela représentait une affaire importante pour le Dieu de Majesté de se dire offensé à cause de ce levain ? et d'y trouver motif à donner ordre de retrancher et de rejeter « l'âme qu'il avait faite lui-même à son image et à sa ressemblance [d] » ? Cela me paraît une interprétation incompatible avec les lois divines. Mais ce qui est plus important, ce qui fait horreur à Dieu et qu'il déteste à juste titre, c'est que l'âme se mette à fermenter sous l'esprit de malice, de colère, ou de méchanceté et qu'elle se gonfle d'infamies.

Voilà ce que Dieu ne veut pas dans l'âme, et si nous ne rejetons pas ce ferment hors de la demeure de notre âme, à bon droit nous serons rejetés. Ne le prends pas à la légère ! car même si tu crois ne laisser fermenter en toi qu'un peu de malice, ne sais-tu pas qu'il ne faut qu'un peu de levain pour faire lever toute la pâte [e] ? Aussi, ne compte pas pour rien de ne pécher qu'un peu ; un seul péché suffit pour en engendrer un autre. La justice engendre la justice, la chasteté engendre la chasteté ; — et si quelqu'un a d'abord modestement entrepris d'être chaste, s'il accueille le levain de la chasteté, de jour en jour il devient plus chaste ; à l'inverse, celui qui aurait une fois réservé en lui-même ne serait-

prolongement de l'autre » ; dans le symbolisme qu'il adopte, la pâte sans levain ou azyme représente la chasteté.

licet paruum malitiae reposuerit fermentum, cotidie semet ipso nequior efficitur ac deterior. Et ideo si uis agere Azymorum festiuitatem cum Deo, ne paruum quidem malitiae fermentum [f] intra te residere patiaris.

8. Post hanc sequitur sexta festiuitas, quae dicitur Nouorum, id est cum primitiae de nouis fructibus offeruntur. Vbi enim seminatus fuerit ager et diligenter excultus atque ad maturitatem peruenerit seges, tunc in fructuum perfectione festiuitas Domini geritur. Si ergo et tu uis Nouorum diem festum agere cum Deo, uide quomodo semines aut ubi semines, ut possis tales metere fructus, ex quibus laetari facias eum et agere diem festum. Quod aliter implere non poteris, nisi audias Apostolum dicentem : *Qui seminat in Spiritu, de Spiritu metet uitam aeternam* [a]. Si sic semines et sic metas, uere diem festum ages Nouorum. Propterea denique et propheta admonet dicens : *Innouate vobis noualia, et nolite seminare super spinas* [b]. Qui ergo cor suum et interiorem hominem renouat de die in diem, iste sibi innouat noualia et non seminat super spinas, sed super terram bonam, quae reddat ei fructum tricesimum aut sexagesimum aut centesimum [c]. Iste ergo est, *qui in Spiritu seminat, et colligit fructus Spiritus* [d]. Fructus autem Spiritus primus omnium est gaudium. Et merito diem festum Nouorum fructuum agit, qui *gaudium* metit, praecipue si simul metat *et pacem et patientiam et bonitatem et mansuetudinem* [e] ;

f. cf. 1 Co 5, 8
8. a. Ga 6, 8   b. Jr 4, 3   c. cf. Mt 13, 7   d. cf. Ga 5, 22
e. cf. Ga 5, 22

1. *La fête des produits nouveaux.* Les premiers fruits sont les premiers produits des arbres ou des céréales ; ils sont dits prémices lorsqu'ils sont portés en offrande à Dieu pour les sacrifices. — On se rappelle que l'*Homélie* XI tout entière est consacrée aux prémices, *SC* 442, p. 12-67.

ce qu'un peu du levain de la malice, celui-là devient chaque jour plus méchant et plus détestable. Et c'est pourquoi, si tu veux célébrer la fête des Azymes avec Dieu, ne laisse pas se déposer en toi ne serait-ce qu'un tout petit peu du ferment de la malice [f].

VI. Fête des « Produits Nouveaux »

8. Ensuite, vient la sixième fête, dite des « produits nouveaux [1] » parce que, lors des nouvelles récoltes, on y fait l'offrande des prémices. Quand le champ a été ensemencé, bien cultivé, et que la moisson est mûre, alors on célèbre, pour la maturité des fruits, la fête du Seigneur. Toi, par conséquent, si tu veux célébrer avec Dieu la fête des « produits nouveaux », veille à la manière dont tu sèmes et au lieu où tu sèmes, de façon à pouvoir récolter les fruits qui feront la joie de Dieu et justifieront la célébration. Tu ne pourras bien le faire que si tu écoutes la parole de l'Apôtre : « Celui qui sème dans l'Esprit, récoltera de l'Esprit la vie éternelle [a] ». En semant ainsi, en récoltant ainsi, tu célébreras vraiment la fête des « produits nouveaux ». C'est pourquoi, finalement, le prophète aussi donne ce conseil : « Mettez en culture vos jachères et ne semez pas dans les épines [b] ». Renouveler son cœur et l'homme intérieur de jour en jour, c'est mettre en culture ses jachères ; c'est ne pas semer dans les épines mais dans une bonne terre qui rendra trente, soixante ou cent pour un [c]. Et qui « sème dans l'Esprit, récolte aussi les fruits de l'Esprit [d] ». Or le premier des fruits de l'Esprit est la joie [2]. Récolter la joie, surtout si l'on récolte en même temps la paix, la patience, la bonté, la douceur [e], c'est à juste titre célébrer la fête des « fruits nouveaux ». Y ajouter encore d'autres fruits de

---

2. En *Gal.* 5, 22, Paul a cité comme premier fruit de l'Esprit la charité, qui est suivie de la joie.

aliosque horum similes fructus si colligat, dignissime
Nouorum fructuum festiuitatem Domino aget.

356　　**9.** Tum deinde sequitur festiuitas Septimorum. Sicut enim
inter dies septimus quisque dies obseruatur Sabbatum et est
festiuitas, ita et inter menses septimus quisque mensis
Sabbatum est mensium [a]. Agitur ergo in eo festiuitas, quae
360　dicitur *Sabbata sabbatorum*, et fit in die prima mensis
memoria Tubarum. Sed quis est, qui festiuitatem gerat
memoriae Tubarum, nisi qui potest scripturas propheticas
et euangelicas atque apostolicas, quae ueluti caelesti quadam
364　personant Tuba, mandare memoriae et intra *thesaurum cordis sui* [b] recondere ? Qui ergo haec facit et *in lege Dei medi-
tatur die ac nocte* [c], iste festiuitatem gerit memoriae tubarum. Sed et si qui potest gratias illas Sancti Spiritus
368　promereri, quibus inspirati sunt prophetae, et psallens
dicere : *Canite in initio mensis tuba, in die insignis sollem-
nitatis eius* [d], et qui scit *in psalmis iubilare ei* [e], digne Deo
agit sollemnitatem Tubarum.

---

9. a. cf. Nb 29, 1　　b. cf. Lc 6, 45　　c. cf. Ps 1, 2　　d. Ps 80, 4
e. cf. Ps 104, 2

1. Nous remarquons que le texte latin emploie deux expressions pour
qualifier cette fête, celui de *festiuitas Septimorum* et celui de *Sabbata sabbatorum*, en spécifiant qu'il s'agit de mois. Il faut donc écarter ici l'idée de
Semaines et se garder de confondre la fête des Septièmes mois *Septimorum
(mensium)*, avec celle des Semaines *(Septimanarum)* décrite en *Nb* 28, 26-31.
Rufin a bien fait la différence. En faisant allusion au son des Trompettes,
Origène renvoie à *Nb* 29, 1, où c'est un rite éclatant du premier jour du
7e mois. Les préoccupations d'Origène, on l'a vu, n'ont pas été de démêler
l'entrecroisement de ces jours de fête par rapport à leurs dates ni les confu-
sions nées de leurs similitudes. Nous avons dit qu'il avait su dégager, à l'instar de Philon qui a dû lui servir de maître, neuf fêtes principales dans la
Loi. C'était l'essentiel de ce dont il avait besoin pour lier en un seul chapitre la gerbe des conditions spirituelles qu'un chrétien doit remplir et des
bienfaits qu'il doit attendre de ces fêtes transposées en vie nouvelle dans le

même sorte, ce sera célébrer de la manière la plus digne du Seigneur la fête des « fruits nouveaux ».

VII. Fête des « Septièmes » : fête des Trompettes

9. Vient ensuite la fête des « Septièmes ». De même que, au long des jours, il y a un septième jour qui donne lieu chaque fois à l'observance du Sabbat avec une célébration, de même y a-t-il au cours des mois, un septième mois qui représente un Sabbat de mois ᵃ. On en fait donc la célébration, on l'appelle « Sabbat des Sabbats », et au premier jour du mois, on rappelle le son des Trompettes ¹. Mais quel est celui qui peut célébrer la fête en rappelant le son des Trompettes, si ce n'est celui qui, en présence des Écritures des prophètes, des évangélistes et des apôtres qui retentissent comme le son d'une trompette venu du ciel, peut les confier à sa mémoire et les enfermer dans le trésor de son cœur ᵇ ? Agir ainsi et « méditer jour et nuit sur la loi de Dieu ᶜ », c'est se souvenir des trompettes et en faire la célébration. Mais pouvoir obtenir les mêmes grâces du Saint-Esprit que celles qui ont inspiré les prophètes, — psalmodier avec le Psaume en proclamant : « Au début du mois sonnez de la trompette, c'est le jour insigne de sa fête ᵈ² », — « savoir chanter pour lui avec les Psaumes ᵉ », — faire cela c'est dignement célébrer pour Dieu la solennité des Trompettes.

Nouveau Testament. — Les Trompettes étaient employées à deux fins : ou convoquer le peuple, ordinairement au Temple, pour une acte religieux en commun, ou, à la guerre, pour s'élancer à la bataille.

    2. *De sa fête (in die insignis solemnitatis eius).* — La LXX ne porte pas « de sa fête » (*solemnitatis eius*), mais « de notre fête » (*festi nostri* — gr. ἡμῶν, Rahlfs) ou de votre fête (*festi vestri* — gr. ὑμῶν, Hexaples). — C'est une légère accommodation, qui n'affecte pas profondément le sens de la phrase, mais qui doit nous tenir en constant éveil sur l'exactitude des citations. La mémoire d'Origène est grande ; elle n'est pas infaillible.

372   **10.** Est adhuc et alia festiuitas, cum *affligunt animas suas* [a] et humiliant se Deo, festa celebrantes. O mira festiuitas : dies festus uocatur afflictio animae ! Hic enim, inquit, dies est *propitiationis* [b] decima die mensis septimi. Vide ergo, si
376 uis diem festum agere, si uis, ut laetetur Deus super te, *afflige animam tuam* et humilia eam. Non ei permittas explere desideria sua nec concedas ei lasciuiis euagari, sed in quantum fieri potest, afflige et humilia eam. Denique et
380 Paschae festiuitas et Azymorum *panem afflictionis* [c] habere dicitur, nec potest quis agere diem festum, nisi afflictionis panem manducauerit et manducauerit Pascha cum amaritudine. *Manducabitis,* enim inquit, 'azyma cum amaritudine [d],
384 siue picridis. Vides ergo, quales sunt festiuitates Dei ; non recipiunt dulcedinem corporalem, nihil remissum, nihil voluptuosum aut luxuriosum uolunt, sed afflictionem animae et amaritudinem humilitatemque deposcunt, quia *qui se
388 humiliat, ipse exaltabitur apud Deum* [e]. Hoc ergo deposcit et Propitiationis dies ; cum enim *afflicta fuerit anima' et humiliata in conspectu Domini* [f], tunc ei repropitiatur Deus et tunc ad eam uenit ille, *quem proposuit Deus propitiato-
392 rem per fidem in sanguine suo* [g], Christus Iesus Dominus et Redemptor eius.

---

10. a. cf. Nb 29, 7   b. cf. Nb 29, 11   c. cf. Dt 16, 3
d. Ex 12, 8   e. cf. Lc 14, 11   f. cf. Jc 4, 10   g. cf. Rm 3, 25

---

1. *Étrange festivité !* On peut avec Origène s'étonner que le texte fasse de l'affliction de l'âme une festivité, alors que les deux mots de fête et d'affliction jurent entre eux. En réalité, c'est Dieu qu'il s'agit d'apaiser. *BA IV,* p. 504, dit sur ce passage que le jour de jeûne comptait pour les Juifs comme un jour de fête parce qu'ils purifiaient ainsi et délivraient leurs âmes des fautes commises ; tous les Juifs, même les moins pieux, s'adonnaient au jeûne. Le jeûne de cette journée se pratiquait une fois que la moisson avait été rentrée, et c'était une manière à la fois de remercier Dieu d'avoir

VIII. Fête de l'Expiation

10. Il y a encore une autre fête : on y prend part en « affligeant son âme [a] » et en s'humiliant devant Dieu. Étrange festivité ! appeler fête l'affliction de l'âme [1] ! Mais ce jour, qui est le dixième du septième mois, est, selon l'Écriture, le jour de l'Expiation [b]. Fais donc attention : si tu veux que ce soit pour toi un jour de fête, si tu veux que Dieu se réjouisse à ton sujet, il te faut affliger ton âme, et l'humilier. Ne lui permets pas de satisfaire ses désirs, ne la laisse pas vagabonder dans la sensualité, mais autant que possible afflige-la et humilie-la. Ainsi donc, au dire de l'Écriture, la fête de la Pâque et des Azymes comporte « le pain d'affliction [c] » et nul ne peut célébrer cette fête sans manger le pain d'affliction, sans manger la Pâque avec amertume : « Vous mangerez, est-il dit, les azymes avec amertume, c'est-à-dire avec des herbes amères [d]. » Tu vois donc ce que sont les fêtes de Dieu : pour le corps, elles récusent la douceur, ne tolèrent pas le relâchement, écartent ce qui touche à la volupté ou à la luxure, pour l'âme, elles exigent affliction, amertume et humilité, puisque, devant Dieu, « celui qui s'abaisse sera élevé [e]. » Même exigence par suite pour le jour de l'Expiation. Car lorsque « l'âme s'est affligée et humiliée devant le Seigneur [f] », Dieu lui redevient alors favorable ; et vers elle s'avance Celui « que Dieu a destiné à être, par son propre sang, moyen de propitiation grâce à la foi [g] », le Christ Jésus son Seigneur et son Rédempteur.

répandu ses dons avec abondance et de l'implorer pour qu'il en soit de même l'année suivante. Cette fête de l'affliction, des amertumes et de l'humilité à avaler, comme dit semblablement Origène, (« *vous mangerez... avec amertume* ») a vite pris dès lors, dans les cercles chrétiens, le nom d'Expiation. On voit quelles lointaines racines irriguent ce mouvement de l'âme.

11, 1. Iam uero ultimus dies festus Dei qui sit quo Deus laetatur in homine, uideamus. *Scenopegia* inquit. Laetatur ergo super te, cum te uiderit in hoc mundo in tabernaculis habitantem, cum te uiderit non habere fixum et fundatum animum ac propositum super terras nec desiderantem quae terrena sunt, nec *umbram uitae huius* [a] quasi possessionem propriam et perpetuam deputantem, sed uelut in transitu positum et ad ueram illam patriam, unde egressus es, paradisi festinantem ac dicentem : *Incola ego sum et peregrinus, sicut omnes patres mei* [b]. In tabernaculis enim habitauerunt et patres, et *Abraham in casulis*, id est in tabernaculis, *habitauit cum Isaac et Iacob, coheredibus repromissionis eiusdem* [c]. Cum ergo incola fueris et peregrinus in terris et non est mens tua fixa et radicata in desideriis terrenorum, sed paratus es ut cito transeas et paratus es *extendere te semper ad anteriora* [d] usque quo peruenias *ad terram fluentem lac et mel* [e] et hereditatem capias futurorum, si te, inquam, positum in his uideat Deus, laetatur in te et diem festum aget super te.

11, 2. Haec quidem in praesenti ; in futuro uero, si uis considerare quomodo agantur dies festi, erige paululum, si potes, sensus tuos a terra et obliuiscere paulisper haec quae habentur in facie. Describe uero tibi *quomodo caelum et*

396
400
404
408
412
416

---

11. a. cf. He 10, 1   b. Ps 38, 13   c. cf. He 11, 9
d. cf. Ph 3, 13   e. cf. Ex 33, 3

---

1. *Scénopégie*, c'est-à-dire la « fête des Tentes ». Quittant l'Égypte et traversant le désert, les Hébreux vécurent sous la Tente : ils étaient le-peuple-de-Dieu-en-marche vers la Terre promise. C'est cette approche qu'ils commémoraient en la fête de la « Scénopégie » ; étymologiquement, c'est l'acte de dresser une tente. Celle-ci, pour la fête, était de feuillage : elle avait pour nom en grec σκηνή, traduit en latin par *tabernaculum*, le nom même de la tente du soldat.

2. Les « tentes » deviennent ici des « cabanes », autre traduction du mot σκηνή. En latin, c'est alors *casula* : ce mot est celui de la traduction de la *Vetus Latina* pour l'Épître aux Hébreux. Il n'a prévalu que chez quelques

IX. Fête des Tentes (Scénopégie)

11, 1. Et maintenant voyons quelle est la dernière fête divine où l'homme fait la joie de Dieu. C'est la Scénopégie [1]. Dieu a donc sujet de se réjouir de toi quand il te voit en ce monde habiter sous la tente ; quand il te voit sans fixation, sans attachement profond, sans projet d'ici-bas, insensible aux biens terrestres et ne considérant pas « l'ombre de cette vie [a] » comme un bien propre et durable ; il se réjouit quand il te voit, situé comme en un lieu de passage, te hâter vers le paradis, cette vraie patrie d'où tu es sorti, et dire : « Je suis un étranger et un voyageur comme tous mes pères [b]. » Les pères ont en effet habité sous des tentes et Abraham, avec Isaac et Jacob, cohéritiers de la même promesse, habita des « cabanes [c] », ce qui revient à dire des tentes [2]. Quant à toi, puisque tu es un étranger et un voyageur sur la terre et que tes pensées ne sont ni fixées ni enracinées dans la convoitise des biens terrestres, puisque tu es prêt à émigrer sans tarder, prêt à te « tendre sans arrêt vers ce qui est en avant [d] » jusqu'à ce que tu parviennes « au pays où coule le lait et le miel [e] » et que tu entres en possession de l'héritage des biens à venir, — quant à toi, si Dieu te trouve dans ces dispositions, il se réjouira à ton sujet et célébrera un jour de fête en ton honneur.

Les fêtes dans la vie future

11, 2. Tout cela concerne le présent. Si tu veux contempler comment se célèbrent les fêtes dans le monde à venir, élève quelque peu, si tu peux, tes pensées au-dessus de la terre et oublie pour un instant ce que nous avons devant les

---

Pères. La *Vulgate* a vite imposé l'équivalent, que Rufin, à son époque, a cru bon de donner : *id est in tabernaculis.* NESTLE, *NT gr. et lat.* a judicieusement gardé dans le latin de *He* 11, 9 : *in casulis.*

terra transeat ᶠ et *transeat* omnis *hic habitus mundi* ᵍ, *cae-lum uero nouum et noua terra* ʰ fundetur. Amoue de conspectibus tuis etiam solis huius lucem et da illi mundo
420 qui uenturus est solis huius septuplum lumen ; immo potius secundum Scripturae auctoritatem *ipsum ei da Dominum lucem* ⁱ. Pone adstantes angelos gloriae, pone uirtutes, potes-tates, sedes, dominationes, atque omne nomen clarissima-
424 rum caelestiumque uirtutum, non solum quod in praesenti saeculo nominatur, sed quod etiam in futuro. Inter hos omnes considera et conice quomodo agi possint dies festi Domini, quae ibi festiuitas, quae gaudia, quae laetitiae
428 magnitudo. Nam de his quas supra diximus spiritalibus fes-tiuitatibus, etiamsi magnae sunt et uerae, praecipue cum spi-ritaliter geruntur in anima, tamen ex parte sunt, non ex inte-gro ; sicut enim dixit Apostolus quia *ex parte scimus et ex*
432 *parte prophetamus* ʲ, ita consequens est ut ex parte diem fes-tum geramus.

11, 3. Vt autem scias haec ita esse, redeamus ad ipsius Pauli sermonem, quem de diebus festis et Neomeniis posuit,
436 et uide quomodo obseruanter dixit : *Nemo ergo uos* ait *iudi-cet in cibo aut in potu aut in parte diei festi* ᵏ. Attende ergo diligentius quomodo non dixit : in die festo, sed : *in parte diei festi.* Ex parte enim et non ex integro diem festum in
440 hoc mundo positi celebramus ; interpellamur enim, etiamsi

---

f. cf. 1 Co 7, 31   g. cf. 1 Co 7, 31   h. 2 Pi 3, 13   i. cf. Jn 8, 12
j. 1 Co 13, 9   k. cf. Col 2, 16

---

1. Même problème de vocabulaire qu'à la note précédente. La « figure » de ce monde est représentée dans la *Vetus Latina* par le mot *habitus* et dans la *Vulgate* par *figura*, — en grec τὸ σχῆμα —. Rufin devait avoir un manuscrit à traduction-Vieille Latine, ou bien simplement une préférence pour le « vieux latin » de certaines expressions. Il parle comme Irénée, *Adv. Haer.* V, 35, 2, (mais Irénée-lat. écrit *figura* en V, 36, 1 où il 'rap-porte' sans citer), ou comme Tertullien, qui est toujours fidèle à *habi-tus* : *Cult. fem, II, 9, 6, SC* 173, p. 140 ; *Pudic.* XVI, 19, *SC* 394, p. 236 ;

yeux. Imagine que « passent le ciel et la terre [f] » et que
« passe la figure de ce monde [g1] », et que d'autre part s'éta-
blissent « un ciel nouveau et une nouvelle terre [h] ».
Supprime de tes regards même la lumière du soleil et donne
au monde qui doit venir une lumière sept fois plus forte que
celle du soleil ; ou plutôt, pour te mettre sous l'autorité de
l'Écriture, donne à ce monde le Seigneur lui-même comme
lumière [i]. Fais place aux anges qui l'assistent dans sa gloire ;
fais place aux vertus, puissances, trônes, dominations, à
toutes ces glorieuses puissances célestes qui portent un nom,
un nom qui les distingue non seulement dans le monde présent mais aussi dans le monde futur. En leur présence à
toutes, demande-toi et imagine comment peuvent se dérou-
ler les fêtes du Seigneur, quelles peuvent y être les célébrations, les réjouissances, l'ampleur de l'allégresse. Car les festivités dont nous avons parlé plus haut, quelque grandes et
authentiques qu'elles soient, en particulier si elles sont célé-
brées spirituellement dans l'âme, sont partielles, ne sont pas
complètes. C'est ce que l'Apôtre a fait entendre en disant :
« Nous ne connaissons qu'en partie et nous ne prophétisons
qu'en partie [j] », d'où il suit que ce n'est qu'en partie que
nous célébrons un jour de fête.

11, 3. Pour te le prouver, revenons à ce qu'a dit Paul lui-
même sur les jours de fête et sur les Néoménies. Remarque
l'exactitude avec laquelle il parle : « Que personne, dit-il, ne
vous juge sur la nourriture, sur la boisson ou sur un jour de
fête partiel [k] ». Fais bien attention, il n'a pas dit : « sur un
jour de fête », mais « sur un jour de fête partiel ». En effet,
du fait de notre position ici bas, c'est une partie de la fête et
non sa totalité que nous célébrons. Nous sommes dérangés,

Resur. carn. 5.26.31, *CSEL* XLVII, p. 31.64.70. Mais CYPRIEN, bien plus
ancien que Rufin de près de 150 ans, utilise *figura* : *Hab. virg.* 10, *CSEL*
III, i, p. 194, l. 24.

nolumus, ab onere carnis, pulsamur a concupiscentiis eius, curisque et sollicitudinibus terebramur. *Corpus enim corruptibile* — ut ait sapientissimus — *aggrauat animam et* 444 *deprimit sensum multa cogitantem* [l]. Ex parte ergo in hoc mundo sancti agunt diem festum, *quia ex parte sciunt et ex parte prophetant. Cum autem uenerint quae perfecta sunt, destruentur ista quae ex parte sunt* [m]. Sicut enim perfectae 448 scientiae cedit ista quae ex parte est, et perfectae prophetiae cedit ista quae ex parte est, ita et perfectae festiuitati cedit ista quae ex parte est festiuitas. Neque enim quod perfectum est mundus iste capere potest, ubi, ut diximus, necessi- 452 tas corporis nunc cibum, nunc potum, nunc somnum suggerit, nunc etiam quantamcumque necessario uitae praesentis sollicitudinem mouet ; quae omnia interrumpunt sine dubio continuationem festiuitatis Dei.

456 Cum autem uenerit illud quod dictum est de his qui restituentur in sancta — si tamen et nos ex his esse mereamur qui restituendi sunt, qui neque esurient *neque sitient* [n], neque dormitabunt, *neque laborabunt*, sed erunt peruigiles, 460 sicut angelorum uita peruigil dicitur [o] —, cum in illum ordinem restitui merebuntur, tunc erit uera et incorrupta festiuitas, cuius festiuitatis Princeps et Sponsus et Dominus erit ipse Iesus Christus Saluator noster, *cui est gloria et impe-* 464 *rium in saecula saeculorum. Amen* [p] !

l. Sg 9, 15   m. cf. 1 Co 13, 9   n. cf. Ap 7, 16   o. cf. Si 16, 27
p. cf. 1 P 4, 11

même contre notre gré, par la pesanteur de la chair, nous
sommes secoués par les impulsions de la concupiscence,
nous sommes rongés de soucis et d'inquiétudes. Car,
comme dit le Sage entre tous, « le corps corruptible alour-
dit l'âme et accable l'esprit aux multiples soucis [l]. » Ce n'est
qu'en partie, par conséquent, que les saints en ce monde
célèbrent un jour de fête, car « leur science est partielle et
partielle leur prophétie. Quand viendra ce qui est parfait,
tout ce qui est imparfait disparaîtra [m]. » La science partielle
cédera la place à la science parfaite, et la prophétie partielle
à la prophétie parfaite ; de la même façon, la festivité partielle cédera la place à la festivité parfaite. Ce monde, en
effet, ne peut embrasser ce qui est parfait, puisque, comme
nous avons dit, les nécessités du corps imposent tantôt la
nourriture, tantôt la boisson, tantôt le sommeil, tantôt aussi
amènent quelque autre grand souci inséparable de la vie présente ; il est bien évident que toutes ces choses interrompent
la continuité de la fête divine.

Mais viendra le moment annoncé pour tous ceux qui
reprendront place dans le sanctuaire, — si toutefois nous
aussi nous méritons d'être de ceux qui doivent reprendre
leur place, de ceux qui n'auront plus faim, plus soif [n], plus
besoin de sommeil ni de travail, mais seront toujours
éveillés, comme il est dit que la vie des anges est une vie de
veille [o] — donc quand ils auront mérité d'être rétablis dans
l'ordre d'en haut, alors ce sera une véritable et inaltérable
festivité, dont le Prince, l'Époux, le Seigneur sera en personne Jésus-Christ, notre Sauveur, « à qui appartiennent la
gloire et la puissance pour les siècles des siècles. Amen [p]. »

HOMÉLIE XXIV

HOMÉLIE XXIV

HOMÉLIE XXIV

(*Nombres* 28-29-30)

NOTICE

Les sacrifices. Les vœux

L'homélie XXIV explique les trois chapitres 28-29-30 du *Livre des Nombres*. La lecture officielle a dû en être fastidieuse, puisque le préambule d'Origène rappelle que toute science, y compris la parole de Dieu, comporte des rudiments sans intérêt pour ceux qui sont avancés dans cette science, § 1,1. Les auditeurs ont donc dû se résigner à écouter les listes ingrates des prescriptions rituelles. C'était la loi, lue à la lettre, la loi recouverte du « voile de Moïse ».

Enlevons le voile, laissons-nous éblouir aux étonnantes merveilles de l'Écriture. « L'ombre et l'image » céderont la place à la réalité. Origène compte sur les lumières divines pour édifier ses auditeurs, § 1,1-2.

I. D'abord les sacrifices, les victimes, l'effet spirituel.

Lors de la Pâque, c'est l'agneau qui est offert en sacrifice pour la purification du peuple. L'agneau représente la personne du Sauveur ; il ôte le péché du monde, § 1,3. Origène, se reportant aux autres fêtes de l'A.T., où d'autres animaux sont immolés, pense que chacun d'eux, bouc, bélier, chèvre, génisse, etc., représente aussi une personne qui contribue, à l'instar du Seigneur par rapport à l'agneau, à la purification du genre humain. Chacun de ces animaux est à prendre au sens figuré ; anges et justes, par l'intermédiaire allégorique des diverses victimes animales, sont associés à l'expiation rédemptrice de l'Agneau, § 1,4-5. Par exemple, souhaitant être anathème pour ceux de sa race, Paul se présente comme une victime à égorger : il participe ainsi à la fonction expiatrice de l'Agneau, § 1,5.

Puisque le péché est divers, les victimes doivent l'être aussi. Origène, aux prises ici avec l'A.T., semble rester dans la « lettre » ; son explication n'est que selon « l'histoire » ; ainsi, dira-t-il, un saint aura sa représentation dans le 'taureau' chargé d'expier les péchés du peuple, ou un ange dans le 'bélier' ! Le besoin de purification s'élargit dans le N.T. ; il s'étend à tous les êtres de la terre et du ciel. Mais l'Agneau, victime unique et parfaite, efface les péchés du monde de sa propre autorité et institue la mortification spirituelle, § 1,9.

II. Dans la seconde partie — sur les vœux —, Origène est intrigué par la répétition du mot « homme », alors qu'il ne s'agit que d'un seul individu, § 2,1. L'énigme se résout en pensant avec l'Apôtre qu'un individu a deux aspects, l'extérieur et l'intérieur, et qu'ainsi ils sont indiqués par leur ensemble : mais le premier va à la « corruption », le second se transforme pour être « à l'image de son Créateur ».

Cet homme intérieur est spirituellement riche ; il a, par là, des choses à 'vouer' au Seigeur, § 2,1 ; mais il est fragile ; il se laisse engourdir par les soucis du monde. Recourant cependant à son intérieur, où réside le royaume de Dieu, il garde la possibilité de la conversion, d'être dit deux fois homme, § 2,2. Ce que Dieu lui demande, donc nous demande, c'est de lui offrir quelque chose de nôtre : notre justice, notre chasteté, notre pensée, § 2,4.

Le nazaréat (cf. *Nb* 6,1-21), qui est le plus parfait des vœux, retient Origène, § 2,6-7, car le nazaréen se voue lui-même à Dieu. Quand on est voué à Dieu, on est saint. On ne fait rien de profane. On est imitateur du Christ, § 2,6 ; on s'occupe des choses de l'âme et de l'observance du culte divin.

La législation des *Nombres* contient ensuite toute une série de règles particulières concernant les personnes qui se lient par un vœu : l'homme se lie validement et ne dépend de personne ; la femme, au contraire, se trouve en divers états de dépendance et son vœu peut être invalidé, suivant les circonstances, par le père ou le mari dont elle dépend. Origène a relevé littéralement tous les cas envisagés par le livre biblique, § 3,1-2, sans porter aucun jugement. Il a dit laconiquement : « C'est le texte », § 3,1.

Il ne s'arrête pas à ce constat littéraliste. L'allégoriste chez lui perce aussitôt. « Nous qui formons l'Église de Dieu », notre âme sous la loi de Dieu agit comme sous l'autorité d'un père, ou d'un mari si elle est en âge de recevoir la semence de la parole de Dieu. Et si cette âme atteint la stature de l'homme parfait, nul n'a autorité sur elle en matière de vœu, car elle est libre, § 3,2.

Ici, Origène fait intervenir les anges. La direction des âmes, dit-il, leur a été remise. Il leur revient de contrôler la validité des vœux ou de réprimer l'audace d'une action intempestive. S'ils ont été négligents, ils en porteront la faute au jugement. Origène a déjà traité de ce sujet, § 3,3. Le Seigneur dans sa majesté assiste les justes et les élus et les dirige, mais les anges assistent les âmes moins fortes et les dirigent aussi ; ils se chargent de leurs vœux, § 3,4.

La conclusion arrive à brûle-pourpoint, § 3,5 : il faut grandir à la taille de l'homme parfait, évacuer le féminin et l'enfantin qui nous retiennent, n'avoir plus besoin de tuteurs ni d'intendants, et écouter la voix du Seigneur qui nous conduit à l'amour du Père.

HOMILIA XXIV

De sacrificiis, quae per unamquamque
festiuitatem iubentur offerri,
et de uotis quae uouentur Deo

1, 1. Omnes qui imbuendi sunt eminentioribus disciplinis, tamdiu molestum ducunt rudimentorum laborem,
donec qui sit disciplinae illius ad quam inducuntur finis et
4 fructus ignorant. Cum uero inductos per ordinem perfectio
consecuta fuerit disciplinae, tunc delectabit rudimentorum
pertulisse molestias. Sunt ergo et in sanctis ac diuinis rebus
prima quaedam rudimenta, quibus inducuntur hi qui ad per-
8 fectionem beatitudinis tendunt. Quod euidenter famulus
Dei in cantico Exodi designat, dicens : *Inducens planta eos
in monte haereditatis tuae, in praeparata habitatione tua,
quam praeparasti, Domine* [a]. Paulus quoque Apostolus,
12 sciens esse quaedam prima imbuendi initia, tunc deinde per
tempus etiam ad perfectionem ueniri, scribens quibusdam
dicebat : *Etenim cum deberetis iam magistri esse propter
tempus, rursus indigetis ut doceamini quae sint elementa
16 exordii sermonum Dei, et facti estis quibus lacte opus sit, non
cibo forti. Omnis enim qui lacte alitur, expers est sermonis
iustitiae ; paruulus enim est. Perfectorum uero est cibus solidus, qui pro possibilitate sumendi exercitatos habent sensus*

---

1. a. Ex 15, 17

HOMÉLIE XXIV

Les sacrifices. Les vœux

Utilité d'être initié à la parole de Dieu

1, 1. Aussi longtemps qu'ils ignorent le but et les avantages de la science à laquelle on les initie, tous ceux à qui doit être inculqué un enseignement supérieur trouvent fastidieux de s'adonner aux rudiments. Mais quand ils ont été amenés petit à petit à posséder à fond cette science, alors ils se félicitent d'avoir supporté l'ennui des rudiments. — Ainsi y a-t-il aussi pour les choses saintes et divines des rudiments, par lesquels passent ceux qui tendent à la béatitude parfaite. C'est ce que signifie clairement le Serviteur de Dieu [1] dans le cantique de l'*Exode* : « Après les avoir amenés, plante-les sur la montagne de ton héritage, au lieu où tu as fait ta demeure, celle que tu as préparée, Seigneur [a]. » L'apôtre Paul, sachant également qu'il existe des éléments premiers dont il faut s'imprégner, et qui permettent ensuite, avec le temps, d'arriver à la perfection, écrivait à quelques fidèles : « Alors que vous devriez être des maîtres depuis longtemps, vous avez encore besoin qu'on vous enseigne les premiers éléments des oracles de Dieu, et vous en êtes venus à avoir besoin de lait et non de nourriture solide. Or quiconque en est encore au lait n'entend rien à la doctrine de justice ; il n'est qu'un petit enfant. Mais la nourriture solide est pour les parfaits, dont les sens, exercés

---

1. Il s'agit de Moïse, chantant au Seigneur avec les fils d'Israël le cantique de la sortie d'Égypte, *Ex* 15, 2-19.

20 *ad discretionem boni uel mali* [b]. Et iterum in aliis litteram
legis omnemque huiusmodi scripturam *elementa mundi* [c]
esse commemorat.

1, 2. Et nunc ergo ea quae pertinuerunt ad illos qui pri-
24 mis imbuebantur elementis, molesta nobis primo uidentur
auditu ; uolenti enim unicuique auditorum discere de his
quae ad salutem pertinent, cum de sacrificiis arietum et hir-
corum uitulorumque recitatur, nihil sibi utilitatis conferre
28 huiusmodi litteras iudicant, quantum ad ipsum spectat auditum. Si uero quis inueniatur, qui possit *uelamen, quod est
positum in lectione Veteris Testamenti* [d], remouere atque
inde perquirere quae sint uera sacrificia quae purificent
32 populum in diebus festis, tunc uidebit, quam mira et magnifica sunt quae per haec indicantur, quae superflua ignorantibus ac superstitiosa ducuntur.

Sed haec quidem Paulus, et si qui ei similes sunt, plenius
36 ab ipsa Sapientia et Verbo Dei perfectiusque cognouerint ;
nos autem, quantum ex ipsorum litteris colligere possumus,
in quibus nobis uelut per *umbram* et imaginem [e] indicia
quaedam dederunt ad aedificationem communem discutere
40 summatim de sacrificiorum ritu aliqua temptabimus.

b. He 5, 12-14   c. cf. Ga 4, 3.9 ; Col 2, 8.20   d. cf. 2 Co 3, 14
e. cf. He 10, 1

1. Cette connaissance des merveilles du N.T. que cache le voile de
Moïse croît avec l'application de l'intelligence, comme on vient de le voir
dans le paragraphe précédent, dédié en somme à l'utilité pédagogique de
l'étude progressive. Mais à côté des efforts de la raison, en ces matières qui
touchent au spirituel et qui dépendent de l'exercice de l'âme, Origène se
plaît à déterminer cette autre source de la connaissance qu'est l'interven-
tion directe de la Sagesse elle-même et celle de la Parole du Verbe saisie
sans écran à l'intime de l'âme. En supputant des âmes à la stature de Paul,
Origène paraît songer à l'illumination du chemin de Damas, indéniable
source de connaissance pour Paul et, semblablement, pour ceux à qui il est

par la pratique, savent discerner le bien et le mal [b]. » Ailleurs encore, l'Apôtre signale que c'est la loi prise à la lettre, comme aussi tout passage de l'Écriture qui s'y rapporte, qui constitue les « éléments du monde [c] ».

1, 2. Ainsi, ces enseignements des premiers éléments qu'on destinait aux novices nous apparaissent maintenant pénibles à supporter à les entendre pour la première fois. L'auditeur qui tient à s'instruire de ce qui concerne le salut, trouve, en effet, à la lecture des passages sur le sacrifice des béliers, des boucs et des jeunes taureaux, que des textes de ce genre, à s'en tenir à la seule lecture, ne lui apportent aucun profit. Mais qu'il y ait quelqu'un qui puisse lever « le voile étendu sur la lecture de l'Ancien Testament [d] », et qu'à partir de là il cherche la véritable nature des sacrifices qui purifient le peuple aux jours de fête, il verra alors quelles étonnantes merveilles sont contenues dans les passages qui paraissent aux ignorants inutiles ou entachés de superstition.

Mais ces connaissances, il se peut que Paul et ceux, s'il en est, qu'on peut mettre sur le même rang, les ait reçues plus complètement et plus parfaitement de la Sagesse elle-même et du Verbe de Dieu [1]. Pour nous, dans la mesure où nous pouvons réunir littéralement des textes où ils nous ont donné, comme « à travers l'ombre et l'image [e] », des indications, nous essayerons en vue de l'édification générale d'examiner sommairement quelques éléments des rites sacrificiels.

---

donné d'en passer par là. On se rappelle qu'en *Hom.* XVII, 4, 2, Origène disait dans une même perspective (*SC* 442, p. 289) : « Quant à ceux qui s'attachent à l'étude de la Sagesse et de la Science, étant donné que là il n'y a pas de limite — quelle limite en effet imposer à la Sagesse de Dieu ? —, plus on s'en sera approché, plus on y trouvera de profondeur, et plus on l'aura scruté, plus on comprendra son caractère ineffable et incompréhensible. »

1, 3. In *Paschae* festiuitate *agnus* scribitur esse qui purificat populum [f], in aliis uitulus [g], in aliis hircus aut aries uel capra uel uitula, sicut ex his quae recitata sunt didicistis.
44 Vnus ergo ex his animalibus, quae ad purificandum populum sumuntur, est *agnus*. Qui *agnus* ipse esse dicitur Dominus et Saluator noster. Sic enim intellexit Iohannes, qui est maior omnium prophetarum [h], et signauit de ipso
48 dicens : *Ecce agnus Dei, ecce qui tollit peccatum mundi* [i]. Quod si *agnus,* qui ad purificandum populum datus est, ad personam Domini et Saluatoris nostri refertur, consequens uidetur quod etiam cetera animalia quae his eisdem purifi-
52 cationis usibus deputata sunt, referri debeant similiter ad aliquas personas quae purificationis aliquid humano generi conferant.

1, 4. Vide ergo ne forte, sicut Dominus et Saluator nos-
56 ter *quasi agnus ad occisionem ductus* [j] et in sacrificium altaris oblatus peccatorum remissionem uniuerso praestitit mundo, ita fortassis et ceterorum sanctorum ac iustorum *sanguis, qui effusus est a sanguine Abel iusti usque ad san-*
60 *guinem Zachariae prophetae, qui interfectus est inter aedem et altare* [k], alterius quidem sanguis sicut *uitulae,* alterius

f. cf. Nb 28, 19 s ; 29, 2 s   g. cf. Nb 28, 11 ; 29, 13s
h. cf. Lc 7, 26   i. Jn 1, 29   j. cf. Ac 8, 32   k. cf. Mt 23, 35

1. *Vitulus,* « un jeune taureau ». Le mot de *uitulus* choisi par Rufin pour traduire le grec μόσχος indique qu'il ne s'agit pas d'un animal adulte, *juvencus* ou, plus âgé, *nouellus,* mais, comme de coutume, du petit taureau sans défaut, non châtré, jeune veau qui est encore dans sa première année ; il faut évidemment évacuer l'image du bœuf adulte gros et gras, ou du taureau puissant et fort, que popularise telle ou telle gravure ; le taureau des sacrifices est une bête d'un an.
2. En même temps que la purification du monde s'accomplit grâce au sang de l'Agneau, Origène tient à marquer que les efforts humains unis à l'action du Christ ne sont pas vains pour obtenir cette purification ; la solidarité humaine passe par le Christ, qui la fonde et lui donne efficacité. « Par le sang précieux des martyrs seront rachetés beaucoup d'hommes », a écrit

I. La loi des sacrifices

Victimes expiatoires. L'agneau

1, 3. Pour la fête de la Pâque, il est écrit que c'est l'agneau qui purifie le peuple [f], en d'autres fêtes que c'est le jeune taureau [g 1], en d'autres, le bouc ou le bélier ou la chèvre ou la génisse, comme la lecture vient de le montrer. L'un de ces animaux choisis pour la purification du peuple est donc l'agneau. Or cet agneau, c'est, comme il est dit, le Seigneur lui-même, notre Sauveur. C'est ainsi que Jean, « le plus grand des prophètes [h] », l'a compris, et c'est ce qu'il a indiqué quand il a dit : « Voici l'Agneau de Dieu, voici Celui qui ôte le péché du monde [i] ». Or si l'agneau qui a été offert pour la purification du peuple représente la personne de notre Seigneur et Sauveur, il suit de là que les autres animaux aussi, qui sont affectés aux mêmes usages de purification, devraient semblablement représenter des personnes qui soient à même de contribuer pour une part à la purification du genre humain [2].

1, 4. On pourrait considérer ce qui suit : le Seigneur notre Sauveur a été « mené comme un agneau à l'abattoir [j] », il a été offert à l'autel en sacrifice et a procuré au monde entier la rémission des péchés ; même effet ne pourrait-il pas se produire en quelque façon avec l'effusion du sang des autres saints et des autres justes, « sang répandu depuis le sang d'Abel le juste jusqu'au sang de Zacharie, le prophète tué entre le temple et l'autel [k] » ? Le sang de l'un serait comme celui de la génisse, le sang d'un autre comme celui

---

Origène (*Exh. ad mart.*). Le rôle d'intercesseur appartient au Christ, mais aussi, en dépendance de lui, aux apôtres, aux prêtres, à ceux des hommes qui ont le titre de martyrs, ou à ceux dont « les fonctions sacerdotales consistent à supplier pour les péchés du peuple » (*Hom.* X). On a déjà vu le développement de ces idées, cf. *Hom.* X, 2,1-3,3, *SC* 415, p. 279-287.

sicut *hirci* aut *caprae* aut alicuius horum fusus est ad expian-
dum pro parte aliqua populum. Siue ergo haec ad iustorum
64   prophetarumque personas qui in hoc mundo iugulati sunt,
uel eorum qui dicunt : *quoniam propter te morte afficimur
tota die, aestimati sumus ut oues occisionis* [1], referenda
uideantur, siue etiam ad superiores uirtutes, quibus procu-
68   ratio humani generis data est, quis facile audeat affirmare ?
Neque enim haec animalia per speciem, sed per figuram
referri ad illam uel illam personam putanda sunt.

1, 5. Nam et ipse Dominus Iesus Christus non ideo
72   *agnus* dicitur, quasi qui mutatus sit et conuersus in speciem
agni. Dicitur tamen *agnus,* qui uoluntas et bonitas eius, qua
Deum repropitiauit hominibus et peccatorum indulgentiam
dedit, talis exstitit humano generi quasi *agni* hostia imma-
76   culata et innocens, qua placari hominibus diuina creduntur.
Sic ergo fortassis et si qui est angelorum caelestiumque
uirtutum aut si quis iustorum hominum uel etiam sanctorum prophetarum atque Apostolorum, qui enixius interue-
80   niat pro peccatis hominum, hic pro repropitiatione diuina
uelut *aries* aut *uitulus* aut *hircus* oblatus esse sacrificium ob
purificationem populo impetrandam accipi potest. Aut non
uidetur ut *aries* aut *hircus* holocaustum se obtulisse Paulus
84   pro populo Israel, cum dicebat : *Optabam autem ego ipse*

l. Ps 43, 23

1. Glissement ordinaire de la pensée d'Origène : de la « lettre » au
contenu spirituel ; et, en passant à l'étage supérieur, des actes terrestres à
l'administration céleste ; de l'abattoir d'ici-bas à la prise en main par les
anges !

2. Le mot *creduntur* donne l'impression que l'opinion qu'il véhicule
repose sur l'accord des esprits en présence. On a envie de traduire : « Grâce
auquel, croit-on, le courroux divin s'apaise à l'endroit des hommes ». Mais
le « croit-on », employé de la sorte, suggère une attitude d'esprit désinvolte
et dubitative. Comme il n'est pas question du moindre doute chez Origène,
il nous a semblé que l'expression légèrement étoffée : « selon la foi commune », convenait mieux au cas présent.

du bouc, ou de la chèvre, ou de quelque autre des animaux dont le sang a été répandu pour servir, en une certaine mesure, à l'expiation du peuple ? Ces effets peuvent se rapporter à la personne humaine des justes et des prophètes qui ont été égorgés en ce monde, ou à ceux qui disent : « A cause de toi, nous avons été tués tout le jour, nous avons été traités comme des moutons d'abattoir [1] ». Mais ils peuvent aussi concerner les puissances d'en haut qui ont reçu la charge d'administrer le genre humain [1]. Qui pourrait facilement dire ce qu'il en est ? Car ces animaux, ce n'est pas leur aspect extérieur qui doit les assimiler à telle ou telle personne humaine, mais c'est au sens figuré qu'il faut les prendre.

1, 5. Car le Seigneur Jésus Christ lui-même ne porte pas le nom d'agneau pour s'être transformé en l'apparence d'un agneau. S'il porte le nom d'agneau, c'est qu'il a voulu, dans sa bonté, réconcilier les hommes avec Dieu et leur apporter le pardon des péchés ; ainsi, se comporte-t-il à l'égard du genre humain en agneau, en victime sans tache et sans faute, à laquelle, selon la foi commune [2], est accordé le pouvoir d'apaiser le courroux de Dieu envers les hommes.

Élargissement à d'autres que l'agneau de la fonction expiatrice

Il pourrait donc se faire, parmi les anges ou parmi les puissances célestes, ou parmi les hommes justes, les saints prophètes et les apôtres, que l'un d'entre eux intercède avec insistance pour les péchés des hommes ; celui-là, offert en expiation divine comme bélier ou comme taureau ou comme bouc, peut être accepté en sacrifice pour obtenir la purification du peuple [3]. Paul ne semble-t-il pas être un bélier ou un bouc offert en holocauste pour le peuple d'Israël, quand il disait :

---

3. *Bélier...taureau...bouc.* Ce sont les trois animaux retenus par le *Livre des Nombres,* 28, 19.21.

anathema esse a Christo pro fratribus meis qui sunt cognati mei secundum carnem [m] ? Vis autem scire quia se hostiam Paulus offerat iugulandam ? Audi eum et in aliis dicentem :
88 *Iam enim ego immolor, et tempus resolutionis* — uel, ut in graecis codicibus legimus, *reuersionis* — *meae instat* [n].

1, 6. Sic ergo figuraliter potest uideri quod alius pro festiuitate *Nouorum,* alius pro festiuitate *Sabbati,* alius pro fes-
92 tiuitate *Tabernaculorum,* quasi *hircus* aut *uitulus* aut *aries*
offeratur ad reconciliandum hominibus Deum. Donec enim
sunt peccata, necesse est requiri et hostias pro peccatis. Nam
pone, uerbi gratia, non fuisse peccatum ; si non fuisset pec-
96 catum, non necesse fuerat filium Dei *agnum* fieri, nec opus

---

m. Rm 9, 3   n. cf. 2 Tim 4, 6

1. La citation de 2 *Tim* 4,6 est déjà venue sous la plume d'Origène en *Hom.* X, 2, (*SC* 415, p. 280) et, fait remarquable, déjà accompagnée d'une variante. Ailleurs, dans la traduction latine de l'*Histoire Ecclésiastique* d'Eusèbe (II, 22, 6), que l'on doit à Rufin, le texte de 2 *Tim* 4,6 a été cité, avec le mot *regressionis* mais sans indication de variante ; si variante il y a, elle vient des travaux de philologues plus récents et de leur choix de *resolutionis*. Ici, dans nos homélies, Rufin se serait donc plu à valoriser une variante dans un texte où elle intervient à titre de synonyme. Et encore cette variante est différente d'une homélie à l'autre — puisque *Hom.* X propose *regressionis sive resolutionis* et *Hom.* XXIV *resolutionis uel reuersionis.* Cet entrecroisement (ou peut-être cette confusion) des lectures manifeste des différences textuelles dont Rufin, à son époque, serait ainsi le témoin. Mais pourquoi changent-elles d'une homélie à l'autre ? Rufin aurait-il eu plu-sieurs manuscrits de la *Vetus Latina,* ou des mss comportant des notes mar-ginales qui justifieraient les différentes variantes ? Il semble aller de soi, pour les éditeurs précédents, que Rufin ait pris sur lui de nous indiquer ces variantes, dont Origène ne tenait pas compte. Mais le mode d'indication fait réfléchir. C'est en latin qu'il y est dit que dans des *codices* grecs — *in grae-cis codicibus legimus* — on trouve une variante dont on donne la teneur latine sans le substrat grec. Il y a abus de langage, car nous savons aujour-d'hui qu'il n'y a pas de variante en grec, que le mot grec en question dans ce passage est unique : c'est ἀνάλυσις/-εως que les traductions ont rendu de multiples façons dans la *Vetus Latina* par *deuersionis, disiunctionis, solu-tionis, regressionis, reuersionis, repositionis* et dans la *Vulgate* par *resolutionis*

« Je souhaiterais être moi-même anathème, séparé du Christ pour mes frères, qui sont ceux de ma race selon la chair ᵐ » ? Veut-on la preuve que Paul s'offre comme une victime à égorger ? Qu'on l'écoute dire ailleurs : « Pour moi, je suis déjà offert en libation et l'heure de ma dissolution, — ou, comme nous lisons dans des manuscrits grecs [1], de mon retour, — est proche ⁿ ».

1, 6. Ainsi donc, d'une manière figurée, on peut penser que pour la fête des *Nouveaux produits* tel juste, ou pour la fête du *Sabbat* tel autre, ou pour la fête des *Tentes* tel autre, est offert comme bouc ou comme taureau ou comme bélier, pour réconcilier Dieu avec les hommes. Car aussi longtemps qu'il y aura des péchés [2], autant faut-il trouver de victimes pour les expier. Supposons, par exemple, que le péché n'ait pas existé ; si le péché n'avait pas existé, il n'aurait pas été nécessaire que le Fils de Dieu devînt agneau, et il n'aurait

(H.J. Frede, *Vetus Latina 25,* 1981, p. 802). S'il faut retenir Rufin comme indicateur de la variante, il faut penser qu'il possédait sinon plusieurs mss de l'Épître à Timothée en latin, du moins un exemplaire annoté où il pouvait lire en marge les équivalences latines du mot grec « analuseôs ». Rufin aurait eu un penchant pour *resolutionis*, comme la *Vulgate.* Mais ne pourrait-on pas aussi penser qu'au cours de la transmission du texte des Homélies d'Origène — étudié par Baehrens, le plus ancien de nos mss sur les *Nb* date du IXᵉ siècle —, des copistes soucieux de clarté ont reporté dans le texte des traductions d'eux connues pour mieux interpréter le mot difficile d'ἀνάλυσις, et qu'elles ont ainsi passé dans la tradition ?

2. *Donec enim sunt peccata.* Aussi longtemps qu'il y aura des péchés. Cette remarque sur l'équivalence entre le nombre des victimes et la durée de l'ère des péchés peut paraître d'ordre économique. Il est certain que d'immenses troupeaux ne suffiraient pas à fournir le nombre voulu de victimes. Mais ce n'est pas ce qui tracasse ici Origène, qui est tout de même conscient de la chose — voir un peu plus bas, § 1,7, où il est question de multiplier ou de restreindre le nombre des victimes —, mais le lecteur comprend vite que cette amplification est comme une fiction pour mieux comprendre l'œuvre puissante et admirable de l'Agneau, cet Agneau sans défaut, Victime unique, capable à lui seul d'enlever le péché du monde entier.

fuerat eum in carne positum iugulari, sed mansisset hoc
quod *in principio* erat *Deus, Verbum* º.

Verum quoniam *introiuit peccatum in hunc mundum* ᴾ,
100 peccati autem necessitas propitiationem requirit et propitia-
tio non fit nisi per hostiam, necessarium fuit prouideri hostiam pro peccato. Et quoniam peccati ipsius diuersae et
uariae qualitates fuerunt, diuersorum animalium mandantur
104 hostiae, procul dubio quae conuenirent uarietatibus peccatorum. Sic ergo efficitur alius quidem sanctorum siue angelorum, ut diximus, siue hominum *uitulus,* qui in illa festiuitate interueniat pro populi delictis, alius autem *aries* in
108 alia festiuitate ; quorum intercessione fiat purificatio pro
peccatis.

1, 7. Quod si purificari potuerint homines a peccatis et
esse puriores, minuuntur et hostiae. Si enim pro peccatis
112 sunt hostiae, et pro multitudine peccatorum multiplicatae
sunt sine dubio et pro exiguitate minuuntur. Huius autem
rei in praesentibus locis Scripturae habemus indicia, id est
in ultima festiuitate Scenopegiae, cum per octo dies hostiae
116 iubentur offerri. Et *prima* quidem *die,* quasi adhuc in abun-
dantia peccatorum, *quattuordecim uituli* iubentur offerri.
Secunda autem die, imminutis utpote peccatis, minuuntur et
hostiae et *tredecim uituli* offeruntur. *Tertia die duodecim* et
120 post haec *undecim* et ita quasi purificationibus deficiente per

---

o. cf. Jn 1, 1   p. cf. Rm 5, 12

1. La Scénopégie est la fête des tentes, on l'a vu plus haut (*Hom.* XXIII,
11, 1, p. 141).

2. Rappelons ce que nous avons dit ici, p. 156 note 1, sur l'âge des victimes. Calculons aussi ce que l'Écriture impose pour les huit jours de la
Scénopégie : 76 taureaux, 105 agneaux, etc., laissons le reste. Sur un plan
littéral, historique, Origène sait ce que fut le service de l'immolation dans
l'A.T. : des méthodes et des chiffres à faire frémir l'historien. Ce n'est pas

pas eu besoin, de par sa condition charnelle, d'être immolé. Il serait resté ce qu'il était « au commencement », Dieu, le Verbe °.

A tout péché, expiation. A toute expiation, une victime

Mais comme le péché est entré en ce monde ᵖ et que la logique du péché exige une expiation et que l'expiation ne s'accomplit que par une victime, il a été nécessaire de prévoir une victime pour le péché. Et comme le péché lui-même s'est diversifié dans sa nature et dans ses formes, ce sont diverses sortes d'animaux qu'il est prescrit de prendre comme victimes, ceux évidemment qui correspondent le mieux aux diverses sortes de péchés. Ainsi donc tantôt, à certaine fête, l'un des saints ou des anges, comme nous avons dit, ou des justes, devient « taureau » chargé d'expier les péchés du peuple ; tantôt, à une autre fête, c'est quelqu'un d'autre qui devient « bélier ». Et c'est par leur intercession que peut s'accomplir la purification des péchés.

1, 7. Si les hommes ont pu obtenir la purification de leurs péchés et s'ils sont plus purs, il faut moins de victimes. Les victimes en effet sont pour les péchés, et il est évident qu'il faut les multiplier pour un grand nombre de péchés et les restreindre pour un petit nombre. Nous en avons l'indication dans le présent passage de l'Écriture, là où il s'agit de la dernière des fêtes, celle de la Scénopégie ¹, quand il est prescrit d'offrir des victimes pendant huit jours. Le premier jour, comme s'il était alors le plus gonflé de péchés, on offre quatorze taureaux ². Le second jour, étant donné la diminution des péchés, on diminue aussi le nombre des victimes et l'on offre treize taureaux ; le troisième jour, douze taureaux, ensuite onze, et ainsi de suite ; comme si les purifications

là qu'il désire entraîner ses auditeurs. Cette exégèse sans âme n'est pas la sienne.

dies multitudine peccatorum, minuitur consequenter etiam numerus hostiarum.

1, 8. Sic ergo etiam pro dispensatione totius mundi ratio-
124   nem purificationis intellege ; indigent enim purificatione non solum quae in terra sunt, sed et quae in caelis. Imminet namque et caelis perditio ; sic enim dicit propheta *Caeli peribunt, et omnes ut uestimentum ueterascent, et sicut*
128   *amictum inuolues eos et mutabuntur* q. Intuere igitur totius mundi, id est *caelestium ac terrestrium et infernorum* r purificationem ; uide quantis indigeant ista omnia hostiis, quantos requirant uitulos, quantos arietes, quantos hircos. Sed in
132   his omnibus unus est *agnus,* qui totius *mundi potuit auferre peccatum* s ; et ideo cessauerunt ceterae hostiae, quia talis haec fuit hostia, ut una sola sufficeret pro totius mundi salute.

136   **1, 9.** Ceteri enim precibus peccata, hic solus potestate dimisit ; dicebat enim : *Fili, remissa sunt tibi peccata tua* t. Sic ergo imbuitur mundus primo per diuersas hostias remissionem quaerere peccatorum, donec ueniat ad hostiam per-
140   fectam, ad hostiam consummatam, *agnum anniculum,* perfectum, qui *tollat peccatum* totius *mundi* u, per quem festiuitates agat spiritales, non ad satietatem carnis sed ad profectum spiritus, sacrificiis spiritalibus purificatione men-
144   tis oblatis. Decet enim Deo immolari uictimam cordis et *hostiam contribulati spiritus* v, non carnis et sanguinis iugu-

---

q. Ps 101, 27   r. cf. Ph 2, 10   s. cf. Jn 1, 29   t. Mt 9, 2
u. Ex 12, 5 ; Nb 29, 13   v. Ps 50, 19

1. Dans la purification des péchés, il ne s'agit pas d'égaler un nombre, « il faut immoler à Dieu la victime du cœur ». Origène s'est exprimé sur le sens de cette parole, dans *Hom.* XI, *SC* 442, p. 67. Il est à l'aise dans l'exégèse spirituelle qui passe de la chair et du sang à la mortification de l'esprit et qui résume l'effort de toutes les victimes en la puissance de la seule

réduisaient de jour en jour le nombre des péchés, on réduit en conséquence le nombre des victimes.

Au besoin universel de purification, la Victime parfaite

1, 8. Dans l'économie générale de l'univers, le processus de purification, — il faut le comprendre —, est le même ; car le besoin de purification ne se fait pas sentir seulement pour les êtres qui sont sur la terre, mais aussi pour ceux qui sont au ciel. Au ciel aussi menace la perdition. Le prophète dit en effet : « Les cieux périront et ils vieilliront tous comme un vêtement ; tu les rouleras comme un manteau et ils seront changés [q] ». Considère donc la purification du monde entier, c'est-à-dire « des êtres célestes, terrestres et infernaux [r] » ; imagine le nombre de victimes qu'il faut pour tous ces êtres, combien de taureaux, combien de béliers, combien de boucs ! Mais parmi tous, il n'y en a qu'un, l'Agneau, qui « a pu enlever le péché du monde [s] ». C'est pourquoi les autres victimes ont disparu, car cette victime-là était de telle qualité qu'elle suffisait à elle seule pour le salut du monde entier.

1, 9. Les autres ont effacé les péchés par leurs supplications ; lui seul l'a fait par son autorité. Il disait en effet : « Mon fils, tes péchés te sont remis [t] ». Ainsi donc le monde s'est d'abord accoutumé à chercher la rémission des péchés au moyen de diverses victimes jusqu'à ce qu'il en vienne à la Victime parfaite, à la victime achevée, cet « Agneau d'un an, parfait, qui enlève le péché du monde entier [u] » ; c'est grâce à lui que se célèbrent les fêtes spirituelles, non pour la satisfaction de la chair, mais pour le progrès de l'esprit, faites de sacrifices spirituels par purification de l'esprit. Il faut en effet immoler à Dieu la victime du cœur [1], « la victime d'un esprit mortifié [v] » et non un sacrifice de chair et de sang, car

Victime parfaite, capable d'étendre au monde entier la rémission des péchés.

lari, quia *etsi agnouimus Christum aliquando secundum car-*
nem, sed nunc iam non nouimus ˣ et ideo in spiritu diem fes-
148 tum agamus et spiritalia sacrificia iugulemus.

Haec pro uiribus nobis de diuersitate sacrificiorum dis-
cussa sint, quorum ad liquidum intellegentiam scit ille *cui*
nuda et reuelata sunt omnia nec est ulla creatura in
152 *conspectu eius inuisibilis* ʸ.

2, 1. Post haec uotorum lex ponitur et nouo principio
utitur in hac legislatione Moyses ; ait enim : *Homo, homo*
quicumque uouerit uotum Domino ᵃ. Quae est ista repetendi
156 nominis causa ? Quasi non sufficeret dixisse : Homo qui
uouerit uotum Domino. Quid est ergo quod ait : *Homo*
homo, et quid sibi uelit ingeminata hominis appellatio, non
mihi silentio praetereundum uidetur. Apostolus docet alium
160 esse *interiorem hominem* et alium *exteriorem* ᵇ, et illum esse
quia *renouatur de die in diem, secundum imaginem eius qui*
creauit\ eum ᶜ, hunc uero esse uisibilem qui *corrumpitur.*
Cum ergo uenitur ad istum iam profectum, ut lex Dei sus-
164 cipiatur et uota Domino offerantur — uota autem Domino
offerre nemò potest, nisi qui habet aliquid in semet ipso et
in substantia sua, quod offerat Deo —, non sufficit iste *exte-*

---

x. 2 Co 5, 16   y. He 4, 13
2. a. Nb 30, 3   b. cf. 2 Co 4, 16   c. cf. Col 3, 10

---

1. Homme-Homme. Ce redoublement vient de l'hébreu. Il n'a d'autre
sens dans le contexte littéral que de dire : chacun, tout homme. Philon déjà
s'était emparé de l'expression en lui donnant un autre sens : « Ne pas dire
une fois mais deux fois homme-homme est le signe qu'il ne s'agit pas du
composé de corps et d'âme, mais de l'homme qui met en pratique la vertu,
car c'est là l'homme véritable » (PHILON, *De Gig.* 33, *Œuv. de Phil.* 7-8,
1963, p. 37). Pour Origène, on vient de le lire, il s'agit de se conformer à
la doctrine de l'Apôtre, qui distingue l'homme intérieur et l'homme extérieur. Et quand il dit qu'en l'homme intérieur « réside le siège des vertus »,
il ne s'écarte guère de Philon. Rencontrant l'expression homme-homme
dans ses *Quaest. Numer.* 56, AUGUSTIN n'a pas pensé, comme Origène,
avoir besoin de l'expliquer ; cependant il le fait en ces termes dans ses

« même si nous avons connu le Christ selon la chair, maintenant nous ne le connaissons plus [x] ». Célébrons donc les
fêtes en esprit et immolons des sacrifices spirituels.

Nous venons de consacrer ces développements aux divers
sacrifices, dans la mesure de nos forces, mais leur signification claire est réservée à Celui « pour qui tout est à nu et à
découvert et au regard de qui il n'y a pas de créature invisible [y] ».

II. Les vœux. L'homme-homme
ou l'homme intérieur

2, 1. Ensuite est instituée la loi des vœux, et c'est en com-
mençant de façon nouvelle que Moïse procède à cette législation. Il dit en effet : « L'homme-homme qui a fait un vœu
au Seigneur [a] ». Pour quelle raison répéter ce mot ? Ne suf-
fisait-il pas de dire : « L'homme qui a fait un vœu au
Seigneur » ? Pourquoi dire : « L'homme-homme » ? quel est
le sens de cette double appellation d'homme ? Je ne pense
pas que cela doive être passé sous silence [1]. L'Apôtre
enseigne qu'autre est l'homme intérieur et autre l'homme
extérieur [b]. Et que le premier est celui qui se renouvelle sans
cesse à l'image de Celui qui l'a créé [c], et que le second est
l'homme visible, celui qui va à la corruption. Quand on
arrive à ce degré d'avancement où l'on reçoit la Loi de Dieu
et où l'on offre des vœux au Seigneur, — mais ne peut offrir
des vœux au Seigneur que celui qui, en lui-même et en sa
substance même, a de quoi offrir à Dieu, — donc quand

Loc. Num. 92 : *homo-homo...pro eo quod est : omnis homo ;* « homme-
homme, c'est-à-dire tout homme », il savait bien que c'était un hébraïsme
et il s'élève contre la mauvaise interprétation de quelques-uns, qui en
faisaient comme une marque d'honneur pour l'homme, en le distinguant
ainsi de l'animal (AUG., *Loc. Levit.* 59). Augustin ajoute alors : *quem sensum non esse uerum aperte hic ostenditur,* « ce sens est faux, cela se voit
bien ici ».

rior homo legem Dei suscipere nec uota solus offerre — non
enim potest aliquid dignum Deo habere —, sed ille *interior*
est *homo,* qui magis habet in se quod offerat Deo ; in illo
namque est habitaculum uirtutum, in illo omnis intellectus
scientiae, in illo est diuinae imaginis Innouatio. Qui cum
speciem suam, qua *ex initio* a Deo factus est, recuperauerit
et uirtutum redintegratione pulchritudinem prioris formae
receperit, tunc iam potest uota offerre Deo et tunc iam non
homo solum, sed *homo homo* dicetur.

2, 2. Nam qui *interiorem hominem* non excolit, qui illius
curam non gerit, qui uirtutibus eum non instruit, moribus
non adornat, diuinis institutionibus non exercet, sapientiam
Dei non quaerit, scientiae Scripturarum operam non impen-
dit, hic non potest *homo homo* dici, sed homo tantum et
homo animalis [d], quia ille *interior,* cui uerius et nobilius
homo nomen est, sopitus in eo est carnalibus uitiis et mundi
huius curis ac sollicitudinibus obrutus, ita ut nec nominis
eius haberi possit appellatio. Vnde satis agendum est unicuique nostrum, ut, si forte uidet in se *interiorem hominem*
peccatorum sordibus et uitiorum ruderibus oppressum
iacere, citius ab eo auferat omnes immunditias, citius eruat
eum ab omni inquinamento carnis et sanguinis, conuertatur

---

d. cf. 1 Co 15, 44 s.

1. L'« *homme intérieur* » se définit, comme dans S. Paul, par opposition
à l'homme extérieur. Ce dernier, homme physique, corporel, est celui « qui
va à la corruption ». Origène ne semble pas, ici, lui affecter beaucoup de
qualités morales, puisqu' il « n'a rien qui soit digne de Dieu » ; il reçoit
pourtant « la Loi et fait des vœux à part », signe de soumission, ce qui le
relève au regard de Dieu. Si Origène dépouille l'homme extérieur à ce
point, c'est qu'il enrichit à l'inverse l'homme intérieur : psychologie d'alternance. Sans trop faire de distinction, il le revêt d'une identité appropriée
à la faveur divine — « il a en lui-même de quoi offrir à Dieu » —, en lui
intelligence et science se conjuguent, en lui fleurissent les vertus, en lui
attraction et renouvellement de l'image divine. Cette aimantation de l'âme

on arrive à ce degré d'avancement, il ne suffit pas que
« l'homme extérieur » reçoive la loi de Dieu et offre des
vœux à part, — cet homme-là n'est en effet pas capable
d'avoir quoi que ce soit digne de Dieu —, tandis que c'est
« l'homme intérieur », bien plutôt, qui a en lui-même de
quoi offrir à Dieu ; en cet homme en effet réside le siège des
vertus, en lui la science et l'entendement, en lui le renouvellement de l'image divine [1]. Après avoir recouvré la forme
selon laquelle Dieu l'a créé au commencement, après avoir
restauré ses vertus et retrouvé sa beauté primitive, il peut
alors offrir des vœux à Dieu, et l'on ne dira plus désormais
qu'il est seulement « homme », mais qu'il est « homme-
homme ».

**Fragilité
et restauration
de l'homme intérieur**

2, 2. Si l'on ne cultive pas
l'homme intérieur, si l'on n'en
prend pas soin, si on ne l'orne pas
de vertus, si on ne le dote pas de
bonnes mœurs, si on ne l'exerce pas dans les institutions
divines, si on ne cherche pas la Sagesse de Dieu, si on ne
s'applique pas à la science des Écritures, on ne peut pas être
appelé « homme-homme », mais « homme » seulement,
homme en tant qu'être psychique [d], car l'homme intérieur,
celui à qui est dû avec plus de justesse et de noblesse le titre
d'homme, a tellement été engourdi par les vices charnels et
écrasé sous les soucis et les inquiétudes de ce monde qu'il
ne mérite même pas de porter ce nom d'homme. Aussi faut-
il que chacun d'entre nous agisse autant que nécessaire, s'il
voit en lui l'homme intérieur prostré, accablé sous les
souillures du péché et les décombres du vice, pour le dégager au plus vite de toutes les impuretés, pour l'arracher au
plus vite à toute souillure de la chair et du sang, pour qu'il

par les choses divines ne serait pas niée par S. Augustin, mais il ne l'atta-
cherait pas à l'expression *homo-homo*.

aliquando ad paenitentiam, reuocet ad se memoriam Dei, reuocet spem salutis. Non enim haec extrinsecus alicunde quaerenda sunt, sed intra nos est salutis occasio, sicut et
192 Dominus dixit : *Ecce enim regnum Dei intra uos est* ᵉ. Intra nos namque est conuersionis facultas ; *cum* enim *conuersus ingemueris, saluus eris* ᶠ, et tunc poteris digne *altissimo reddere uota tua* ᵍ et *homo homo* appellari.

196   **2, 3.** Votum autem est, cum aliquid de nostris offerimus Deo. Vult ergo a nobis prius aliquid accipere Deus et ita nobis ipse largiri, ut dona sua et munera merentibus et non immeritis largiri uideatur. Quid autem est, quod uult acci-
200 pere a nobis Deus ? Audi Scripturae sententiam : *Et nunc, Israel, quid Dominus Deus tuus poscit a te, nisi ut timeas Dominum Deum tuum, et ambules in omnibus uiis eius, et diligas eum ex toto corde tuo et ex tota anima tua et ex totis*
204 *uiribus tuis* ʰ ? Haec sunt ergo, quae Deus poscit a nobis. Quae si non prius offerimus, ab ipso accipiemus nihil. Legimus et in alio loco : *Date gloriam Deo* ⁱ et : *date magnificentiam Deo* ʲ. Si *dederitis gloriam*, recipietis gloriam ; sic
208 enim dicit ipse Deus : *Glorificantes me glorificabo* ᵏ.

     2, 4. Ego uero dico quod, et si offeramus ei iustitiam nostram, accipiemus ab ipso iustitiam Dei ; et si offeramus ei nostram, — id est corporis —, castitatem, accipiemus ab

---

e. Lc 17, 21   f. Is 45, 22   g. cf. Ps 49, 14   h. Dt 10, 12
i. Ps 67, 35   j. Dt 32, 3   k. 1 S 2, 30

---

1. Le langage d'Origène dans tout ce paragraphe diffère peu de celui qui sera tenu dans une littérature spirituelle jusqu'à nos jours. Aussi bien peut-on dire qu'Origène ouvre une voie à la fois littéraire et spirituelle à l'expression objective des mouvements de l'âme en marche vers la conversion et la pénitence, et au-delà vers la perfection.

2. Cf. *Hom.* XII, 3,1 (*SC* 442, p. 95) : « Qu'est-ce que Dieu a donné à l'homme ? La connaissance de soi. Qu'est-ce que l'homme offre à Dieu ? Sa foi et son amour. Voilà ce que Dieu demande à l'homme. Pour tout dire,

puisse enfin se tourner vers la pénitence, retrouver le souvenir de Dieu, se remémorer l'espérance du salut. Tout cela
n'est pas à chercher ailleurs, à l'extérieur, mais c'est en nous
que réside l'opportunité du salut. C'est ce que dit le
Seigneur : « Voici que le royaume de Dieu est au dedans de
vous ᵉ ». Ce qui est au dedans de nous, en effet, c'est la possibilité de la conversion, car quand tu te seras « converti avec
des gémissements, tu seras sauvé ᶠ¹ », c'est alors que tu pourras dignement « porter tes vœux au Très-Haut ᵍ » et être
appelé « homme-homme ».

Qu'est-ce qu'un vœu ?   **2, 3.** Or il y a vœu quand nous offrons à Dieu quelque chose de nôtre. Dieu veut d'abord recevoir quelque chose de nous [2] et
se prodiguer alors lui-même à nous, car il veut apparaître
généreux de ses dons et de ses présents pour ceux qui les
méritent et non pas pour les indignes. Mais qu'est-ce que
Dieu veut recevoir de nous ? Écoute cette phrase de l'Écriture : « Et maintenant, Israël, que te demande le Seigneur
ton Dieu, sinon que tu craignes le Seigneur ton Dieu, que
tu marches dans toutes ses voies, que tu l'aimes de tout ton
cœur, de toute ton âme et de toutes tes forces ʰ ? » Voilà ce
que Dieu nous demande. Si nous ne le lui offrons pas
d'abord, nous ne recevrons rien de Lui. Nous lisons dans
un autre passage : « Rendez gloire à Dieu ⁱ » et « Magnifiez
Dieu ʲ. » Si vous lui rendez gloire, vous recevrez de la gloire ;
car c'est ainsi que Dieu lui-même dit : « Ceux qui me glori-
fient, je les glorifierai ᵏ ».

2, 4. Quant à moi, je dis : si nous lui offrons notre justice, nous recevrons de lui la justice de Dieu ; si nous lui
offrons notre chasteté, j'entends celle du corps, nous rece-

---

voici ce qui est écrit : Et maintenant, Israël... » etc. Origène, dans notre
homélie, longtemps après l'*Hom.* XII, reprend la même citation qui
confirme la même idée.

212 ipso spiritus castitatem ; et si offeramus ei sensum nostrum, accipiemus ab ipso sensum ipsius, sicut et Apostolus dicebat : *Nos autem sensum Christi habemus* [l]. Cum autem nos obtulerimus Deo, quae in nobis sunt, et ille contulerit in nos
216 quae sua sunt, tunc uere iam non homo solum, sed *homo homo* dicemur ; uterque enim homo uocabuli sui perfectione decenter ornatus est.

2, 5. Ista sunt ergo uota, quae debet exsoluere is, qui
220 *homo homo* appellatur. Scio diuersa uota in Scripturis referri. Anna quidem uouit Deo fructum uentris sui et Samuelem consecrauit in templo [m]. Alius quodcumque sibi post uictoriam redeunti occurrisset uouit Deo et, occurrente filia, uota
224 lacrimanda persoluit [n]. Alii uitulos aut arietes aut domos aut alia huiusmodi ratione carentia uota offerunt Deo.

2, 6. Ille uero qui appellatur Nazaraeus semet ipsum deuouit Deo ; hoc est enim uotum Nazaraei, quod est super
228 omne uotum. Nam filium offerre uel filiam aut pecus aut praedium hoc totum extra nos est ; semet ipsum Deo offerre

---

l. 1 Co 2, 16   m. cf. 1 S 1, 11   n. cf. Jg 11, 31

---

1. *La chasteté de l'esprit*, définie par Origène en *Hom.* XX, 2, *supra*, p. 23, est celle qui exclut la « fornication spirituelle », c'est-à-dire le péché, péché d'une âme qui se retire de l'union où elle s'est engagée avec le Verbe de Dieu et la corrompt par un autre engagement qui est le péché.

2. Ce dernier élément de phrase de § 2,4 : « *uterque enim homo vocabuli sui perfectione decenter ornatus est* », difficile à traduire, peut recevoir cette interprétation : dans le cas envisagé, quand l'expression redouble le mot homme, chacun de ces deux mots jouit de la totalité du sens que comporte le mot, sans qu'il y ait supériorité ou infériorité de l'un par rapport à l'autre.

3. *Un autre* : Jephté. L'histoire est racontée au *Livre des Juges* 11, 29-40.

4. *Nazaréen*. Origène emploie ici un mot du texte massorétique que l'on ne trouve pas, au même passage, dans la LXX. Pour qualifier celui qui se consacre lui-même au Seigneur, en se privant de vin et de boisson forte, en laissant pousser sa chevelure et en s'éloignant de toute impureté légale, la

vrons de lui la chasteté de l'esprit [1] et si nous lui offrons notre pensée, nous recevrons de lui-même sa propre pensée, dans le sens où l'entendait l'Apôtre quand il disait : « Pour nous, nous avons la pensée du Christ [1] ». Quand nous aurons offert à Dieu ce qui est en nous et qu'il nous aura accordé ce qui est à lui, alors véritablement nous ne serons plus appelés 'homme', mais 'homme-homme' ; car l'un et l'autre homme a été dignement pourvu de la pleine acception de son nom [2].

Exemples de vœux

2, 5. Voici donc les vœux que doit acquitter celui qui est appelé « homme-homme ». L'Écriture, je sais bien, rapporte des vœux différents. Anne a voué à Dieu le fruit de ses entrailles, et elle a consacré Samuel au temple [m]. Un autre [3] a voué à Dieu le premier être qu'il rencontrerait au retour de la victoire ; ce fut sa fille qu'il rencontra et il accomplit son vœu dans les larmes [n]. D'autres, comme vœux, offrent à Dieu de jeunes taureaux, des béliers, des maisons ou n'importe quel être sans raison.

Le vœu du nazaréen : culte de l'âme

2, 6. Mais celui qu'on nomme nazaréen [4], ce qu'il a voué à Dieu, c'est lui-même ; c'est cela le vœu du nazaréen, qui est supérieur à tout autre vœu. Offrir un fils, une fille, du bétail, un bien foncier, tout cela nous est extérieur. S'offrir soi-même à Dieu, lui plaire sans qu'un

Bible hébraïque l'appelle *nazir*. La loi qui concerne le Nazaréen (ou Nazir, ou Naziréen) a été énoncée au chap. 6 du *Livre des Nombres*. La LXX ne prononce pas le nom de *nazir,* mais à la place emploie une périphrase : ἐὰν μεγάλως εὔξηται εὐχήν, qui revient à peu près à ceci : celui qui prie donnant une grande force à sa prière, — « celui qui fait le grand vœu » (j'emprunte l'expression à G. Dorival). Origène a laissé passer *Nb* 6, 1-21 avec ses explications littérales sur le nazirat, pour en traiter ici, en *Nb* 30, 2-17, où il s'est trouvé plus à l'aise pour approfondir spirituellement le sens du vœu quand ce vœu est don de soi à Dieu.

et non alieno labore, sed proprio placere, hoc est perfectius
et eminentius omnibus uotis ; quod qui facit, *imitator* est
232 *Christi* º. Ille enim dedit homini *terram, mare et omnia quae
in iis sunt ᴾ, ad obsequium dedit et *caelum,* solem quoque et
lunam ac stellas hominum ministerio concessit ; pluuias,
uentos et omne, quidquid in mundo est, hominibus largitus
236 est. Sed post haec omnia semet ipsum dedit ; *Sic enim Deus*
dilexit mundum, ut Filium suum unigenitum daret �q pro
mundi huius uita. Quid ergo magnum faciet homo, si semet
ipsum offerat Deo, cui *ipse se* prior *obtulit* Deus ?

240 **2,** 7. Si ergo *tollas crucem tuam et sequaris Christum* ʳ, si
dicas : *Viuo autem, iam non ego, uiuit uero Christus in me* ˢ,
si *desideret et sitiat* ᵗ *anima nostra redire et esse cum*
Christo ᵘ, sicut et Apostolus dicebat, et praesentis saeculi
244 non delectetur illecebris et si omnem legem quae de
Nazaraeis data est spiritaliter impleat, tunc *semet ipsum,* id
est animam suam, *obtulit Deo.* Qui in castitate uiuit, corpus
suum uouit Deo secundum eum, qui dixit : *Virgo autem*
248 *cogitat, quomodo sit sancta corpore et spiritu* ᵛ. Nam et hoc
ipsum quod dixit « *sancta* », ad hoc respicit ; sancti enim
dicuntur illi qui se uouerunt Deo. Vnde et aries, uerbi causa,
si uouetur Deo, sanctus appellatur, quem tonderi ad com-
252 munes usus non licet. Sed et uitulus si deuotus fuerit Deo,
sanctus nihilominus appellatur nec licet eum iungi in opus
commune. Ex his ergo colligamus quid est hominem se
ipsum uouere Deo. Si te uoueris Deo, imitandus tibi est
256 uitulus, quem non licet humanis operibus deseruire, nihil

o. cf. 1 Co 11, 1   p. cf. Ac 14, 15   q. Jn 3, 16   r. cf. Mt 10, 38
s. Gal 2, 20   t. cf. Ps 41, 3   u. Ph 1, 23   v. 1 Co 7, 34

1. Sur l'idée de sainteté, chère à Origène — qui en a déjà traité dans
l'*Homélie* X, « Les péchés des saints », *SC* 415, p. 271 s. —, on trouvera
une sorte d'hymne, si l'on veut, ou d'exhortation pressante dans l'*Homélie*
XI sur le *Lévitique*, *SC* 287, p. 145 s.

autre y mette de sa peine, mais en s'y mettant soi-même, c'est le plus remarquable et le plus parfait des vœux ; celui qui le fait est un imitateur du Christ [o]. Car c'est Dieu qui a concédé à l'homme pour son service « la terre, la mer et tout ce qu'elles renferment [p] ». Il a mis à la disposition de l'homme le ciel ainsi que le soleil, la lune et les étoiles. Il a accordé aux hommes les pluies, les vents et tout ce que renferme le monde. Et après tout cela, il s'est donné lui-même. « Dieu a en effet tant aimé le monde qu'il a donné son Fils Unique [q] » pour la vie de ce monde. Quel grand mérite l'homme aura-t-il donc à s'offrir lui-même à Dieu, quand Dieu lui-même s'est le premier offert pour lui ?

2, 7. Si donc « tu prends ta croix et si tu suis le Christ [r] », si tu peux dire : « Je vis, mais ce n'est plus moi qui vis, c'est le Christ qui vit en moi [s] », si notre âme « a le désir, 'la soif [t]' de partir et d'être avec le Christ [u] » comme le disait l'Apôtre ; si elle ne s'attarde pas aux séductions de ce monde et accomplit spirituellement toutes les prescriptions concernant les nazaréens, alors il y a « offrande de soi-même à Dieu », c'est-à-dire de l'âme à Dieu.

Quant à celui qui vit dans la chasteté, il a voué son corps à Dieu, d'après le conseil de celui qui a dit : « La vierge cherche à être sainte de corps et d'esprit [v] » ; ce mot de « sainte » ici employé renvoie à notre sujet, car on appelle saints ceux qui ont été voués à Dieu [1]. Ainsi, par exemple, le bélier, s'il est voué à Dieu, est appelé « saint » et il n'est pas permis de le tondre pour les usages communs. Le jeune taureau, lui aussi, n'est pas moins appelé « saint » quand il a été voué à Dieu et il n'est pas permis de l'atteler au joug pour le travail ordinaire. Prenons donc ces exemples pour nous faire comprendre ce qu'est pour une personne de se vouer elle-même à Dieu. Si tu t'es voué à Dieu, il te faut imiter le jeune taureau qu'il n'est pas permis de faire servir à des œuvres profanes ni d'utiliser à des fins humaines en ce

facere, quod ad homines et ad praesentem uitam pertineat. Sed quidquid ad animam pertinet et ad diuini cultus obseruantiam, hoc et agendum et cogitandum tibi est.

260 **3, 1.** Sed interim praesens lectio continet diuersitates quasdam uotorum. Etenim si uir fuerit qui uouet, liber esse dicitur in uotis suis [a] nullique subiectus. *Mulier autem si uoueat*, si quidem *in domo patris sui* [b] sit, uotum eius in
264 patris pendet arbitrio ; et *si quidem ille recusauerit*, liberatur ; si uero non recusauerit, et ipse et filia tenentur obnoxii. Quod si, posteaquam non recusauerit pater, non reddiderit uotum, filiae peccatum ipsi manet. Similiter autem et erga
268 maritum decernitur, ut, si in domo mariti uxor aliquid uouerit et *audiens maritus* non recusauerit, reus sit uoti pariter cum uxore ; *si uero recusauerit*, tam uxor sit libera quam maritus ; *si uero tacuerit* uterque, ut diximus, reus habeatur.
272 Haec sunt quidem quae scripta sunt.

3, 2. Sed orandus est nobis Deus, ut intellectum dare dignetur se dignum, quo haec, ut decet de Dei uerbis intellegi, possimus aduertere. Omnes qui sub lege Dei uiuimus
276 et in Ecclesia eius habemur, aliqui sub patribus, aliqui sub uiris agimus. Et si quidem paruula est anima et initia habet in eruditionibus diuinis, haec sub patre agere credenda est. Si uero iam adultior facta est, ita ut uiri potens sit ad conci-
280 piendum semen uerbi Dei et doctrinae spiritalis capere secreta, haec sub uiro posita dicitur. Sic enim et Paulus dicebat de Corinthiis : *Volo autem omnes uos uni uiro uirginem*

---

3. a. cf. Nb 30, 3   b. cf. Nb 30, 4 s.

---

1. On saisit ici combien il est facile pour Origène de passer à l'explication spirituelle : il invoque « une intelligence digne de Dieu », et voici que les choses de la terre deviennent des tremplins pour s'élever vers celles du ciel.

qui regarde la vie présente. Ce à quoi tu dois t'exercer, ce à quoi tu dois penser, c'est aux choses de l'âme et à l'observance du culte divin.

Sortes de vœux :
degrés de perfection

3, 1. Cependant, la lecture d'aujourd'hui présente de la diversité dans les vœux. Qu'un homme en effet ait fait un vœu, l'Écriture dit qu'il est libre dans ses vœux [a] et ne dépend de personne. Mais si c'est une femme qui fait un vœu, et si elle demeure dans la maison de son père [b], son vœu dépend du jugement de son père, et s'il le dénonce, elle en est quitte ; mais s'il ne le dénonce pas, lui et sa fille y sont assujettis. Et si, lorsque le père ne l'aura pas dénoncé, la fille n'accomplit pas son vœu, le péché lui reste. Une prescription semblable concerne le mari : si une femme, dans la maison de son mari, a fait un vœu et si le mari, l'entendant, ne le récuse pas, il est responsable du vœu au même titre que sa femme ; mais s'il le récuse, la femme en est quitte autant que son mari ; toutefois, si l'un et l'autre ne disent rien, ils sont coupables l'un et l'autre, comme nous avons dit. C'est le texte.

3, 2. Mais il faut demander à Dieu de nous donner une intelligence digne de lui, pour que nous puissions examiner ce passage comme il faut le faire quand on doit comprendre des paroles de Dieu [1]. Nous qui vivons sous la loi de Dieu et qui formons son Église, nous agissons les uns sous un père, les autres sous un mari. Et si notre âme est toute petite, si elle en est aux commencements dans sa formation divine, il faut considérer qu'elle agit sous l'autorité d'un père. Mais si elle a déjà grandi, au point d'être en puissance de recevoir la semence de la parole de Dieu et de saisir les secrets de la science spirituelle, il faut dire qu'elle est placée sous l'autorité d'un mari. C'est ainsi que Paul parlait des Corinthiens : « Je veux vous présenter tous à un seul mari comme une

castam exhibere Christo ^c. Qui uero perfectiores sunt et emi-
284 nentiores horum, de illis non dicitur quos sub uiro sint, sed
audi quomodo de semet ipso suique similibus pronuntiet
Paulus : *Donec occurramus,* inquit, *omnes in uirum perfec-*
tum, in mensuram aetatis plenitudinis Christi ^d. Huic ergo
288 animae quae *in uirum perfectum occurrit,* nemo dominatur in
uotis, sed habet potestatem suorum libertatemque uotorum.

3, 3. Si autem feminei adhuc generis fuerit anima cui uel
uir uel pater dominetur in uotis, non semper in ipsa est
292 culpa, sed interdum redit ad uiros uel parentes. De quibus
quamuis applicare difficile sit, tamen quae Domino largiente
occurrere potuerint, inferemus. Saepe diximus animarum
quae in Ecclesia Dei sunt, curam procurationemque haberi
296 per angelos, quosque etiam ad iudicium uenire ostendimus
cum hominibus, ut in illo diuino constet examine, utrum sui
desidia peccauerint homines an monitorum custodumque
neglegentia. Videtur ergo mihi etiam in hoc loco eadem sub
300 mysterio designari et ostendi quod aliae quidem ut filiae sub
iis animae degunt, aliae ut uxores secundum ea quae superius distinximus. Si qua ergo harum offerre aliquid et uouere
cupiat Deo, si quidem praeproperum est et minus aptum
304 quod uouet, illius est, utpote custodis et monitoris, angeli
reprimere et retundere uouentis audaciam. Si uero audiens
non represserit, non monuerit, anima quidem liberatur a
culpa, ipse uero uoti manebit obnoxius.

---

c. 2 Co 11, 2   d. Ep 4, 13

---

1. Faut-il relever encore le recours d'Origène aux anges, au rôle qu'il
leur fait jouer au service du salut des personnes, à la responsabilité qu'ils
encourent de ce fait. Origène les voit ici au rendez-vous du jugement dernier, chargés, en quelque sorte, de l'accomplissement des vœux inaccom-
plis, dont leur prudence n'a pas su contrôler l'offrande. Lourde charge si
l'on considère l'humanité avec tous les vœux précipités qu'elle aura eu la
légèreté ou l'audace de faire monter vers Dieu ! — Rappel du rôle des anges
dans la vie des hommes : *Homélie* XX, § 4,2-3, *supra* p. 51.

vierge pure au Christ [c] ». Mais de ceux qui, parmi ceux-là, sont plus parfaits et plus élevés, l'Écriture ne dit pas qu'ils sont sous l'autorité d'un mari, mais écoute comment Paul parle de lui-même et de ses semblables : « ...jusqu'à ce que nous parvenions tous ensemble à l'état d'homme parfait, à la taille même qui convient à la plénitude du Christ [d] ». Sur cette âme qui parvient à l'état d'homme parfait, personne n'a d'autorité en matière de vœux, c'est elle qui a pouvoir pour ses biens et liberté pour ses vœux.

Des âmes « féminines »... 3, 3. Mais si l'âme en est restée au genre féminin dans lequel soit le mari soit le père a l'autorité pour les vœux, la faute n'en est pas toujours à elle mais retombe parfois sur le mari ou sur le père. Quoiqu'il soit délicat de traiter ce sujet, nous allons cependant l'aborder avec les idées que le Seigneur, dans sa bonté, nous aura suggérées.

Nous avons souvent dit que le soin et la direction des âmes qui sont dans l'Église de Dieu sont remis aux anges [1]. Ceux-ci, avons-nous montré, comparaîtront au jugement avec les hommes pour que le contrôle divin établisse si c'est par nonchalance personnelle que les hommes ont péché ou par suite de la négligence de leurs tuteurs et gardiens. Il m'apparaît donc que, dans ce passage aussi, ce sont les mêmes mystères qui sont indiqués et qu'il est montré que, sous l'autorité des anges, les unes parmi les âmes se comportent comme des filles, d'autres comme des épouses, selon les distinctions que nous avons faites plus haut. Si donc l'une d'entre elles veut offrir et vouer quelque chose à Dieu, si son vœu est précipité et ne convient pas, c'est à lui, ange gardien et conseiller, qu'il appartient d'arrêter et de réprimer l'audace de l'auteur du vœu. Mais si, étant au courant du vœu, il ne l'arrête pas, s'il ne donne pas de conseil, l'âme est exempte de faute, mais c'est lui qui sera assujetti au vœu.

308   **3, 4.** Haec quidem erga inferiores quosque fieri accipiendum est ; perfectoribus ipse adest Deus, sicut scriptum est
de populo Israel : *Dominus uero ipse ducebat eos* ᵉ. Postea
uero quam deliquerunt et inferiores semet ipsis facti sunt,
312   angelo traduntur. Vnde et Moyses dicebat : *Nisi tu ipse
ueneris nobiscum, non me educas hinc* ᶠ. Sed et de alio dicit
Deus : *Cum ipso sum in tribulatione* ᵍ, et alibi dicit : *Non
timeas descendere in Aegyptum, quoniam tecum ero* ʰ. Iustis
316   ergo et electis ipse adest Deus, inferioribus uero adsunt
angeli, secundum ea quae superius diximus, gubernantes eos
et procurantes, uotaque eorum aliquando ad semet ipsos
transferentes, aliquando uero super ipsos relinquentes.

320   **3, 5.** Sed nos contendere debemus *ut occurramus in
uirum perfectum, in mensuram aetatis plenitudinis Christi* ⁱ,
ut utamur libertate uotorum et ita *adhaerere Domino* festinemus, ut cum ipso, magis quam cum angelo, *unus spiritus* ʲ
324   simus, ut et ipse in nobis maneat et nos in ipso ᵏ, et nihil in
nobis femineum, nihil paruulae aetatis habeatur, nec necesse
sit nobis *sub tutoribus et procuratoribus* ˡ derelinqui a Patre,
sed festinemus audire illam a Domino et Saluatore nostro
328   uocem qua ait : *Ipse pater diligit uos* ᵐ. Ipsi gloria in saecula
saeculorum. Amen ⁿ !

---

e. cf. Ex 12, 51   f. Ex 33, 15   g. Ps 90, 15   h. cf. Gn 46, 3-4
i. cf. Ep 4, 13   j. cf. 1 Co 6, 17   k. cf. Jn 15, 4   l. cf. Ga 4, 2
m. Jn 16, 27   n. Rm 11, 36

1. *Inferiores* : les moins parfaits, ceux dont Origène vient de parler ;
mais *perfectoribus* (bien lire -*torib*- et non -*tiorib*-) : ceux qui se perfec-
tionnent.
2. Dans le monde d'Origène, il faut maintenir une hiérarchie ; l'ange
étant moins que le Seigneur, ce sont les activités de second ordre qui lui
sont confiées : il doit, selon notre texte, assister le pécheur, gouverner et
diriger les « inférieurs » et, selon le *De Princ.* I, 5, 2, se contenter de la portion qui lui est faite d'agir parmi « les nations » *(païennes)*. Au Seigneur, en
contre-partie, la direction et l'accompagnement du peuple *qui est sa portion, Jacob, et de celui qui est sa part d'héritage, Israël*. Du *De Princ.* aux

3, 4. Voilà ce qui se passe avec les moins parfaits, c'est le sens du passage ; quant à ceux qui achèvent de se perfectionner [1], Dieu lui-même les assiste, à preuve ce qui est écrit du peuple d'Israël : « Dieu lui-même les conduisait [e] ». Mais plus tard, quand ils eurent péché et qu'ils furent devenus inférieurs à eux-mêmes, c'est à un ange qu'ils sont confiés [2]. C'est ce qui faisait dire à Moïse : « A moins que ce ne soit toi qui viennes avec nous, ne me fais pas partir d'ici [f] ». Mais, s'agissant d'un autre, Dieu dit : « Je suis avec lui dans la tribulation [g] », et il dit ailleurs : « Ne crains pas de descendre en Égypte, car je serai avec toi [h] ». Le Seigneur assiste donc lui-même les justes et les élus ; mais les inférieurs, ce sont les anges qui les assistent, comme nous avons dit plus haut : ils les gouvernent et les dirigent ; quant à leurs vœux, tantôt ils les prennent à leur propre compte et tantôt ils les leur laissent.

Viser à l'homme parfait

3, 5. Mais nous devons tendre « à nous rencontrer dans l'homme parfait, à la taille qui convient à la plénitude du Christ [i] », et acquérir la liberté des vœux. Hâtons-nous ainsi de « nous unir au Seigneur et de ne faire avec lui qu'un seul esprit [j] » — avec lui, plutôt qu'avec un ange [3] —, « pour qu'il demeure en nous et nous en lui [k] », et que de la sorte ne reste en nous rien de féminin ni rien d'enfantin, et que nous n'ayons plus besoin que le Père nous tienne sous l'autorité de tuteurs et d'intendants [l] ; hâtons-nous d'écouter la voix de notre Seigneur et Sauveur qui dit : « C'est le Père lui-même qui vous aime [m] ». « A lui la gloire pour les siècles des siècles. Amen [n] ».

Hom. sur les Nombres, même enseignement. Les Puissances inférieures ont droit d'exercer leur principat sur le monde, c'est une de leurs prérogatives, mais en dépendance de Celui qui les leur a données.
    3. Décidément, l'ange doit rester à sa place !

HOMÉLIE XXV

HOMÉLIE XXV
(*Nombres* 31, 1-54)

NOTICE

Revanche sur les Madianites

Retour sur le scandale

Au début de l'Homélie XXV (§ 1,1-2), Origène renoue avec l'Homélie XX. Il tient à définir le « scandale », car il ne l'avait pas fait : « Fournir l'occasion du péché, voilà où se trouve le scandale » (§ 1,2) et le châtiment en est plus sévère que pour le péché lui-même. D'autre part, comme Moïse s'entend dire qu'« il prendra place à la fin auprès de son peuple », et qu'il y a là un argument en faveur de la résurrection, Origène s'en prend, rapidement, aux Samaritains qui ne croient pas en la résurrection (§ 1,3).

La guerre sur ordre de Dieu : manifestation de sa puissance

En poursuivant le texte biblique, en *Nombres* 31,3, on entend Dieu dire à Moïse de venger la défaite que les Madianites lui ont infligée. Dieu demande qu'on ne prépare que douze mille hommes, alors que, dans la bataille précédente, Madian en avait vaincu six cent mille. Pourquoi cette disproportion ? Parce que les nouveaux soldats étant des hommes de justice et de piété, deux d'entre eux suffiront à mettre dix mille hommes en fuite (§ 2,1). Le chiffre est gonflé, mais peu importe, c'est la qualité du soldat qui compte. Or ce soldat étant équipé des armes d'*Éph.* 6,14, le camp du diable tout entier sera mis en fuite. Tout cela nous révèle la puissance de Dieu.

La guerre tue Balaam et les rois

Balaam, dont nous avions entrevu la mort en *Hom.* XV, § 2,2 (T. II, p. 203), reparaît ici pour mourir par l'épée, et c'est bien fait puisqu'il est l'instigateur du scandale ! Les rois madianites, également, sont tués (§ 2,4). On a beau être roi, un guerrier ordinaire, pénitent et converti, a facilement raison d'un roi ! Surtout quand ces rois portent des noms qui indiquent leur appartenance au camp des pervers.

La guerre contre les rois : la guerre contre les vices

L'Écriture a donné le nom de tous ces rois (§ 3,1) : c'est un enseignement. Le nom d'une personne la rattache à l'ordre des causes ; il indique ce qu'elle est en réalité ou la raison qui lui fait porter son nom. Cela entraîne Origène à développer le thème du sens des noms dans la Bible (§ 3,2). Les noms ne sont pas dus au hasard. Par le nom du roi Evin on apprend que c'est la sauvagerie qui règne chez les Madianites (§ 3,1) ; par celui de Rocon que c'est l'inanité (§ 3,3), par celui d'Ur l'irritation (§ 3,4).

Nous étions partis pour la guerre (cf. *supra* § 2,3-3,1), nous voilà en pleine allégorie. Origène y a glissé d'instinct. Il s'en rend compte puisqu'il dit : « Ce que la loi rapporte, c'est moins le nom des rois, que ceux des vices qui règnent parmi les hommes » (§ 3,4). Suit alors le passage sur les cinq sens de l'homme, qu'on peut dire cinq rois charnels (§ 3,5). Il faut les tuer comme les rois madianites, mais préserver en eux le rôle du spirituel, tout en écartant le charnel.

Les deux parts du butin

Revenons à la guerre et considérons le butin. Il est considérable. Il faut le partager. La loi y a pourvu. Origène ne s'attarde pas sur le sens littéral. Il rappelle qu'il y a deux parts égales, une pour les guerriers, une pour les autres, et que tout, puisque cela vient des païens, est à purifier avant d'en extraire les offrandes à Dieu (§ 3,6).

Guerriers et non-guerriers : similitude du combat

Cela porte un sens spirituel. Car il faut distinguer les soldats et le reste du peuple. Le reste combat par les prières, la justice, la piété, les jeûnes, la douceur, la chasteté. C'est leur manière de faire la guerre. Cela leur vaut de toucher leur part de butin. Celle-ci sera purifiée (§ 4,1). Dans ce butin, il y a des hommes, des intelligences ; il faut les conduire à l'obéissance au Christ (§ 4,2). Tout le monde ne peut pas combattre. Heureux les guerriers, heureux les autres. Les autres sont fidèles à Moïse, c.-à-d. à la Loi, ils tuent les vices, la volupté, la luxure : c'est bien un combat qui mérite butin.

Arithmologie

Le partage du butin en deux parties égales, devant convenir à 12 000 hommes d'une part, à 600 000 d'autre part, et par ailleurs le prélèvement pour Dieu du 500ᵉ d'une part et d'autre part du 50ᵉ, conduisent Origène, par les chiffres qu'ils mettent en jeu, à naviguer sur les nombres sacrés (§ 4,4) et à nous enseigner, par son arithmologie, l'équivalence d'un butin pour 600 000 avec un butin pour 12 000.

Valeur et lâcheté devant le combat

Mais en revenant à *Nb* 31,21, Origène distingue deux sortes d'hommes (§ 5,1a), les uns, qui ont sa faveur, hommes valeureux, véritables athlètes de la guerre et de la vertu, ils se comportent comme demande S. Paul en 1 *Co* 9,25, sachant se priver de tout, ayant revêtu le Christ Valeur (= Sagesse) de Dieu, 1 *Co* 1,24. Les autres (§ 5,1b) sont paresseux, négligents, lâches devant le combat : ils ne méritent rien.

Au retour du butin, les anges

Il manquait les anges au retour du butin ; les voici (§ 5,2) ! Mais nous sommes alors à la fin du monde : les anges estiment le poids et la qualité du butin que chacun rapporte. Ils épient les fraudeurs qui se tailleraient à part un butin personnel. Enquête sévère, préparatoire aux purifications nécessaires (§ 5,2).

La purification

Cette purification (§ 6,1) est la conclusion d'Origène. En quittant le combat on a besoin de purification. C'est pourquoi l'Écriture dit : « Vous laverez vos vêtements, puis vous entrerez dans le camp ». Le combat de cette vie, nous met au contact de bien des souillures ; il faut donc bien des purifications : « Mais ce sont là des choses mystérieuses et d'ordre ineffable » (§ 6,2). On arrive les mains pleines de sang, pour avoir au matin tué tous les pécheurs de la terre (*Ps.* 100,8), et avoir conduit une masse de croyants à l'obéissance au Christ, 2 *Co* 10,5. La porte du Royaume nous sera ouverte par le Christ lui-même.

—

HOMILIA XXV

De ultione quae in Madianitas facta est

1, 1. In superioribus fornicati sunt filii Israel cum mulieribus Madianitarum et hoc fuit scandalum filiis Israel in quo
offenderunt Dominum et *ad iracundiam prouocauerunt*
4 *sanctum Israel* [a]. Nunc ergo, posteaquam pertulit Israel quae
pertulit, *locutus est* inquit *Dominus ad Moysen dicens : ulcis-*
cere ultionem filiorum Israel de Madianitis, et ad ultimum
apponeris ad populum tuum [b].

8 Igitur scandala quae acciderant Israelitis quoniam ter-
giuersatione Madianitarum acciderant — ipsi enim subor-
nauerant mulieres, quae eos deciperent ut peccarent coram
Domino —, illi quidem pro peccato suo pertulerunt uin-
12 dictam, mediocrius tamen et parcius, hi uero qui iis fuerunt
causa peccandi, multo uehementiori subiacent ultioni.

1, 2. Vnde edocemur quia longe sit grauius aliis causam
praebere peccati quam ipsum unumquemque peccare, sicut
16 et Dominus designat, cum dicit quia *Melius fuerat homini*
non nasci aut molam asinariam ligari circa collum eius et
praecipitari in profundum maris quam ut scandalizet unum
de pusillis istis [c].

---

1. a. cf. Is 1, 4   b. Nb, 31, 2   c. cf. Mt 26, 24 et Mc 14, 21

---

1. Plus haut : cf. *supra,* Hom. XX, § 1,1-3.
2. Citation composite : *Mt* 18,6 fournit la meule au cou, *Mt* 26,24 et *Mc*
14,21 fournissent l'évocation de n'être pas né. CLÉMENT DE ROME, déjà, *Ad*

HOMÉLIE XXV

Revanche sur les Madianites

Provocation des Madianites. Scandale pour les fils d'Israël

1, 1. Plus haut [1], nous avons vu que les fils d'Israël ont forniqué avec les femmes madianites. Ce qui pour eux fut un scandale, ce fut qu'ils offensèrent le Seigneur et qu'ils provoquèrent à la colère le Saint d'Israël [a]. Maintenant qu'Israël a subi son châtiment, « le Seigneur, dit l'Écriture, parla à Moïse en ces termes : Exécute la vengeance des fils d'Israël sur les Madianites ; et à la fin tu prendras place auprès de ton peuple [b] ». Ainsi, le scandale où étaient tombés les Israélites avait été provoqué par la ruse des Madianites ; c'est eux en effet qui avaient soudoyé les femmes pour séduire et amener les Israélites à pécher devant le Seigneur. Or les Israélites, pour leur péché, subirent une vengeance, à vrai dire modérée et limitée, mais les autres, ceux qui furent les instigateurs du péché, furent soumis à une vengeance beaucoup plus sévère.

1, 2. Cela nous enseigne qu'il est beaucoup plus grave d'être cause de péché pour les autres que de commettre soi-même le péché. C'est ce que le Seigneur fait comprendre quand il dit : « Il aurait mieux valu pour cet homme qu'il ne fût pas né ou qu'il fût précipité au fond de la mer avec une meule attachée au cou plutôt que de scandaliser un de ces petits [c2]. »

Cor. 46,8 (*SC* 167, p. 177), amalgame les deux idées ; il ne sera pas seul à le faire.

20 Simulque aduertendum est quoniam quidem nomen scandali a nonnullis incompetenter praesumitur, illud scandalum dici ubi recto itinere ambulanti deceptio aliqua struitur ad peccatum et subicitur causa peccandi, sicut et Madianitae
24 *ambulantibus in lege Domini*[d] Israelitis et custodientibus castitatem subornauerunt mulieres quae eos deciperent ad peccandum. Causam ergo praebere peccati hoc est scandalizare. Verumtamen datur uindicta, sed multo grauior in eos
28 qui scandalizarunt, qui causam peccati praebuerunt, quam in eos qui peccauerunt.

1, 3. Simul et illud obserua quod his subiecit : *Nouissime autem* inquit *et tu apponeris ad populum tuum.* Si quando
32 nobis cum Samaritis sermo est quoniam quidem resurrectionem mortuorum negant nec recipiunt futuri saeculi fidem, perurgeamus eos ex his uerbis quibus Dominus dicit ad Moysen quia *apponatur ad populum suum.* Nemo enim
36 *apponitur* ad eos qui non sunt. Vnde constat esse aliquem populum cui *Moyses* post uitae huius exitum dicitur *applicandus.* Quia ergo prophetis non credunt Samaritae ex quibus posset resurrectionis mortuorum fides latius approbari,

---

d. Ps 118, 1

1. Le péché auquel ont été entraînés les Israélites est l'idolâtrie : ils ont sacrifié aux faux dieux ; c'est le plus grave des péchés. En regard de l'idolâtrie, la fornication, qui cependant en a été la cause, apparaît aux yeux d'Origène qui n'a pas ici à en déterminer la malice, comme une faute en sous-impression ('la rouerie'), noyée dans les outrances inévitables de la guerre.

2. Jérôme, dans *Comm. in Mt.* II (Mt 15,12), *CCSL* 77, p. 129, est beaucoup plus prolixe quand il s'agit de définir le scandale : « Puisque les Écritures parlent souvent du scandale, il faut dire brièvement ce que c'est », et il ajoute : « Scolon » [mot énigmatique : c'est la forme latine vulgarisée, semble-t-il, du mot grec de S. Paul, σκόλοψ en 2 *Co* 12,7, traduction : 'bois pointu', d'où écharde] — donc il ajoute : « *Scolon et scandalum nos offendiculum uel ruinam et impactionem pedis possumus dicere. Quando ergo legimus : Quicumque de minimis istis scandalizauerit quempiam, hoc intel-*

Il faut savoir aussi que quelques-uns emploient le mot de scandale improprement. On dit qu'il y a scandale quand, à quelqu'un qui marche droit, on tend un piège qui l'induit à pécher et l'assujettit à la cause du péché. Ainsi les Madianites, à l'encontre des Israélites qui « marchaient selon la loi du Seigneur [d] » et qui gardaient la chasteté, soudoyèrent des femmes dont la rouerie porta les Israélites au péché [1]. Fournir l'occasion du péché, voilà où se trouve le scandale [2]. En tout état de cause, il est réservé un châtiment beaucoup plus sévère pour ceux qui ont scandalisé, pour ceux qui ont fourni l'occasion du péché, que pour ceux qui ont commis le péché.

Foi de Moïse en la résurrection

1, 3. Puisque nous y sommes, prêtons attention aussi au texte qui suit : « Pour toi, est-il dit (à Moïse), tu prendras place à la fin auprès de ton peuple ». S'il nous était donné de discourir devant des Samaritains, ces gens qui nient la résurrection des morts et ne croient pas à la vie future [3], nous les harcélerions avec ces paroles que le Seigneur adresse à Moïse en lui disant 'de prendre place auprès de son peuple'. Personne, en effet, ne prend place à côté de gens qui n'existent pas. D'où il ressort qu'il existe un peuple auprès duquel il est dit que Moïse après sa mort doit être rattaché. Puisque les Samaritains ne croient pas aux prophètes chez qui la foi en la résurrection des morts pourrait largement trouver

---

legimus qui dicto factoue occasionem ruinae cuiquam dederit ». « Pour nous, 'écharde' et 'scandale', c'est un obstacle ou une chute en trébuchant du pied. Donc quand nous lisons : 'Celui qui aura scandalisé l'un de ces petits', nous comprenons qu'il s'agit de celui qui par ses propos ou par son action aura donné à quelqu'un une occasion de chute ».

3. Aux yeux d'Origène, — il l'a marqué à plusieurs reprises (ce que Harnack a relevé dans *TU* 42, 4, p. 86), — les Samaritains passent pour des hérétiques parmi les Juifs ; ils ne reçoivent pas les prophètes ; et, comme les sadducéens, ils ne croient pas en la résurrection. Aujourd'hui, cela se discute. Cf. Origène, *Comm. in Jo.* 8, 47-48, *SC* 290, p. 309 et la note.

40 ex his saltem Moysi libris quos recipiunt et quorum auctoritatem fatentur conuincendi sunt et curandi, si tamen oportet et Babyloniam curari ᵉ. Est ergo locus hic resurrectionem
mortuorum euidenter ostendens. Designat enim esse popu-
44 lum, cui post obitum suum Moyses adiungendus sit et ad
quos pro suis meritis transferendus.

2, 1. Post haec *locutus est Moyses ad populum dicens :
armate ex uobis et belligerate aduersum Madian, reddere*
48 *uindictam a Domino in Madian ; mille ex tribu et mille ex
tribu ; ex omnibus tribubus Israel mittite ad belligerandum* ᵃ.
Attendite lectioni, non solum enim ad auditum sermonum, sed ad rerum considerationem intendendus est ani-
52 mus. Recordare praeterita, audi praesentia, quae sequuntur
aduerte. Confer priora posterioribus et diuinarum uirtutum
magnificentiam contemplare. Filii Israel dudum *sescenta
milia* fuerant armatorum qui processerant aduersum
56 Madian, et hi omnes uicti sunt, quoniam peccatum erat in
ipsis. Nunc uero uictores Madianitae qui sescenta milia
fugauerant, uincuntur a duodecim milibus, ut scias quia non
in multitudine nec in numero militum uincit Israel, sed ius-
60 titia est et pietas in iis quae uincit. Propterea denique et in
Benedictionibus eorum ᵇ dicitur quia, si seruauerint legem
Domini, unus ex ipsis persequatur mille et duo uertant
decem milia.

64 **2,** 2. Vides ergo quia multo plus ualet unus sanctus
orando quam peccatores innumeri proeliando. *Oratio*

---

e. cf. Jr 51, 8
2. a. Nb 31, 3-4   b. cf. Lv 26, 8

---

1. L'effet de contraste est accentué par Origène. Le texte de *Lév.* 26,8
est le suivant : « Cinq d'entre vous en poursuivront cent, et cent en poursuivront dix mille. »

confirmation, il faut au moins, en se servant des livres de Moïse qu'ils reçoivent et dont ils reconnaissent l'autorité, les convaincre et les guérir, si toutefois la Babylonie peut être guérie ᵉ. Or ce texte est de ceux qui prouvent d'une manière évidente la résurrection des morts. Car il montre qu'il y a un peuple auquel Moïse, après sa mort, doit être réuni et auprès duquel selon ses mérites il doit être transporté.

Puissance de la justice et de la piété
2, 1. Après cela, « Moïse parla au peuple en ces termes : Armez des hommes parmi vous et allez faire la guerre à Madian ; prenez la revanche du Seigneur contre Madian. Envoyez à la bataille mille hommes d'une tribu, mille d'une autre, envoyez-en de toutes les tribus d'Israël ᵃ. »

Écoutez bien cette lecture ; ce n'est pas seulement les mots qu'il faut écouter, c'est le sens auquel il faut appliquer son esprit. Rappelle-toi le passé, écoute le présent, fais attention à ce qui va suivre. Rapproche l'état antérieur de l'état qui a été produit par la suite et pense aux immenses ressources de la puissance divine. Tout à l'heure, c'était au nombre de six cent mille que les fils d'Israël en armes s'étaient avancés contre Madian, et ils avaient été tous vaincus parce que le péché était en eux. Maintenant, au contraire, les victorieux Madianites qui avaient mis en fuite six cent mille hommes, se font battre par douze mille hommes. Car il faut savoir que ce n'est pas la masse ni le nombre des soldats qui donne la victoire à Israël, mais que c'est la justice et la piété qui règnent en eux qui la leur apportent. C'est pourquoi il est dit dans les Bénédictions d'Israël ᵇ qu'à condition d'observer la loi du Seigneur, un seul d'entre eux en poursuivra mille et deux en mettront dix mille en fuite [1].

Force de la prière
2, 2. On voit donc qu'un saint, seul à la prière, est bien plus fort que des pécheurs, en nombre immense à la bataille. « La prière du

sancti penetrat caelum c : quomodo non et hostem uincat in
terris ? Et ideo omnimodis studendum est *quaerere* primo
68 et custodire *iustitiam Dei* d. Quam si obtinueris et seruaue-
ris, omnes tibi hostes ipsa subiciet, si fueris *indutus,* sicut
Apostolus dicit, *loricam iustitiae* et *accinctus ueritatem,* si
galeam salutis acceperis et gladium spiritus et, ante omnia,
72 scutum fidei in quo possis omnia iacula maligni ignita exstinguere e. Talibus enim instructus armis uniuersa diaboli
castra omnemque eius fugabis exercitum et cum fiducia
cantabis : *Si consistant aduersum me castra, non timebit cor*
76 *meum ; si insurgat in me proelium, in hoc ego sperabo* f.

2, 3. Congrediuntur ergo duodecim milia aduersum
Madianitas et *interficiunt* inquit *omne masculinum eorum ;*
et reges eorum et Balaam, filium Beor, interfecerunt gladio
80 *cum reliquis uulneratis eorum* g. Quod in superioribus quae-
rebamus, quomodo probari de Scripturis possit Balaam
consilio subornatas esse mulieres Madianitarum quae deciperent filios Israel ad fornicandum, praesens hic Scripturae
84 locus euidenter ostendit dicens eum *peremptum esse gladio*
uelut auctorem scandali quod immissum est filiis Israel.
Dicitur autem de eo et in sequentibus adhuc euidentius hoc
modo : *Et ait ad eos Moyses : cur uiuam reseruastis omnem*
88 *feminam ? Ipsae enim sunt quae filios Israel secundum uer-*
bum Balaam apostatas fecerunt h.

---

c. Si 35, 21   d. cf. Mt 6, 33   e. cf. Eph 6, 14-17   f. Ps 26, 3
g. Nb 31, 7-8   h. Nb 34, 15-16

1. La *Vulgate* emploie le futur *penetrabit* : futur 'fictif', à valeur de présent.
2. La lecture de *Nb* 31, 3-6 a mentionné les préparatifs de cette guerre.
Origène se contente d'y faire allusion.

saint pénètre [1] le ciel [c] ». Comment ne remporterait-elle la victoire sur la terre ? C'est pourquoi il faut se préoccuper par dessus tout de 'chercher d'abord' et de garder 'la justice de Dieu' [d]. Si on l'a trouvée et qu'on la garde, elle soumettra tous les ennemis, à condition que l'on soit, comme dit l'Apôtre, 'revêtu de la cuirasse de justice et ceint de la vérité, à condition qu'on ait pris le casque du salut et le glaive de l'Esprit, et avant tout, le bouclier de la foi avec lequel on puisse éteindre tous les traits enflammés de l'ennemi' [e]. Avec cet équipement, le camp du diable tout entier et toute son armée seront mis en fuite et l'on chantera avec confiance : « Qu'une armée campe devant moi, mon cœur sera sans crainte ; que le combat s'engage contre moi, alors même j'aurai confiance [f] ».

Cause de la mort de Balaam

2, 3. Voilà donc douze mille hommes [2] qui se rassemblent contre les Madianites, et « qui tuent, dit l'Écriture, toute la population mâle ; quant à leurs rois et à Balaam fils de Béor, ils les passèrent par l'épée ainsi que le reste des blessés à mort [g] ». Nous nous demandions précédemment [3] : comment l'Écriture peut-elle prouver que c'est sur le conseil de Balaam que les femmes des Madianites étaient soudoyées pour amener les fils d'Israël à la fornication ? Or le passage actuel de l'Écriture le montre clairement en disant que c'est en tant qu'instigateur du scandale causé aux fils d'Israël que Balaam « a péri par l'épée ». Du reste, à ce propos, dans la suite, et avec encore plus de clarté, l'Écriture s'exprime ainsi : « Et Moïse leur dit : Pourquoi avez-vous laissé la vie à tout le groupe des femmes ? Car ce sont elles qui, selon la parole de Balaam, ont fait apostasier les fils d'Israël [h] ».

---

3. *Précédemment* : cf. *Hom.* XX, 1, 2-3 (p. 17-18), le paragraphe intitulé *Conseil de Balaam*, qui eût aussi bien pu être intitulé *De la séduction à l'idolâtrie*.

2, 4. Interficiuntur autem et reges Madianitarum, atque illi qui prius a mulieribus uicti sunt, nunc expiatione habita et gesta paenitentia, etiam reges uincunt. Ex hoc intellegamus, quantum ualeat conuersio ad Deum, quantum prosit emendatio peccatorum. Omne masculinum, omnes reges Madianitarum uincuntur et perimuntur ab his qui per correptionem Domini et per gestorum paenitentiam correpti sunt et emendati.

3, 1. *Quinque* ergo *reges Madianitarum* referuntur ab Israeliticis militibus superati. Sed et nomina eorum curae fuit Scripturae diuinae memorare. *Euin* inquit *et Rocon et Sur et Vr et Roboc* ᵃ. Isti sunt qui regnant apud Madianitas, quos superare et penitus debet exstinguere omnis qui militat Deo. *Euin* namque beluinus uel ferinus interpretatur. Et quomodo poteris *placere ei qui te probauit* ᵇ, si non abscideris a te et penitus peremeris beluinos et feros mores ? Quomodo poteris ad mansuetorum beatitudinem ᶜ peruenire, nisi prius interficias *Euin* et morti tradas totius iracundiae feritatem. Ego puto quod nomina haec Scriptura diuina non pro historia narrauerit, sed pro causis et rebus aptauerit. Nam putas fuerit aliquis ita stultus qui filio suo nomen Beluinus imponeret ? Sed hoc arbitror magis quod institutioni animarum prospexerit sermo diuinus, uolens nobis ostendere quod aduersum huiusmodi uitia militare debeamus et de habitaculis ea carnis nostrae depellere, istos reges fugare de regno corporis nostri ; quod Apostolus euidentius designat dicens : *Non ergo regnet peccatum in uestro mortali corpore* ᵈ.

---

3. a. cf. Nb 31, 8   b. cf. 2 Tm 2, 4   c. cf. Mt 3, 4   d. Ro 6, 12

---

1. Il s'agit des guerriers israélites.
2. On passe sans indication de la présentation littérale au sens spirituel, de la lutte des guerriers à celle de la vertu.
3. Ces réalités sont celles dont les terrestres ne sont que le miroir.

Efficacité de la pénitence

2, 4. Mais les rois des Madianites aussi sont tués. Quant aux guerriers [1], à ceux qui ont été d'abord vaincus par les femmes, ils ont maintenant expié et fait pénitence. Même sur les rois, ils remportent la victoire. Apprécions par là le prix de la conversion à Dieu, l'utilité de se corriger des péchés. Toute la population mâle, tous les rois des Madianites, sont vaincus et tués par ceux que la sanction du Seigneur et le repentir de leurs actes ont corrigés et redressés.

3, 1. Ainsi donc, des cinq rois de Madian il est rapporté qu'ils ont été vaincus par des soldats israélites. L'Écriture divine a même pris soin de citer leurs noms. Elle nomme Évin, Rocon, Sur, Ur et Roboc [a]. Ce sont ceux-là qui règnent sur les Madianites, ceux-là que tout soldat de Dieu doit vaincre et complètement anéantir [2].

Évin ou la bestialité. Le vice à expulser

Car Évin se traduit par bestial ou sauvage. Comment pourras-tu « plaire au chef qui t'a enrôlé [b] », si tu ne retranches pas en toi et si tu ne supprimes pas complètement les mœurs des bêtes et des sauvages ? Comment pourras-tu parvenir à la béatitude des doux [c], si tu ne tues pas d'abord Évin et ne livres pas à la mort la sauvagerie de toute forme d'irascibilité ? A mon avis, l'Écriture divine n'a pas cité ces noms pour faire de l'histoire, mais pour les rattacher à l'ordre des causes et des réalités [3]. Crois-tu, en effet, qu'il y ait eu quelqu'un d'assez stupide pour donner à son fils le nom de 'Bestial' ? Je pense plutôt que le texte divin s'est proposé d'instruire les âmes : il veut nous montrer que nous devons combattre les vices de cette sorte, que nous devons les expulser de la demeure de notre chair, que nous devons interdire à ces rois l'emprise sur notre corps, comme l'Apôtre l'a clairement indiqué quand il a dit : « Que le péché n'ait pas d'emprise sur votre corps mortel [d] ! ».

3, 2. Vis autem uidere quoniam non solum apud sanctos nomina pro rebus aptantur, sed etiam apud gentiles et bar-
120 baros ? De sanctis quidem notum est cur Abram Abraham uocitatus sit [e] et Sara Sarra [f] et Iacob Israel [g]. Doceamus autem quod mos iste habeatur etiam apud barbaros. Nonne unus ex filiis Israel a parentibus suis Ioseph nomen accepe-
124 rat [h] ? Cum autem transiuit in Aegyptum et stetit ante Pharaonem, commutauit nomen eius et de Ioseph cognomi-nauit eum Psonthomphanec [i], quod lingua sua Pharao de secretorum uel somniorum reuelatione composuit. Et non
128 solum Ioseph huic apud Pharaonem ex re nomen aptatur, sed et Daniel in Babylonia *Balthasar* nominatur et Ananias atque Azarias et Misael *Sidrac, Misac, Abdenago* [j] uocitantur. Vides ergo quia tam Israeliticorum quam etiam barbarorum homi-
132 num nomina non fortuitu, sed pro rebus et causis aptantur in lege. Igitur Madianitarum regem Moyses appellauit, prout ipse censuit appellandum. Beluina, inquit, feritas est, quae regnat in Madianitis, et non ipsa solum, sed et alius est apud
136 ipsos rex nomine *Rocon,* quod est in nostra lingua inanitas. Regnat ergo et inanitas in Madianitarum gente.

3, 3. Est enim reuera multa inanitas et uanitas in hoc mundo, immo et uanitas uanitantium* et omnia uanitas [k],
140 quam Dei miles superare debet et uincere. Vincit autem ina-

---

e. cf. Gn 17, 5   f. cf. Gn 17, 15   g. cf. Gn 35, 10
h. cf. Gn 30, 24   i. cf. Gn 41, 45   j. cf. Dn 1, 7   k. cf. Qo 1, 2

* Sur cette forme en *-tantium*, voir *Index analytique*, p. 381.

1. Abram/Abraham, cf. *Hom. in Gen.* III, 3, *SC* 7 bis, p. 121 ; VIII,1, *id.*, p. 213-215.

2. Les barbares, c'est-à-dire les païens. On notera cette comparaison, qui semble donner comme un bon point à une civilisation païenne.

3. On mesure l'importance du nom chez les anciens en se reportant à PHILON, *De mutatione nominum,* livre qu'Origène n'ignorait pas. D'Abraham, § 65, p. ex., il y est dit : « Abram s'interprète 'père qui s'élève', et Abraham 'Père élu du son' ... Nous expliquons par allégorie l'expression 'qui s'élève', et nous disons : il s'agit de celui qui de la surface de la terre

3, 2. Mais tu veux avoir la preuve que les
Le sens noms correspondent à des réalités non seule-
des noms ment chez les saints [1], mais encore chez les
païens et les barbares ? Prenons les saints : on sait pourquoi
Abram a été appelé Abraham [e], Sara Sarra [f] et Jacob Israël [g].
Mais sachons que cette coutume se pratique aussi chez les
barbares [2]. Un des fils d'Israël n'avait-il pas reçu de ses
parents le nom de Joseph [h] ? Or quand il passa en Égypte et
comparut devant Pharaon, ce dernier changea son nom et
au lieu de Joseph, le surnomma Psonthomphanec [i], nom que
Pharaon forma dans sa langue et qui faisait allusion à la révé-
lation des secrets et des songes. Et il n'y a pas que Joseph à
qui Pharaon applique un nom tiré de l'événement. Daniel
aussi en Babylonie est appelé Balthasar, tandis que Ananias,
Azarias et Misael répondent aux noms de Sidrac, Misac et
Abdénago [j]. Tu vois donc que chez les Israélites aussi bien
que chez les barbares les noms ne sont pas dus au hasard,
mais qu'ils correspondent en droit à des événements et à
des causes [3]. Par conséquent Moïse a appelé le roi des
Madianites du nom qu'il a jugé lui convenir. D'après lui,
c'est la sauvagerie bestiale qui règne chez les Madianites. Et
pas seulement elle, car il y a encore chez eux un autre roi
du nom de Rocon. Dans notre langue, cela veut dire 'inanité'. L'inanité règne donc aussi chez les Madianites.

L'inanité 3, 3. En réalité, il y a beaucoup d'inanité et
de vanité en ce monde, — disons mieux :
« Tout est vanité et vanité de vanités [k] », et c'est elle que le
soldat de Dieu doit surmonter et vaincre. Or il est victo-

s'emporte vers les hauteurs, etc. » Philon est prolixe sur le sujet.
Intéressante conclusion : § 76, « Abraham sur le plan du langage a changé
de nom, sur le plan de la réalité a changé d'état, en passant de l'étude de la
nature à la philosophie morale et en émigrant de la spéculation sur le monde
jusqu'à la science de son Créateur, où il a puisé la plus belle des acquisi-
tions, la piété » (*Œuv. de Philon* 18, trad. R. Arnaldez, p. 63 et 67).

nitatem, qui nihil inaniter, nihil superflue et quod ad rem
non pertinet gerit, qui meminit praecepti illius dominici,
quo ait quia *etiam de uerbo otioso reddent homines ratio-*
144 *nem in die iudicii* [l]. In hac autem uita homines totum paene
otiosum et totum inane est quod loquuntur, quod agunt ;
inanis enim dicitur omnis actus et omnis sermo, in quo non
est intrinsecus aliquid pro Deo uel pro mandato Dei.

148   **3, 4.** Est et alius rex Madian *Vr* et hic interpretatur irri-
tatio. Vides quales sunt qui regnant apud Madianitas, quibus omnibus aduersari oportet, immo quos perimi conuenit
ab his qui Deum sequuntur, et interfici. Non enim tam
152 regum quam uitiorum nomina quae regnant in hominibus,
referuntur in lege et non tam gentium bella quam concu-
piscentiarum carnalium quae militant aduersus animam describuntur.

156   **3, 5.** Denique hi qui in uitiis regnant, *quinque reges* esse
dicuntur, ut euidentissime doceamur quia omne uitium
quod regnat in corpore ex quinque sensibus pendet. Isti ergo
quinque sensus perimendi sunt de regno Madianitarum, ut
160 ultra non uitia regnent per eos, sed iustitia, nec ad scandalum uideant quae uident, sed ad aedificationem. Apud
Madianitas enim sensus isti ad scandalizandum regnabant ut
scandalizarent et deciperent. Et ideo praecepit Dominus ut,
164 *si te scandalizauerit oculus tuus, eruas eum* [m] ; si manus aut
pes, abscidas eum [n]. Vides ergo quia et ipse iubet *abscidi* et
perimi reges scandalizantium. *Melius est* inquit *te luscum*
introire in regnum Dei et mancum aut claudum quam cum
168 *his mitti in gehennam* [o]. In quibus non utique effodiendum

l. Mt 12, 36   m. cf. Mt 5, 29-30   n. cf. Mc 9, 43.44
o. cf. Mc 9, 42.44

rieux de l'inanité quand, en ses agissements, il ne fait rien sans raison, rien sans nécessité, rien sans à propos, quand il se souvient du précepte du Seigneur qui dit que « Les hommes rendront compte, au jour du Jugement, même de toute parole oiseuse [1] ». Or en cette vie, presque tout ce que disent ou font les hommes est oiseux et vain. On dit vaine en effet toute action et toute parole, en laquelle il n'y a rien qui vaille en fonction de Dieu ou de la loi de Dieu.

L'irritation   **3, 4.** Il y a encore un autre roi de Madian, Ur, dont le nom se traduit par 'irritation'. Tu vois le genre des rois qui règnent chez les Madianites ; c'est eux tous que doivent combattre, ou plutôt que doivent détruire les amis de Dieu, et les mettre à mort. Car ce que la loi rapporte, ce sont moins les noms des rois que ceux des vices qui règnent parmi les hommes, et ce ne sont pas tant des guerres de peuples qu'elles décrivent que celles des concupiscences charnelles en lutte contre l'âme.

Les cinq sens — et   **3, 5.** En somme, parmi les vices, **les sens spirituels**   ceux qui détiennent la royauté sont au nombre de cinq, cinq rois au dire de l'Écriture. Apprenons évidemment par là que tout vice qui règne sur le corps dépend des cinq sens. Il faut donc faire périr ces cinq sens au royaume des Madianites, pour que les vices ne règnent plus par leur moyen, mais la justice, et pour que les regards ne se portent plus sur ce qui est scandaleux, mais sur ce qui édifie. Car chez les Madianites, ces sens régnaient pour scandaliser et séduire. Aussi le Seigneur a-t-il prescrit : « Si ton œil te scandalise, arrache le [m] ; si c'est ta main ou ton pied coupe-les [n] ». Tu vois donc que c'est lui-même qui ordonne de couper et d'anéantir les rois de ceux qui scandalisent. « Il vaut mieux, dit-il, entrer borgne au royaume de Dieu, ou manchot, ou boiteux, que d'être jeté avec ses membres dans la géhenne [o] ». Il ne nous pres-

praecipit oculum corporis nostri nec manum aut pedem abs-
cidendum, sed sensum carnalia sentientem et concupiscentiis carnalibus lasciuientem mandat abscidi, ut *oculi nostri*
172 *recta uideant* p et aures nostrae recta audiant et gustus noster *uerbum Dei gustet* q *manusque nostrae palpent et contin-
gant de Verbo uitae* r. Et hoc est in quo peremptis regibus
Madianitarum et scandali affectibus amputatis regnat in
176 nobis iustitia ipse Dominus noster *Iesus Christus, qui factus
est nobis iustitia a Deo et pax et redemptio* s.

3, 6. Igitur ex praecepto Domini filiis Israel aduersum
Madianitas bella confecta sunt, spolia ex ipsis copiosa refe-
180 runtur, auri atque argenti ceterorumque mobilium pondus
immensum, iumentorum captiuorumque numerus plurimus.
Verum quoniam cuncta haec apud Israelitas immunda
ducuntur, purificatio singulis quibusque competens adhibe-
184 tur ; et ea quidem quae ex metallis constant *ignis* purificat,
quae uero fragiliora sunt et ignem non ferunt *aqua* purificari iubentur. Fiunt ergo ex omnibus spoliis aequales duae
partes, ut una sit *eorum qui ad bellum processerant* et alia
188 eorum qui in castris resederant. Iubentur etiam ex his offerre
in dona Dei ; illi quidem *qui processerant ad bellum, unum
caput ex quingentis ;* illi uero qui in castris manserant, *unum
ex quinquaginta ;* atque omnium simul in unum collectus
192 numerus refertur. Haec est historiae continentia.

p. cf. Pr 4, 25   q. cf. He 6, 5   r. cf. 1 Jn 1, 1   s. cf. 1 Co 1, 13

---

1. Ici est esquissée la théorie qui se fixera plus tard sous le nom de
« doctrine des cinq sens spirituels ». Cf. K. RAHNER, « Début d'une doctrine des cinq sens spirituels chez Origène », *Rev. d'Asc. et de Myst.* 1932,
p. 113-145. Dans ce passage de notre homélie, il est facile de relever le sens
de la vue, de l'ouïe, du goût, du toucher, — on ne trouve pas l'odorat, mais
il se trouve ailleurs chez Origène, dans une semblable nomenclature, v.g.
C. Cels. I,48, *SC* 132, p. 205 —. Il ne faut pas s'arrêter à vouloir transpo-
ser symétriquement dans le spirituel le quintuple exercice des sens matériels : telle n'est pas la visée d'Origène. Les sens spirituels sont, pour lui, le

crit pas par là de crever l'œil de notre corps ni de nous couper la main ou le pied, mais il nous demande de retrancher le sens que flatte le charnel et qui se déprave dans les désirs de la chair, afin que nos yeux voient ce qui est droit [p], que nos oreilles entendent ce qui est juste, que notre goût savoure la Parole de Dieu [q], que nos mains palpent et touchent le Verbe de Dieu [r 1].

Voilà comment règne en nous la justice, une fois anéantis les rois madianites et retranchées les passions scandaleuses ; cette justice est Notre Seigneur lui-même « Jésus Christ qui a été fait par Dieu pour nous Justice, Paix et Rédemption [s] ».

Partage du butin ; sens littéral :
Nb 31,9-12 ; 21-47

3, 6. Ainsi donc, sur l'ordre du Seigneur, les fils d'Israël ont achevé la guerre contre les Madianites ; ils en rapportent un important butin, un poids énorme d'or, d'argent et d'autres objets, un nombre considérable de bêtes et de prisonniers. Mais comme tout cela est tenu pour impur chez les Israélites, une purification appropriée est appliquée à chaque espèce d'objet : ce qui est en métal est purifié par le feu ; ce qui est plus fragile et ne supporte pas le feu doit être purifié par l'eau. On fait de l'ensemble du butin deux parts égales : l'une pour ceux qui sont allés à la guerre, l'autre pour ceux qui sont restés au camp. Ordre est donné encore d'en extraire des offrandes à Dieu : pour ceux qui étaient allés à la guerre une tête de bétail sur cinq cents ; pour ceux qui étaient restés au camp, une sur cinquante ; et le nombre total en est consigné. Telle est la teneur de l'histoire.

moyen de l'homme intérieur, — ou de l'âme, — analogique en pensée aux sens matériels, d'accéder à la connaissance complète de son Seigneur, et l'on pourra dire en usant de cette analogie et en la poussant au degré le plus élevé de la connaissance spirituelle, qu'ils peuvent être « les organes d'une connaissance mystique » (RAHNER, *l.c.*, p. 136).

4, 1. Sed uideamus quid in his sensus indicet spiritalis. In populo Dei sunt quidam, sicut Apostolus dicit, qui *militant Deo,* illi sine dubio qui se non obligant negotiis saeculari-
196 bus [a] ; et isti sunt qui *procedunt ad bellum* et pugnant aduersum gentes inimicas et *aduersum spiritales nequitias* [b] pro reliquo populo et pro his qui infirmiores sunt siue per aetatem siue per sexum siue per propositum. Pugnant autem isti
200 orationibus et ieiuniis, iustitia et pietate, mansuetudine et castitate cunctisque continentiae uirtutibus tamquam armis bellicis communiti ; et cum regressi fuerint ad castra uictores, fruuntur laboribus eorum etiam imbelles et hi qui ad
204 pugnam uel non uocantur uel exire non possunt. Sciendum tamen est quod omnia quae sumuntur ex istis gentibus immunda sunt ; et omne fortasse quidquid et hoc saeculo adsumitur uel proelio capitur, immundum est et purifica-
208 tione indiget ; et quaedam ex ipsis *per ignem transitura sunt,* aliis autem sufficiet aquae purificatio [c].

4, 2. Adsumuntur autem ex proelio etiam homines et iumenta, cum *captiuatur omnis intellectus ad oboediendum*
212 *Christo* [d]. Nisi enim pugnauerimus in uerbo Dei, non poterimus *captiuare intellectum* eorum qui diuersa a Christo sentiunt, et perducere eos ad oboedientiam Christi. Pauci sunt tamen qui pugnare possint et proelia ista conficere ; de
216 sescentis milibus et amplius armatorum, qui uidentur mili-

---

4. a. cf. 2 Tm 2, 3-4   b. cf. Ep 6, 12   c. cf. Nb 31, 23
d. cf. 2 Co 10, 5

---

1. « Par décision » : la traduction antérieure : 'par un choix délibéré', pour l'expression *per propositum,* pourrait être comprise par suite de son indétermination comme une sorte de refus du service militaire en question, ce qui n'est pas le cas pour ces gens qui n'ont pas été désignés comme guerriers, mais qui sont restés au camp pour mieux faire la guerre spirituelle.

Sens spirituel :
les soldats de Dieu
et le combat spirituel

4, 1. Mais voyons quelles indications donne ici le sens spirituel.
Dans le peuple de Dieu, il y a ceux,
comme dit l'Apôtre, qui sont sol-
dats de Dieu et qui, bien sûr, ne s'attachent pas aux affaires
du monde [a] ; et il y a ceux qui vont à la guerre, qui combattent contre les nations ennemies et contre les esprits du mal [b]
pour le reste du peuple, pour ceux qui sont empêchés d'aller au combat à cause de la faiblesse de leur âge ou de leur
sexe, ou par décision [1]. Mais ces derniers combattent par les
prières et les jeûnes, par la justice et la piété, par la douceur
et la chasteté, et par toutes les vertus de maîtrise de soi qui
leur servent d'armes de guerre. Et quand les voici revenus
victorieux au camp, même ceux qui sont inaptes à la guerre
profitent de leur peine, ainsi que ceux qui n'ont pas été appelés au combat ou qui n'ont pas pu sortir du camp. Mais il
faut savoir que tout le butin qui est pris à ces nations est
impur. Impur aussi, pourrait-on dire, tout ce qui vient de ce
monde ou qu'on lui enlève en combat. Il y faudra une purification : certains objets auront à passer par le feu, tandis que
pour d'autres il suffira de la purification de l'eau [c].

4, 2. Mais prélever aussi, au combat, des hommes et des
bêtes, « c'est rendre captive toute intelligence pour l'amener
à obéir au Christ [d] ». Car si nous n'avions pas combattu avec
la parole de Dieu, nous n'aurions pas pu rendre captive l'intelligence de ceux que leurs pensées tiennent éloignés du
Christ ni les conduire à l'obéissance au Christ. Cependant
peu nombreux sont ceux qui peuvent combattre et mener à

Leur âge ou leur sexe les fait paraître inaptes aux combats sanglants, suggère le texte, mais aussi *la décision qu'ils ont prise* de combattre spirituellement. Armés du jeûne et de la prière, ils repousseront l'ennemi et auront
droit au butin, comme il est dit dans la suite du texte.

tare Deo, sola *duodecim milia* eliguntur ; ceteri relinquun-
tur in castris. Intuere nunc mihi populum Dei qui est in
Ecclesia, quanti sunt ex his qui possint pro ueritate pugnare,
220 qui possint resistere his qui contradicunt, qui sciant uerbi
bella tractare. Beati sunt isti qui pro omni populo pugnare
possunt et defendere Dei plebem et copiosa de hostibus spolia reportare. Tamen et reliqua pars populi, quae uidetur
224 imbellis, si cum quiete resideat in castris, si in silentio agat
et non recedat a Moyse, sed permaneat in lege Dei, partem
spoliorum etiam ipsa percipiet. Fiet enim aequa portio, non
per numerum quidem, sed quantum datur omni populo reli-
228 quo, tantum et illis duodecim milibus, quibus uincentibus
capta sunt spolia.

4, 3. Quis haec audiens non inuitetur ad militiam Dei ?
Quis non animetur pugnare pro Ecclesia et resistere aduer-
232 sum ueritatis inimicos, eos scilicet qui uel dogmata Ecclesiae
oppugnare uel uoluptati et luxuriae operam dare homines
docent ? Qui ergo hos expugnat et uel in se uel in proximis

---

1. Nous remarquions à la note 1 (p. 192) le gonflement des nombres par
rapport à ceux de la Bible. Ici, Origène fait état de 600 000 soldats et plus
de l'armée de Dieu, [ligne 216 du latin] c'est-à-dire de cet ensemble formé
par les 12 000 choisis comme combattants et par les autres qui restent au
camp. — D'où Origène a-t-il tiré les 600 000 du camp ? Philon a évoqué
plus d'une fois dans son œuvre cette lutte d'Israël contre les Madianites
(*v.g. Vit. Mos.* I, 305-318 ; *Virtut.* 34-46). Sans qu'il soit dit 600 000, il s'agit
de myriades, et chez lui ce sont les ennemis abattus par la force d'Israël qui
les fournissent au récit. Voici, en style de victoire, quelques mots du rapport de Philon sur le combat : *De Virtut.* 43 (*Œuv. de Ph.* 26, p. 53) : « Ces
quelques hommes (d'Israël) se rangèrent pour le combat contre de nombreuses dizaines de milliers d'adversaires ; ...méprisant le danger, ils s'élan-
cèrent sur les bataillons serrés, massacrèrent tous ceux qui se trouvaient sur
leur passage, balayèrent la masse compacte des troupes... si bien qu'au premier assaut ils abattirent des dizaines de milliers d'hommes et ne laissèrent
en vie aucun élément des forces adverses ... Ils ne subirent aucune perte...
et revinrent sans blessures sains et saufs... » Pour le récit, il est normal qu'il

bien ces batailles : sur les six cent mille soldats et plus [1] qui apparaissent dans l'armée de Dieu, douze mille seulement sont choisis, les autres sont laissés au camp. Considère maintenant le peuple de Dieu qui se trouve dans l'Église : combien y en a-t-il parmi eux qui puissent combattre pour la vérité, qui puissent résister aux contradicteurs, qui sachent mener la guerre de la parole ? Heureux ceux qui peuvent combattre pour tout le peuple, défendre le menu peuple de Dieu et rapporter un abondant butin pris à l'ennemi. Quant au reste du peuple, à ceux qui sont impropres à la guerre, s'ils restent tranquillement au camp, s'ils agissent dans le silence, ne s'éloignant pas de Moïse mais restant fidèles à la loi de Dieu, ils reçoivent, eux aussi, une part de butin. Car le partage sera équitable, indépendant du nombre : ce qui est donné à tout le peuple restant est égal à ce que reçoivent les douze mille dont la victoire a permis la capture du butin.

4, 3. A entendre ces propos, qui ne se sentirait appelé à l'armée de Dieu ? Qui ne se sentirait plein d'ardeur à combattre pour l'Église et à résister aux ennemis de la Vérité, à ceux qui assaillent les dogmes de l'Église ou qui donnent aux hommes des conseils de volupté et de luxure ? Celui donc qui

---

en soit ainsi. Mais on a l'impression que le chiffre imputé aux ennemis, calculé en myriades, a passé, chez Origène, du côté de ceux qui sont restés au camp. Chez Philon, ce nombre de myriades ne peut se compter que du côté des ennemis. Mais Origène, qui les compte dans le camp d'Israël, ne l'a pas inventé : en *Nb* 26,51, après le second recensement, les enfants d'Israël y sont au nombre de 601 730 recensés. On peut considérer que le chiffre rond de 600 000 est ordinairement, au cours de ces récits et de ces luttes, symbole d'un grand nombre, et qu'il peut être attribué aux adversaires, d'un côté comme de l'autre. — Puisque nous sommes dans ce genre de calcul, on se reportera avec intérêt aux notes sur *Nb* 31, 1-8 de LA BIBLE D'ALEXANDRIE, LXX, LES NOMBRES, p. 516-519, où est mentionné et présenté par G. Dorival l'emploi de ces nombres chez Origène et les exégètes de son temps.

suis uitia perimit, hic accipiet spolia multa, quinquagiens
236 multiplicata quam ceteri ; in tantum namque numerum
quantitas uidetur augeri, cum sescentis milibus duodecim
milia conferuntur.

4, 4. Offerre tamen pars utraque iubetur Deo. Et illi qui-
240 dem qui uicerunt, *unum ex quingentis* [e] ; qui autem domi
resederunt, *unum ex quinquaginta.* Quingentorum autem et
quinquaginta numerum sanctum esse Scriptura testatur ;
unde et Saluator dicebat in Euangeliis : *Homini cuidam foe-*
244 *neratori erant duo debitores ; unus ex ipsis debebat denarios*
quingentos et alius quinquaginta. Non habentibus illis unde
soluerent, utrisque donauit [f]. Sed et septem septimanae
monada, id est uno addito, quinquagesimae diem faciunt,
248 quae Pentecostes festiuitas appellatur. Similiter et septua-
ginta septimanae, addita unius decadis perfectione, quingentorum numerum reddunt. Sed quanto plures sunt sep-
tuaginta septimanae quam septem, tanto praestantior et
252 perfectior numerus quingentorum quam quinquaginta. Inde
denique et in parabola Euangelii, quam supra proposuimus,
Saluator noster pronuntiat quod *plus diligat* ille cui *quin-*
genti, quos debebat, *denarii* donati sunt, quam ille cui *quin-*
256 *quaginta.*

5, 1. Denique in praesenti lectione, *Eleazar sacerdos* non
scribitur ad omnem populum locutus, sed *ad eos* tantum *qui*
de proelio redeunt. Ait enim : *Et dixit Eleazar sacerdos ad*

---

e. cf. Nb 31, 28   f. Lc 7, 41-42

1. Arithmétiquement, cela s'écrira : 50 × 12 000 = 600 000 (c.q.f.d !).
2. Nous avons déjà rencontré ces nombres sacrés ; voir *Hom.* V, 2, 2,
T. I, *SC* 415, p. 128-129, les notes.

les attaque et qui, soit en lui-même soit dans ses proches, tue les vices, celui-là recevra un abondant butin, cinquante fois plus que les autres ; car c'est d'autant qu'il faut multiplier le nombre lorsqu'on passe de douze mille à six cent mille [1].

Offrandes à Dieu.
Les nombres sacrés

4, 4. Cependant, chacune des fractions reçoit l'ordre de faire des offrandes à Dieu. Ceux qui ont remporté la victoire, sont tenus d'offrir « un cinq centième », mais ceux qui sont restés chez eux « un cinquantième » [e]. Or, les nombres de cinq cents et de cinquante sont, au témoignage de l'Écriture, des nombres sacrés [2]. En fonction de quoi, le Sauveur disait dans les Évangiles : « Un créancier avait deux débiteurs, l'un devait cinq cents deniers, l'autre cinquante ; comme ils n'avaient pas de quoi rendre, il leur remit la dette à tous deux [f] ». D'autre part, sept semaines, à quoi s'ajoute une monade, c'est-à-dire un, font le jour de la quinquagésime, à laquelle on donne le nom de fête de la Pentecôte. De la même façon, soixante-dix semaines en leur ajoutant la perfection d'une seule décade donnent le nombre de cinq cents [3]. Mais autant soixante-dix semaines comptent plus que sept, autant le nombre de cinq cents dépasse-t-il celui de cinquante pour l'excellence et la perfection. Et c'est pourquoi, dans la parabole de l'Évangile à laquelle nous venons de faire allusion, notre Sauveur déclare que celui à qui il remet la dette de cinq cents deniers aime davantage que celui à qui il en remet cinquante.

Les hommes
valeureux

5, 1. Pour en revenir à la présente leçon, il n'est pas dit que le prêtre Éléazar s'est adressé à tout le peuple, mais seulement à ceux qui reviennent du combat. Il est écrit en effet : Et le

---

3. Ici, en chiffres, on lira plus commodément : $7 \times 7 = 49 + 1 = 50$ nombre sacré ; et : $70 \times 7 = 490 + 10 = 500$ nombre (super)sacré.

260   *uiros uirtutis qui reuertebantur de proelio* [a]. Vides ergo quomodo *ad uiros uirtutis* loquitur sermo Dei. *Viri* enim *uirtutis* sunt *qui ad bellum procedunt.* Si qui uero pugnare
non uult nec militare, si qui non uult habere certamen
264   studiorum diuinorum et abstinentiae, hic non uult implere
illud quod Apostolus dixit : *Qui autem in agone contendit,
ab omnibus continens est* [b]. Qui ergo non *contendit in agone*
et *ab omnibus* non *est continens* neque exerceri uult in uerbo
268   Dei et *in lege Domini meditari die ac nocte* [c], hic etiamsi uir
dicatur, *uir* tamen *uirtutis* non potest appellari. At uero hic
de quo nunc sermo est Scripturae diuinae, qui spolia de hostibus refert, *uir uirtutis* appellatur ; hoc est enim laudis eius
272   insigne, quod Scriptura dicit quia *locutus est Eleazar sacerdos ad uiros uirtutis, qui reuertebantur ex proelio.*

    Quis nostrum ita paratus est ut *procedat ad bellum* et
contra aduersarios dimicet, ut et ipse *uir* possit appellari *uir-*
276   *tutis ?* Sicut autem uita continens et abstinentiae labor atque
agonum certamina faciunt unumquemque *uirum uirtutis*
appellari, ita e contrario remissa uita ac neglegens et ignaua
facit uirum ignauiae appellari. Si ergo uis *uir* appellari *uir-*
280   *tutis, indue te Christum Dominum* [d], qui est *Dei uirtus et
Dei sapientia* [e], et in omnibus adiunge te Domino ita ut *unus*
cum eo *spiritus* fias [f], et tunc *uir uirtutis* efficieris.

---

5. a. Nb 31, 21   b. 1 Co 9, 25   c. cf. Ps 1, 2
d. cf. Rm 13, 14   e. cf. 1 Co 1, 24   f. cf. Ep 4, 4

---

    1. G. Dorival, *l.c.* p. 525, *n.* 31, 21, dit justement que, dans l'expres-
sion de 'uiros *uirtutis*' employée pour désigner les hommes du combat,
Origène a trouvé le point de départ de son interprétation allégorique. Le
mot de '*uirtutis*' ne prend pas immédiatement le sens facile de 'vertu' ainsi
que l'assonance du français le laisserait croire ; car la '*dunamis*', ici, c'est
l'« armée », comme l'ont bien traduit Rufin et la Vulgate : *exercitus.* Le
prêtre Éléazar s'adresse aux hommes de l'armée, c.-à-d. à ceux qui ont combattu et qui reviennent de la bataille avec le butin. Mais ces hommes ont
manifesté leur courage en partant pour la guerre alors qu'ils pouvaient ne
pas le faire, § 5,1. Ainsi, les voilà entrés dans l'ordre moral, les voilà adeptes

prêtre Éléazar dit « aux hommes valeureux qui revenaient du combat [a] [1] ». Tu vois donc que la parole de Dieu est adressée « aux hommes valeureux », car sont « hommes valeureux » ceux qui partent pour la guerre. Si quelqu'un ne veut pas se battre ni faire la guerre, s'il ne veut pas se mesurer avec des adversaires en des questions de science divine ou d'abstinence, alors celui-là refuse de se plier au conseil de l'Apôtre qui dit : « Tout athlète qui se prépare au combat se prive de tout [b] ». Ainsi donc celui qui ne se prépare pas au combat, qui ne se prive de rien, qui ne veut pas s'exercer à la parole de Dieu « ni méditer jour et nuit sur la loi du Seigneur [c] », celui-là, quand bien même on l'appellerait 'homme', ne peut cependant pas être appelé « homme valeureux ». Mais celui dont il est question maintenant dans l'Écriture divine, celui qui rapporte les dépouilles de l'ennemi, celui-là est appelé « homme valeureux ». Tel est en effet l'éloge remarquable que l'Écriture lui décerne quand elle dit que « le prêtre Éléazar adressa la parole "aux hommes valeureux" qui revenaient du combat ».

Qui d'entre nous est ainsi prêt à partir en guerre et à lutter contre les ennemis, pour mériter lui aussi d'être appelé « homme valeureux » ? Mais si une vie austère, si la fatigue de l'abstinence, si la joute des combats de l'esprit donnent droit au titre « d'homme valeureux », inversement une vie paresseuse, négligente et lâche ne sert qu'à se faire donner l'appellation d'homme de lâcheté. Si donc tu veux porter le titre « d'homme valeureux », revêts-toi du Christ Seigneur [d], qui est 'Puissance' de Dieu et Sagesse de Dieu [e], et en tout point, unis-toi au Seigneur de manière à ne faire qu'un Esprit avec lui [f], et alors tu deviendras « un homme valeureux ».

du règlement de l'athlète paulinien qui se prive de tout pour mieux combattre l'esprit du mal. L'interprétation allégorique désormais va son train. Quant à nous traducteur du traducteur Rufin, nous avons opté pour le mot « valeureux » afin de traduire en un seul mot la double valeur en un même athlète de la force physique et de la force morale.

5, 2. Tempus igitur belli nobis est in hoc mundo, pugna
aduersus Madianitas est, siue aduersum uitia carnis nostrae,
siue aduersum contrarias potestates. Spectat nos angelorum
chorus et uirtutum caelestium pia erga nos pendet exspectatio, quando uel quomodo de hoc proelio redeamus, quid
unusquisque nostrum manubiarum reportet, et intuentur
curiosius ac sollicitius perscrutantur, quis nostrum auri hinc
amplius ferat, quis etiam argenti illuc pondus exhibeat, quis
uel lapides deferat pretiosos. Requirunt etiam, si quis *aes*
deferat aut *ferrum* aut *plumbum,* sed et uas ligneum si forte
aliquis aut fictile aut aliud huiusmodi *magnae domus* usibus
necessarium. *In magna* enim *domo non sunt tantummodo
uasa aurea et argentea, sed et lignea et fictilia* [g]. Requiritur
ergo diligenter, cum abierimus illuc, quid unusquisque nostrum deferat, et secundum ea quae detulerit, secundum quod
labor eius pro contemplatione exuuiarum probatur, etiam
mansionis ei meritum deputabitur. Probantur tamen omnia
haec, quae *per ignem, per ignem,* et quae *per aquam, per
aquam ; uniuscuiusque* enim *opus quale sit, ignis probabit* [h].

6, 1. Propterea ergo ait : *Haec est iustificatio legis quam
constituit Dominus Moysi ; praeter aurum et argentum et*

---

g. 2 Tm 2, 20   h. 1 Co 3, 13

1. Avec les anges, nous passons, comme d'ordinaire, du temps vécu au
temps à venir. L'eschatologie habite Origène, elle est comme un constituant
de sa pensée. Rien ne se fait qui ne tende à cette fin commune où le Christ
récolte les intérêts de sa venue ici-bas. Quand donc la guerre a pris fin,
cette guerre contre les Madianites qui représente, par l'allégorie, toute notre
vie d'homme, les anges, qui ont présidé aux combats, sont encore là et suivent avec attention les opérations de rentrée dans les demeures éternelles.
Quelque anthropomorphique que soit la description de cette entrée, et dont
Origène n'est pas dupe, on lira d'un œil amusé ce retour du combat, § 5,2,
avec des guerriers au sac bourré de richesses, qu'il leur reste à partager. Sur
les balcons du ciel où ils se sont hissés, les anges surveillent le défilé et le
partage, ils épient la part que chacun se donne et font la chasse, — Origène
semble nous donner le droit de parler de la sorte, — aux resquilleurs. Le

**Attitude des anges
au retour du butin**

5, 2. C'est donc un temps de
guerre que nous vivons en ce monde ;
il faut combattre les Madianites,
c'est-à-dire les vices de notre chair aussi bien que les puissances adverses. Le chœur des anges nous regarde [1], les puissances célestes sont pour nous dans une pieuse attente, elles guettent le retour du combat, elles observent comment nous revenons, quelle quantité de butin chacun rapporte. Elles regardent avec plus d'intérêt, elles cherchent à savoir plus soucieusement qui d'entre nous tire de là et porte la plus grande quantité d'or, qui exhibe le poids d'argent le plus lourd, qui même emporte les pierres précieuses. Elles cherchent également si quelqu'un n'emporte pas du bronze, du fer ou du plomb, voire un ustensile de bois et même d'argile, ou tout autre objet nécessaire au ménage dans une grande maison. Car « dans une grande maison, il n'y a pas seulement des vases d'or et d'argent, mais il en est aussi de bois et d'argile [g] ». Il y aura donc une enquête sévère, lorsque nous serons allés là-bas, sur ce que chacun de nous rapporte ; et il lui sera attribué, selon ce qu'il aura rapporté et selon l'effort attesté par les dépouilles qu'il exhibera, le droit à une demeure. Tout cela cependant subit l'épreuve, épreuve du feu pour ce qui va au feu, épreuve de l'eau pour ce qui va à l'eau ; car « s'il s'agit de la qualité de l'œuvre de chacun, le feu en fera l'épreuve [h] ».

**La purification
du butin**

6, 1. C'est pourquoi il est dit : « Voici
la règle de la loi que le Seigneur a ordonnée à Moïse : en plus de l'or, de l'argent,

---

tableau est pittoresque. — Les anges ont été présents dans six des vingt-huit *Homélies sur les Nombres* (V, XI, XIII, XXIII, XXIV, XXV) ; nous ne les retrouverons plus dans la suite. Mais il y a dans les six mentionnées de quoi fonder une partie de ce que J. DANIÉLOU a désigné comme la doctrine d'Origène sur les anges, *Origène*, Paris, La Table Ronde 1948, 3e partie, chap. 2, p. 219 s.

304 *aeramentum et ferrum et plumbum et stannum, omnis res*
quae transit per ignem, traducite per ignem et mundabitur,
sed et in aqua purificationis purificabuntur; omnia, quae-
cumque non transeunt per ignem, transibunt per aquam. Et
308 *lauabitis uestimenta uestra die septima, et mundi eritis; et*
post haec introibitis in castra ᵃ. Vides quomodo purificatione
indiget omnis qui exierit de proelio uitae huius. Quod si ita
est, ut aliquid audeam dicere secundum Scripturae auctori-
312 tatem, omnis qui exit de hac uita non potest esse mundus.

Considera enim diligenter quid indicet historiae textus.
Exierunt isti pugnare pro filiis Israel, interfecerunt
Madianitas ; interficientes autem eos, quantum ad historiae
316 ordinem spectat et litteram legis, placuerunt Deo — uoluntatem namque Dei impleuerunt —, tamen hoc ipso quod
interfecerunt aduersarios, immundi dicuntur effecti et propterea dicitur ad eos : *Et lauabitis uestimenta uestra die sep-*
320 *tima, et mundi eritis; et post haec introibitis in castra* ᵇ. Ergo
hi qui pugnant, pro eo ipso quod contigerunt hostes
immundos et quod congressi sunt contra eos et habuerunt
cum iis certamen, polluti sunt.

324 **6, 2.** Et ego ergo, etiamsi uincere potuero diabolum,
etiamsi cogitationes immundas et malas quas cordi meo suggerit, uel repellere uenientes uel ingressas necare intra me,
ne ad effectum perueniant, quiuero et si calcare potuero
328 caput draconis ᶜ, hoc ipso tamen pollui me et inquinari
necesse est, quo eum, qui pollutus est et inquinatus, calcare
contendi. Et ero quidem beatus quod eum superare potui,

---

6. a. Nb 31, 21-24   b. Nb 31, 24   c. cf. Gn 3, 15

1. Ici, un de ces passages où Origène se met en scène et où l'on croit
surprendre, hors des réflexions théoriques du commentateur de la vie spirituelle, quelque chose de sa vie personnelle, — certains traits furtifs que

du bronze, du fer, du plomb, de l'étain, toute chose qui va au feu faites-la passer par le feu et elle sera purifiée ; mais ces choses seront aussi purifiées par l'eau de purification ; tout ce qui ne passe pas par le feu, passera par l'eau. Et vous laverez vos vêtements le septième jour et vous serez purs. Puis vous entrerez au camp [a] ». Par là, tu comprends qu'en quittant le combat de cette vie, on a besoin de purification. Et s'il en est bien ainsi, — je recours à l'autorité de l'Écriture pour oser m'exprimer ! — personne, au sortir de cette vie, ne peut être pur.

Considère en effet attentivement les indications histo-riques du texte. Ils sont sortis combattre du côté des fils d'Israël, ils ont tué des Madianites. En les tuant, si l'on s'en tient à la suite de l'histoire et à la lettre de la loi, ils ont été agréables à Dieu — car ils ont fait la volonté de Dieu — ; et cependant du fait qu'ils ont tué des ennemis, ils sont décla-rés impurs. Voilà pourquoi il leur est dit : « Vous laverez vos vêtements le septième jour, et vous serez purs ; puis vous entrerez au camp [b] ». Ainsi, les combattants ont été souillés pour s'être mis au contact avec des ennemis impurs, pour avoir marché contre eux et s'être battus avec eux.

**Au sens spirituel :
purification
après la victoire
sur le démon**

6, 2. Moi aussi [1], même si j'ai pu vaincre le diable, même si j'ai pu repousser les pensées impures et mau-vaises qu'il me suggère, ou détruire celles qui étaient entrées en moi pour les empêcher de produire leurs effets, même si j'ai pu « pié-tiner la tête du dragon [c] », cependant, inévitablement, j'ai été souillé et je suis devenu impur du fait qu'il m'a fallu lutter pour fouler aux pieds celui qui est souillure et impureté. Certes, je suis content d'avoir pu le vaincre, il n'empêche

d'aucuns ont voulu parfois qualifier de mystiques, et que lui-même a dit ici appartenir à « l'ordre ineffable », § 6,2.

immundus tamen sum et pollutus qui pollutum contigi, et
332 ob hoc purificatione egeo. Idcirco nimirum et Scriptura dicit
quia *nemo mundus a sorde* ᵈ. Omnes ergo purificatione indi-
gemus, immo purificationibus ; multae enim et diuersae nos
manent purificationes. Sed mystica haec sunt et ineffabilia.

336   **6, 3.** Quis enim nobis enarrare poterit quae sunt purificationes, quae parentur Paulo uel Petro uel aliis horum similibus, qui tantum pugnauerunt, tot gentes barbaras deleue-
runt, tot hostes prostrauerunt, tanta spolia, tot triumphos
340 ceperunt, qui cruentis manibus de caede hostium redeunt,
quorum *pes tinctus est in sanguine* ᵉ, et *manus suas lauerunt
in sanguine peccatorum* ᶠ ? *Interfecerunt* quippe *in matutinis
omnes peccatores terrae* ᵍ et *imaginem eorum exterminaue-*
344 *runt de ciuitate Domini* ʰ. Vicerunt quippe et peremerunt
diuersas daemonum gentes. Nisi enim uicissent eas, non
potuissent capere ex iis captiuos, omnem hunc credentium
numerum, et *perducere eos ad oboedientiam Christi* ⁱ et sub-
348 dere eos *iugo* eius *suaui* et imponere iis *onus* eius *leue* ʲ. Quis
ergo ita beatus est qui succedat iis in his proeliis et interfi-
ciat omnes Madianitas et iustificetur ex sanguine eorum ?
Sanguinem enim daemonum fundere dicitur, qui eripit eos
352 quibus illi dominantur. Lauabitur autem ab hoc sanguine et
purificabitur in regno Dei, ut purificatus et mundus effectus possit ingredi sanctam ciuitatem Dei, aperiente sibi
ostium Christo Iesu Domino nostro, immo qui est *Ostium*
356 ipsius ciuitatis Dei ᵏ, *cui est gloria in saecula saeculorum.
Amen* ˡ !

---

d. Jb 14, 4   e. cf. Ps 67, 24   f. cf. Ps 67, 11   g. cf. Ps 100, 8
h. cf. Ps 72, 20   i. cf. 2 Co 10, 5   j. cf Mt 11, 30   k. cf. Jn 10, 9
l. cf.Ga 1, 5

que je suis impur et souillé pour avoir eu contact avec une souillure : c'est ce qui fait que j'ai besoin de purification. Et c'est certainement la raison pour laquelle l'Écriture dit qu'en « sortant de l'ordure, personne n'est pur [d] ». Nous avons donc tous besoin d'une purification, disons mieux de plusieurs purifications ; car nombreuses et variées sont les purifications qui nous attendent. Mais ce sont là des choses mystérieuses et d'ordre ineffable.

6, 3. Qui pourra nous détailler, en effet, les purifications qu'on découvre chez Paul, chez Pierre ou chez tout autre de ceux qui leur ressemblent ? Ils ont mené tant de combats, détruit tant de nations barbares, abattu tant d'ennemis, saisi tellement de butin, reçu tant de triomphes ! Ils reviennent les mains couvertes du sang des ennemis ; leur pied est teint de sang [e] et ils ont lavé leurs mains dans le sang des pécheurs [f]. A coup sûr, c'est qu'ils ont tué au matin tous les pécheurs de la terre [g] et banni leur image de la cité du Seigneur [h]. Ils ont vaincu et anéanti les diverses races de démons. S'ils ne les avaient pas vaincues, ils n'auraient pas pu leur prendre leurs captifs, toute cette masse des croyants, les conduire à l'obéissance au Christ [i], les soumettre à son joug qui est doux, et leur imposer son fardeau qui est léger [j].

Qui donc est assez heureux pour leur succéder dans ces combats, pour tuer tous les Madianites et se trouver justifié de leur sang ? On dit en effet qu'il répand le sang des démons, celui qui leur arrache ceux sur qui ils étendent leur domination. Mais il sera lavé de ce sang et purifié dans le Royaume de Dieu, car il doit pouvoir entrer, purifié et net de toute souillure, dans la sainte cité de Dieu, où le Christ Jésus Notre Seigneur lui ouvre la porte. Disons plutôt que le Christ est lui-même la porte [k] de la cité de Dieu. A Lui, la gloire dans les siècles des siècles. Amen [l] !

HOMÉLIE XXVI

HOMÉLIE XXVI
(*Nombres* 31-32)

NOTICE

Après le combat
L'Héritage au-delà du Jourdain

Distinguons trois visées dans cette homélie : **être combattant, — récuser le sens littéral, — accéder à la Terre promise**. Origène suit l'ordre des deux chapitres 31 & 32 du *Livre des Nombres*, mais saute ce qui ne convient pas à sa réflexion spirituelle.

I. Être combattant

Selon l'histoire, les Hébreux sont alors aux prises avec les Madianites. Vaincus, on l'a vu dans l'homélie précédente, ils entament, sur ordre de Dieu, une revanche qui doit leur assurer la victoire. Origène s'intéresse à l'élite des combattants (§ 1,1) et à la diversité des non-combattants (§ 1,2) : c'est que, dans son esprit ultra-symbolisant, l'ennemi étant invisible est partout, et la foi et la vertu sont les armes du combat (§ 2,1) ; tous peuvent donc combattre, chacun selon sa place. La stratégie de cette guerre se détermine dans la profondeur des âmes.

Condition pour vaincre : s'entendre les uns avec les autres, s'accorder, comme on accorde en musique les cordes d'une lyre pour produire une agréable mélodie (§ 2,3). Sobre de métaphores, Origène a risqué celle-là pour encourager son combattant à faire partie de l'élite des guerriers (§ 2,3) et le faire reconnaître tel selon Dieu (§ 2,4). Moyennant quoi, il pourra vaincre les Madianites — entendons les esprits du mal — et, pour prendre l'expression biblique de notre homélie, « tuer tous les pécheurs de la terre ».

La guerre produit du butin. Les objets s'entassent : colliers d'or, bracelets, bagues, ... : chaque pièce nous procure l'occasion d'un sens symbolique : bracelets et bagues, les bonnes actions ; colliers, la Sagesse (§ 2,5)... L'ensemble doit être partagé. Cela se fait à la satisfaction de Dieu, à qui l'on a su réserver sa part, mais qui ne se laisse pas acheter par de l'or (§ 2,5), et au profit des hommes qui « se parent des vertus de l'âme et des ornements de la piété » (§ 2,6).

II. Le sens littéral

En deuxième visée, nous sommes à la porte de la Terre Promise. Les tribus sont prêtes à franchir le Jourdain. La Bible signale que deux tribus et demie — Ruben, Gad et moitié de Manassé — ne font pas corps avec les autres. Dans un premier temps, elles refusent de passer le fleuve. La chose est embarrassante : il va falloir l'expliquer. Origène sait qu'il le fera grâce à l'intelligence spirituelle. Mais avant d'en venir à elle, il sent le besoin, pour les lecteurs, de justifier cette interprétation de l'Écriture : il le fera en humiliant l'intelligence littérale.

Quand on lit un écrit, il faut savoir qui l'a écrit. Un enfant, un ignorant, un vieillard ou un savant n'écrivent pas de la même façon. Il y a plus en ce que dit un vieillard qu'en ce que dit un enfant (§ 3,1). Or l'Écriture est dictée par l'Esprit Saint : il faut en tenir compte, et savoir qu'au-delà du sens littéral se cachent les mystères de l'Esprit (§ 3,2) ; le sens littéral en lui-même ne donne rien ; ce sont les intentions de Dieu qu'il faut découvrir.

Au cours du § 3,3, Origène explicite par un long exemple, l'impuissance du sens littéral à révéler les intentions divines. Il cite, en le découpant en petites unités, presque tout le texte des *Nombres* qui regarde le problème qu'il veut traiter (*Nb* 32). Chacune de ces unités porte en soi son sens littéral facile à suivre, mais aucune ne soulève le voile qui couvre le texte de Moïse (§ 3,4). C'est dans les régions d'en haut, dans les élévations de l'esprit, que se trouve le sens de ce qui est dit, ou mieux, les intentions du Saint-Esprit (§ 3,5). C'est là que ces textes devraient nous conduire. A quoi bon, alors, avoir lu tous ces textes à la lettre, puisqu'ils ne nous ont rien apporté sur le sens que nous attendions ? Et puisque, par l'Évangile du pauvre Lazare auquel Origène avait fait appel (§ 3,2-3), il nous est recommandé de lire Moïse comme un antidote pour les supplices de l'au-delà, apprenons à lire Moïse pour que « notre âme n'ait pas à pleurer » en restant au sens littéral (§ 3,4), et prions pour que, sous le voile de Moïse, les grands mystères du Père, du Fils et de l'Esprit nous inondent de leur lumière (§ 3,5).

III. Accéder à la Terre Promise

Avec § 4,1, on attaque la troisième partie de l'homélie. « En avant ! » (§ 3,5) a dit Origène. Et voilà que les douze tribus, ayant quitté l'Égypte et traversé le désert, touchent à la Terre Promise : bel héritage qu'il va falloir se partager !

Comprenons d'abord le double symbolisme de cette action. C'est un départ pour une vie nouvelle, une conversion ; on quitte le bruit du monde, on traverse le désert propice au silence et au calme en étudiant la loi divine ; on en vient à franchir le Jourdain — recevoir le baptême — et on entre dans la Terre Promise, l'héritage. Apparaîtra dans ce § 4,1, la perspicacité d'Origène s'instituant maître de vie spirituelle. Que de contemplatifs ont traversé son désert ! — L'autre symbolisme, qui ne le retiendra pas beaucoup, est d'assimiler la sortie d'Égypte à la sortie de ce monde, à la découverte de demeures mystérieuses, telle le Paradis, telle le sein d'Abraham, par lesquelles passe l'âme croyante qui se dirige dans l'au-delà vers le Fleuve qui réjouit la Cité du Dieu vivant. C'est sa part d'héritage.

Elles étaient douze tribus au départ — douze, ce chiffre parfait englobe le genre humain tout entier (§ 4,2) ; mais elles sont deux et demie qui refusent de passer le Jourdain : leurs vastes troupeaux les retiennent (§ 4,3). Leurs guerriers cependant, sur les reproches de Moïse, passeront le fleuve et viendront à l'Ouest aider les autres à finir la conquête, ce qui leur donnera le droit d'entrer en possession de l'héritage (§ 5,1). L'histoire est simple, mais avec Origène, tout prend figure de symbole.

Voici par exemple : si les deux tribus et demie sont les premières à s'installer, avant d'arriver, c'est qu'elles ont, dans la nomenclature d'Israël, la qualité de premiers-nés (§ 4,2). Mais si elles n'ont pas réussi à atteindre la terre où coulaient le lait et le miel, c'est que leurs hommes sont restés trop près de leurs bêtes, sans sortir de cet état d'homme psychique stigmatisé par S. Paul, d'homme animal privé de cet honneur qu'est l'intelligence (§ 4,3). Ceux des autres tribus, au contraire, moins attachés à leur bétail, ont emmené avec eux femmes et enfants pour passer le Jourdain ; ils se sont mis sous la conduite de Josué, qui porte opportunément pour Origène le nom de Jésus, lequel leur apporte la foi au Christ, et c'est précisément cela, la Terre Promise (§ 4,4).

Origène fait remarquer ensuite que la Terre Promise n'est pas n'importe quelle terre ; elle n'est pas l'aride qui dominait au commencement et dont l'Écriture n'a jamais fait l'éloge, puisque c'est le lieu d'exil d'Adam coupable, elle est la terre du cent pour un, la terre promise aux doux, la terre qu'on ensemence de la parole de Dieu pour une belle moisson (§ 5,3). En poussant plus haut dans l'ordre des réalités, elle est la terre des Vivants, c'est-à-dire de ceux qui ont quitté l'Égypte de ce monde, car ils vivent dans l'au-delà, de ceux qui ont marché avec Moïse, comme de ceux qui se sont mis sous les ordres de Josué/Jésus, ceux de la Loi aussi bien que ceux de la Foi (§ 5,4).

Mais pourquoi la séparation des deux camps ? Origène trouve la réponse dans l'*Épître aux Hébreux* (§ 6,1) : il fallait attendre que tous se réunissent, que tous ensemble atteignent à la perfection, que ceux de Moïse viennent rejoindre ceux de Jésus. Il ne fallait pas que sans les premiers, les seconds atteignent à la possession des biens ; c'eût été comme une injustice. Tous, ayant donc finalement passé le Jourdain et lutté ensemble, doivent ensemble jouir du lait et du miel de la bonne terre, recevoir en héritage le royaume céleste dont Jésus Notre Seigneur assure le partage.

Pour finir, deux paragraphes : — l'un qui associe aux efforts du temps présent ceux des temps anciens, ceux des patriarches, des écrivains, ... (§ 6,2). Ils sont de la même armée, ils ont marché en avant, ouvrant la voie, en première ligne ; — l'autre, qui est une sorte de condensé de vie spirituelle qui transpose à la vie de l'âme les avantages procurés par l'héritage de la Terre Promise. Mais Origène sait que toutes les âmes ne sont pas fortes. Il songe à ceux que S. Paul traite de « Galates insensés », ces âmes qui n'ont pas su quitter les troupeaux, âmes pourtant capables de Dieu (§ 6,1), mais qui n'atteindront pas les biens intérieurs pour lesquels elles sont faites.

Que Jésus-Christ nous aide à atteindre le Trône de Dieu dans la Cité du Dieu vivant (§ 6,2) !

HOMILIA XXVI

De summa numeri filiorum Israel

1, 1. Differentias esse profectus et meritorum in populo fidelium, si qui diligentius intendat lectioni, multis in locis diuinis in uoluminibus deprehendet. Non minus autem haec
4 et ex praesenti lectione colligimus de eo quod scriptum est : *Et accesserunt ad Moysen omnes qui constituti erant principes per tribus in exercitu, tribuni et centuriones, et dixerunt ad Moysen : nos pueri tui collegimus summam uirorum bellato-*
8 *rum nostrorum, et non dissensit ex nobis quisquam ; et obtu-*

---

1. *Principes per tribus in exercitu, tribuni et centuriones.* Le vocabulaire de Rufin concernant l'armée est celui d'un romain : *principes* (kathesta-menoi LXX), chefs au plus haut niveau ; *tribuni*, chefs-de-mille (chi-liarques) ; *centuriones*, chefs-de-cent (hékatontarques). Mais si les mots chez Rufin sont romains, les charges ou fonctions sont loin de se ressem-bler en Israël et à Rome. A Rome, une légion comptait six mille hommes avec six tribuns à leur tête ; la centurie était la plus petite unité ; il en fal-lait six avec trois centurions pour faire une cohorte, dix cohortes faisant la légion. Chez les Hébreux, selon le rédacteur des *Nombres*, l'armée com-prenait douze mille hommes, — mille par tribu —, les douze tribus étant mises à contribution de manière égale. Nous ne voulons ici qu'élucider le vocabulaire de Rufin qui s'impose à notre traduction. Mais on trouvera, pour satisfaire une curiosité « militaire », une idée exacte et suffisante de l'armée des Hébreux, de ses divisions organiques, de son vocabulaire, dans l'*Introduction* de G. DORIVAL à BA IV, p. 162-167. Origène, que la hié-rarchie entre les chefs militaires intéresse peu, va tirer du texte biblique des enseignements moraux et mystiques qui s'appliquent aux différentes caté-gories des hommes ici-bas et, par l'allégorie, à la vie future en l'autre monde. Les grandes catégories auxquelles on va avoir affaire dans les para-graphes qui suivent sont celles des combattants et des non-combattants, et parmi les premiers de l'élite d'entre eux.

HOMÉLIE XXVI

Après le combat. L'Héritage au-delà du Jourdain

Différentes catégories de combattants 1, 1. Au sein du peuple fidèle, les progrès et les mérites sont différents, comme on peut s'en rendre compte à la lecture attentive de bien des passages des Livres divins. Cela ne nous apparaîtra pas moins à la lecture d'aujourd'hui, où se situe ce passage : « Tous ceux qui avaient été établis comme chefs de tribus dans l'armée, les tribuns et les centurions [1], s'approchèrent de Moïse et lui dirent : Nous, tes serviteurs, avons rassemblé l'élite de nos combattants. Et il n'y a pas eu de désaccord entre nous [2] : nous

---

2. *Et non dissensit ex nobis quisquam*. « Et nous avons tous été du même avis. » Cette traduction, qui nous paraît être l'interprétation d'Origène, demande des explications. Car toutes les Bibles d'aujourd'hui, traduites d'après l'Hébreu, mentionnent le compte des combattants, auquel s'ajoute immédiatement la réflexion : 'et il n'en a manqué aucun' (Crampon, BJ, TOB, Osty, Pléiade). Et de son côté, G. DORIVAL, traducteur de la Septante, dit : 'Pas un d'entre eux n'a fait défaut'. En somme, tous les soldats sont revenus du combat sains et saufs. Mais la lecture de l'homélie, un peu plus loin, nous force à penser qu'Origène a adopté une autre signification. La LXX, en effet, emploie le verbe grec διαφωνεῖν, « être en désaccord », et les Hexaples d'Origène signalent une variante qui nous renvoie au sens d'« être séparé ». Si l'on se demande sur quoi il n'y a pas eu de désaccord (ou quelle est la chose qui n'a pas été séparée), la lecture de la suite, et spécialement, *infra*, le § 2,2, p. 229-231, nous fait comprendre que c'est la part du butin qui revient au Seigneur. Citant cette interprétation d'Origène, G. DORIVAL a parfaitement écrit dans sa note : « l'élite des combattants offre à Dieu, dans un parfait accord, la plus grande quantité d'or ».

limus munus Domino, unusquisque uir quodcumque inuenit
uas aureum, torquem aut uiriam aut anulum aut dextrale aut
catenulam, ad propitiandum pro nobis coram Domino [a].

12 Loquuntur ergo ad Moysen electi *principes, qui constituti*
sunt super exercitum et pro bene gestis rebus *munera offe-*
runt Deo dicentes : *nos pueri tui* sumus, qui *accepimus sum-*
mam filiorum Israel *bellatorum.* Dicunt autem *summam*
16 *bellatorum* illos *duodecim milia* uiros qui electi sunt ex
omnibus tribubus Israel, ut confligerent aduersum
Madianitas. Sunt ergo in populo Dei bellatores multi, sunt
et imbelles plurimi ; et rursus inter bellatores sunt quidam
20 qui appellantur *summa bellatorum,* eminentiores sine dubio
ab his qui bellatores dicuntur, sicut et eminentiores sunt ab
imbellibus bellatores. Et rursus sunt aliqui celsiores ab his
qui *summa bellatorum* dicti sunt, hi scilicet *qui constituti*
24 *sunt* super eos *principes* et praelati singulis quibusque milibus electorum. Est ergo multa diuersitas in eo ordine qui
bellatores appellantur.

1, 2. Sed et inter ipsos imbelles est nihilominus aliqua
28 differentia ; nec ipsi enim aequaliter et uno ordine omnes
appellantur imbelles. Quidam enim ita imbelles sunt ut
numquam possint fieri bellatores, ut est senilis aetas et
omnis femineus sexus, sed et conditio seruilis. Puerilis uero

---

1. a. Nb, 31, 48-50

1. *L'élite des combattants :* cette traduction insolite du mot *summa* se
justifie très bien par le surchoix selon lequel Origène nous dit qu'ils ont
été désignés.

2. Origène est catégorique pour dire qu'Israël excluait les esclaves du
combat : les textes de la Bible le sont moins. Le texte qui règle cette question en *Deut.* 20,8 dit : Ne peut pas prendre part au combat « celui qui a
peur et qui sent son cœur faiblir. Qu'il s'en aille, celui-là, et retourne chez
lui, afin que le cœur de ses frères ne défaille pas comme le sien ». Les
esclaves, désintéressés par situation de la cause nationale, et tenus — mais
avec des exceptions en Israël — pour espèce insignifiante ou peu recom-
mandable, ne pouvaient à la bataille, pensait-on, avoir d'autre attitude que

avons, chacun, offert en présent au Seigneur ce que chacun a trouvé comme objet d'or, collier, bracelet, bague, gourmette, chaînette, pour en faire expiation devant le Seigneur [a] ».

Parlent donc à Moïse l'élite des chefs, ceux qui ont été établis pour commander l'armée. Pour les succès remportés, ils offrent à Dieu les présents, et ils disent : « Nous sommes tes serviteurs ; nous avons accueilli l'élite des combattants des fils d'Israël ». Ce qu'ils appellent l'élite [1] des combattants, ce sont ces douze mille hommes qui ont été choisis dans toutes les tribus d'Israël pour se battre contre les Madianites. Il y a donc dans le peuple de Dieu un grand nombre de combattants, mais aussi un grand nombre de non-combattants ; et parmi les combattants, il y en a qui sont désignés comme 'élite des combattants' ; ils l'emportent évidemment sur ceux qui sont simplement nommés combattants, comme l'emportent aussi les combattants sur ceux qui ne le sont pas. Il y en a aussi quelques-uns de situés encore plus haut que ceux qui ont été nommés 'élite des combattants' ; ce sont ceux qui ont été établis sur eux comme chefs et mis à la tête de chacun des milliers d'hommes d'élite. Il y a donc une grande diversité dans la catégorie de ceux qui sont appelés des combattants.

Les non-combattants 1, 2. Mais cela n'empêche pas que, chez les non-combattants eux-mêmes, il y ait aussi des différences et qu'ils ne soient pas tous appelés, indistinctement ni au même titre, non-combattants. L'inaptitude de certains est telle en effet qu'ils ne pourront jamais devenir des combattants, c'est le cas des vieillards, des femmes, mais aussi des esclaves [2]. Quant aux

la pusillanimité, mettant en péril le moral des autres combattants. C'est ce que semble laisser entendre ici Origène, qui pouvait, du reste, savoir que la Grèce excluait des armées les troupes d'esclaves, et que les Romains, qui les avaient acceptées, n'avaient pas toujours eu lieu de s'en louer.

32 aetas ita imbellis est ut spem gerat aliquando fieri bellatrix ;
scilicet cum *occurrerit in uirum perfectum, in mensuram
aetatis* [b], tunc non solum bellatores ex pueris fieri, sed et in
summam bellatorum uenire se sperant et esse electi et in
36 duodecim milibus numerari uel etiam his praeferri et esse
principes electorum.

2, 1. Considera nunc praesentis saeculi statum et uide
omnia bellis repleta omnemque humanam uitam inuisibili-
40 bus proeliis et impugnationibus daemonum perurgeri, in
populo uero Dei esse quosdam ita robustos fide armatosque
uirtutibus, ut aduersum huiusmodi hostes cotidie bella
conficiant et, semper in procinctu positi, non solum semet
44 ipsos, sed et ceteros qui uel per sexum uel per aetatem uel
per seruitutis conditionem pugnare non possunt, ab hostium
tueantur insidiis, uerbo doctrinae eos exemploque uitae et
commonitionum sedulitate munientes. Si tamen non desit iis
48 fides ; siue enim bellatores siue imbelles impossibile est
saluari sine fide.

2, 2. Inter ipsos tamen bellatores, eos dumtaxat qui militant Deo, considera alios ita esse paratos et expeditos, ut
52 *nullis se implicent omnino negotiis saecularibus, ut placere*

---

b. cf. Ep 4, 13

---

1. Ce § 2, 1 quitte résolument le langage de l'explication littérale pour
entrer dans celui des applications morales : la vie est un combat ; l'ennemi,
invisible, est le démon ; les combattants ont besoin de la foi pour être sauvés ; chez les combattants, des degrés dans le zèle les qualifient différem-
ment devant Dieu. Tout cela nous paraît banal, tant les thèmes ont été
repris depuis à travers la littérature spirituelle. Mais les auditeurs
d'Origène, que le cycle liturgique fixe à la lecture des *Nombres*, — il faut
se mettre à leur place, — y trouvent goût et nouveauté, puisque, de loin-
tains récits de bataille dans les Livres Saints, sont extraits des conseils de
vie, des vues de foi, des affirmations d'espérance, des encouragements à la
charité de toute sorte, qui rejoignent les enseignements de l'Évangile aux-

enfants, leur inaptitude s'ouvre à l'espoir qu'ils deviendront un jour des guerriers ; c'est-à-dire que, lorsqu'« ils auront atteint l'état d'homme parfait à la mesure de l'âge [b] », ils auront alors l'espoir non seulement de devenir des combattants au sortir de l'enfance, mais aussi d'entrer dans 'l'élite des combattants', d'être choisis, de faire partie du nombre des douze mille, voire d'être mis à leur tête et d'être les princes de l'élite.

Être toujours sur le qui-vive avec la foi

2, 1. Et maintenant, considère l'état du siècle présent : vois comme partout sévit la guerre ; toute la vie humaine est en butte aux combats invisibles et aux assauts des démons. Mais il y a dans le peuple de Dieu des gens assez vigoureux dans la foi et assez armés de vertus pour faire la guerre tous les jours aux ennemis de cette sorte. Continuellement prêts au combat, non seulement ils se gardent eux-mêmes des embûches de l'ennemi, mais ils sont aussi une protection pour les autres, pour tous ceux que le sexe, l'âge ou la condition servile empêchent de combattre. Par la parole qui enseigne, par l'exemple de leur vie, par l'assiduité de leurs conseils, ils sont un rempart. A condition toutefois que la foi ne leur manque pas, car sans la foi, que l'on soit combattant ou non-combattant, il est impossible d'être sauvé [1].

Primauté de la charité

2, 2. Mais parmi les combattants eux-mêmes, ceux tout au moins qui se battent pour Dieu, fais réflexion qu'il y en a quelques-uns qui sont tellement prêts, tellement détachés, « qu'ils ne s'embarrassent pas des affaires du monde pour

quels ils sont attachés. La parole spirituelle chez Origène, le goût du spirituel chez ses auditeurs, balayent les objections de banalité que nous serions tentés de leur faire aujourd'hui.

possint ei qui se probauit ᵃ, sed et *in lege Dei meditari die ac nocte* ᵇ. Isti ergo qui huiusmodi sunt, *summa bellatorum* appellantur.

56   Denique non est dictum de communi numero bellatorum quia nemo in iis dissensit ᶜ, sed de his dictum est, qui *summa bellatorum* nominati sunt. In istis enim qui tales sunt nulla dissensio, nulla discordia. Ipsi enim sunt isti, de quibus dic-

60   tum est : *Erat autem credentium cor et anima una, nec quisquam eorum aliquid proprium dicebat, sed erant illis omnia communia* ᵈ. Isti sunt ergo *summa bellatorum* in quibus nemo dissensit. Isti sunt qui auri plurimum pugnando cepe-

64   runt et omne aurum atque omne ornamentum siue capitis siue bracchiorum siue etiam digitorum, id est quidquid in intellectibus, quidquid in operibus habent, Deo offerunt. Sciunt enim quia *munera eius data eius* ᵉ sunt, et ideo non

68   dissentit in iis nec unus. Nec enim possent munera offerre Deo positi in dissensione.

Istos puto esse secundum Euangelium, qui praeceptum illud diligenter obseruant, quod mandat Dominus et

72   Saluator : *Si autem offers munus tuum ad altare et rememoratus fueris, quia frater tuus habet aliquid aduersum te, relinque ibi munus tuum ad altare, et uade prius reconciliare fatri tuo, et tunc ueniens offeres munus tuum* ᶠ, quo scilicet

76   *leuent manus suas ad Deum sine ira et dissensione* ᵍ. Isti sunt ergo qui dicunt : *collegimus summam uirorum bellatorum nostrorum, et non dissensit ex nobis quisquam ; et obtulimus munus Domino* ʰ.

80   **2, 3.** Discenda igitur nobis magnopere est consonantiae disciplina ; quia tamquam in musicis, si harmonia chordarum

---

2. a. cf. 2 Tm 2, 4   b. cf. Ps 1, 2   c. cf. Nb 31, 49
d. Ac 4, 32   e. cf. Nb 28, 2   f. Mt 5, 23-24   g. cf. 1 Tm 2, 8
h. Nb 31, 49-50

---

1. Cf. *supra*, *Hom.* XXIII, § 2,1, p. 109.

plaire à Celui qui les a enrôlés [a] » et « méditer sur la loi de Dieu jour et nuit [b] ». Ce sont des hommes de cette sorte qui sont appelés 'élite des combattants'.

Pour finir, ce n'est pas du commun des combattants qu'il a été dit « il n'y a pas eu de désaccord entre eux [c] », mais de ceux qu'on a appelés 'l'élite des combattants'. Car chez les hommes de cette trempe, on ne trouve aucune dissension, aucun désaccord. Ils sont bien ceux dont il a été dit : « Les fidèles n'avaient qu'un cœur et qu'une âme et aucun d'eux ne disait posséder quelque chose en propre, mais tout leur était commun [d] ». Voilà donc cette élite des combattants chez qui l'accord est unanime. Ce sont eux qui ont pris la plus grande quantité d'or au combat et ils offrent à Dieu tout cet or, comme aussi toutes les parures : de la tête, des bras, des doigts même, ce qui veut dire qu'ils offrent tous les biens acquis par la connaissance et tous ceux qu'ils doivent aux œuvres. Ils savent en effet que ce sont là « ses présents, ses dons [e] [1] ». Et c'est pourquoi pas un seul d'entre eux n'est en désaccord à leur sujet. Car ils ne pourraient pas offrir à Dieu les présents s'ils ne s'accordaient pas entre eux.

Eux, je pense que ce sont ceux qui dans l'Évangile observent avec soin le précepte que le Seigneur et Sauveur donne : « Si tu présentes ton offrande à l'autel, et si tu te souviens que ton frère a quelque chose contre toi, laisse là ton offrande à l'autel, va d'abord te réconcilier avec ton frère, et alors tu viendras présenter ton offrande [f] » afin de « lever les mains vers Dieu sans colère ni dissension [g] ».

Tels sont donc ceux qui disent : « Nous avons rassemblé l'élite des combattants, il n'y a pas eu le moindre désaccord entre nous, et nous avons présenté l'offrande au Seigneur [h] ».

Recherche d'harmonie : accord fraternel   **2, 3.** Il faut donc nous appliquer avec le plus grand soin à la science de l'harmonie. Car en musique, si l'harmonie

fuerit consonanter aptata, sonum suauem modulati carminis
reddit, si uero sit aliqua in fidibus dissonantia, ingratissimus
84 sonus redditur et carminis dulcedo corrumpitur, ita et hi qui
Deo militant, si dissensiones et discordias inter se habeant,
ingrata erunt omnia et nihil acceptum Deo uidebitur, etiamsi
multa bella conficiant, etiamsi spolia multa deferant et multa
88 munera offerant Deo. Dicetur enim ad eos : *Depone munus
tuum ad altare, et uade prius reconciliare fratri tuo* [i], ut possis et tu inter eos qui *summa* sunt *uirorum bellatorum* numerari et dicere quia *non dissensit ex nobis quisquam* [j].

92   **2, 4.** Ego etiam amplius aliquid dico. Nisi talis fueris ut
in nullo dissentias a mandatis Dei, nec in aliquo discrepes
ab euangelicis praeceptis, non poteris hostem uincere, non
poteris superare inimicum. In eo enim ipso iam uictus es in
96 quo dissentis ; et per hoc ipsum superaris a diabolo in quo
discordas a Deo. Si autem uis uincere inimicum et esse
summa bellatorum, adhaere Deo [k] et concorda cum ipso,
sicut ille qui dicebat : *Quis nos separabit a caritate Dei ?*
100 *Tribulatio an angustia an fames an nuditas an periculum an
gladius* [l] *?* et iterum : *Neque uita neque mors neque instan-
tia neque futura neque altitudo neque profundum neque
creatura alia poterit nos separare a caritate Dei, quae est in
104 Christo Iesu* [m]. Iste talis in nullo omnino dissentit, iste talis
potest uincere Madianitas et *interficere omnes peccatores terrae* [n] et *perdere imaginem eorum de ciuitate Domini* [o]. Et
ego ergo debeo de me ipso et de terra carnis meae perdere
108 peccatores et interficere fornicationem, immunditiam, pas-

---

i. Mt 5, 24   j. Nb 31, 49   k. cf. Ps 72, 28   l. Ro 8, 34
m. Ro 8, 38-39   n. cf. Ps 100, 8   o. cf. Ps 72, 20

---

1. On a déjà rencontré ces textes 'meurtriers' *supra, Hom.* XXV, § 6,1,
p. 215-217 : Un groupement de textes redoutables dont Origène a fait
momentanément sa pâture... spirituelle. Dans le contexte d'alors, on com-
prenait la violence de l'expression ; ici, on a une explication recevable
quelques lignes plus bas.

des cordes a été bien ajustée à leur accord, elle se prête agréablement à la modulation du chant, mais s'il y a quelque dissonance dans la lyre, elle émet des sons déplaisants et le charme de la mélodie s'en trouve dénaturé. Il en va de même de ceux qui combattent pour Dieu : s'ils conservent entre eux dissensions et discordes, tout en eux déplaira et rien ne s'y trouvera d'agréable à Dieu, eussent-ils mené à bien beaucoup de guerres, eussent-ils ramené beaucoup de butin et présenté à Dieu beaucoup d'offrandes. Car il leur sera dit : « Dépose ton offrande à l'autel, et va d'abord te réconcilier avec ton frère [i] ». Alors, tu pourras être compté parmi ceux qui sont de 'l'élite des guerriers' et dire : « Il n'y a pas eu de désaccord entre nous [j] ».

S'accorder avec la Loi de Dieu   **2, 4.** Pour moi, je vais plus loin. Si tu n'as pas pu arriver à supprimer tout dissentiment avec les commandements de Dieu ni toute discordance avec les préceptes de l'Évangile, tu ne pourras pas vaincre l'ennemi, tu ne pourras pas l'emporter sur l'adversaire. Car te voilà déjà vaincu du fait même que tu es en désaccord, et te voilà vaincu par le diable par le fait même que tu es en désaccord avec Dieu. Mais si tu veux vaincre l'ennemi et faire partie de l'élite des combattants, « unis-toi à Dieu [k] » et mets-toi en accord avec Lui, comme celui qui disait : « Qui nous séparera de la charité de Dieu ? La tribulation ? l'angoisse ? la faim ? la nudité ? le danger ? l'épée ? [l] ». Ou encore : « Ni la vie, ni la mort, ni le présent, ni l'avenir, ni la hauteur, ni la profondeur, ni aucune créature ne pourront nous séparer de la charité de Dieu qui est dans le Christ Jésus [m] ». Cet homme-là n'a aucun dissentiment, cet homme-là peut vaincre les Madianites, « tuer tous les pécheurs de la terre [n 1] » et « bannir leur image de la cité du Seigneur [o] ».

Il me faut donc moi aussi 'bannir de moi-même et de la terre de ma chair les pécheurs', il me faut tuer la fornication,

sionem, concupiscentiam malam et auaritiam. Isti enim sunt *peccatores terrae meae* quos tunc demum *exterminare* potero et *interficere*, si non dissentiam a mandatis Dei ; et
112 tunc uere dignus ero qui offeram Deo munera.

2, 5. *Omne uas aureum, torquem,* inquit, *aut uiriolam aut anulum aut dextrale aut catenulam* p. *Torquis* ornamentum sapientiae est. In Prouerbiis enim de sapientia dicitur quod
116 qui acquisierit eam, *torquem aureum* ponat *circa suum collum* q. *Viriola* et *anulus* ornamenta sunt manuum, in quibus operum signantur indicia ; similiter et *dextrale. Catenulae* uero uerbi et doctrinae conexiones declarant.

120 *Ad propitiandum* inquit *Deum pro nobis* r. Si dicamus propter aurum Deum propitium fieri hominibus, uide quam absurdum, immo quam impium iudicetur. Hoc enim etiam in uiro bono notabile ducitur, si accepto auro ab inferiori-
124 bus placetur. Quanto ergo magis hoc de Deo sentire non conuenit ? Vnde puto expositionis huius ecclesiasticae magis constare rationem, quae per auri species indicari docet animi uirtutes et bonorum operum gesta, quae sola offerri Deo ab
128 hominibus dignum est et pro quibus solis propitium fieri Deum hominibus decet.

---

p. Nb 31, 50   q. cf. Pr 1, 9   r. Nb 31, 50

1. Le mot *viriola* est employé deux fois. Le dictionnaire renvoie de '*viria*' à '*viriola*' : même sens, pas très bien défini ; sorte de bracelet pour les hommes. — Que les mains soient prises comme symbole des œuvres, la littérature religieuse nous y a habitués (v.g. PHILON, *De praem. et poen.* 80 : « trois organes dont nous sommes tous munis, 'la bouche, le cœur et les mains', symboles de la parole, de la pensée et de l'action », *Œuv. de Ph.* n° 27, p. 83, avec plusieurs autres renvois en note. CLÉM. ALEX. *Strom.* II, 98, *SC* 38, recopie à peu près littéralement la phrase de Philon). Le '*dextrale*', que nous avons traduit par « gourmette » (petit tour de bras aux mailles aplaties, évidemment porté à droite), représente aussi les bonnes œuvres, cela va de soi pour Origène, et les chaînettes qui viennent ensuite

l'impureté, la passion, la vilaine concupiscence et l'avarice. Car ce sont-là les pécheurs de ma terre que je vais pouvoir exterminer et tuer à condition que je ne me mette pas en désaccord avec les commandements de Dieu ; et alors je serai vraiment digne de présenter des offrandes à Dieu.

Les objets du butin : leur signification, les vertus

2, 5. « Tout objet d'or, est-il dit, tout collier, bracelet, bague, gourmette, chaînette [p] ». Le collier est la parure de la sagesse. Dans les *Proverbes*, il est dit en effet de la sagesse que celui qui l'a acquise la porte « comme un collier d'or autour du cou [q] ». Bracelet et bague sont la parure des mains [1], qui sont elles-mêmes le symbole des œuvres. Même chose pour la gourmette. Quant aux chaînettes, elles manifestent les liens de la parole et de la doctrine.

La propitiation, les vertus, les bonnes œuvres

« En propitiation, est-il dit, auprès de Dieu pour nous [r] ». Si nous disions que Dieu se rend propice aux hommes pour de l'or, reconnais que ce serait d'une absurdité, ou plutôt d'une impiété notoires. On considère en effet comme répréhensible, même pour un homme de bien, d'avoir pour ses inférieurs des complaisances achetées à prix d'or. A plus forte raison ne convient-il pas d'attribuer un tel comportement à Dieu ! C'est pourquoi je pense que l'explication qu'on donne dans l'Église est plus solide : elle enseigne que sous les apparences de l'or sont indiquées les vertus de l'âme et l'accomplissement des bonnes œuvres : ce sont les seules offrandes dignes d'être présentées à Dieu par les hommes, les seules pour lesquelles il convient que Dieu soit rendu propice aux hommes.

représentent les biens de la parole et de la doctrine ! On notera cependant que les mots d'"intelligence spirituelle' ou d'"allégorie' ne paraissent pas souvent dans cette homélie.

2, 6. *Et accepit,* inquit, *Moyses et Eleazar sacerdos aurum ab omnibus tribunis et centurionibus, et intulit illud in taber-* 132 *naculum testimonii, memoriale filiis Israel coram Domino* [s]. Vides quia quae dicuntur non ad conspectum uisibilem, sed ad mentis memoriam referuntur. Beatus enim est ille qui recordatur se boni aliquid operis egisse *coram Domino* et 136 obtulisse munera beneplacita Deo, animi uirtutes et orna-menta pietatis.

3, 1. Post haec sequitur historia de hereditate *Ruben et Gad et dimidiae tribus Manasse* [a] ; de qua proponentes ali-140 qua disserere uolumus prius auditorum diligentiam com-monere et animos eorum ad contemplationem spiritalis intellegentiae suscitare. Omnia qua dicuntur, non solum ex ipso qui dicitur sermone pensanda sunt, sed et persona 144 dicentis magnopere consideranda est. Verbi gratia, si puer est qui loquitur, animos nostros ad auditum eloquii pueri-lis aptamus nec plus aliquid in his quae dicuntur, nisi in quantum sentire puer potuit, exspectamus. Si uero qui 148 loquitur uir est, continuo contemplamur si uiro digna sunt quae dicuntur. Et rursus si uir ille eruditus sit qui dicit, pro eruditionis eius intuitu etiam dicta pensamus. Si uero uir quidem est imperitus tamen et idiotes, aliter quae dicuntur 152 accipimus. Sic item si sit senior qui loquitur et multae ac probatae peritiae, utpote qui in eruditionibus consenuerit, longe maior in eo dictorum habebitur exspectatio.

3, 2. Cur autem ista praemiserimus historiam hereditatis 156 *Ruben et Gad et dimidiae tribus Manasse* exponere uolentes,

---

s. Nb 31, 54
3. a. Nb 32, 33

---

1. 'Tribuns et centurions' : v. p. 224, n. 1.

Le mémorial 2, 6. « Et Moïse, dit l'Écriture, et Éléazar, le prêtre, reçurent l'or de tous les tribuns et centurions [1]. Ils l'apportèrent dans la tente du témoignage en mémorial des fils d'Israël devant le Seigneur [s] ». Tu vois que les mots ne se rapportent pas au regard matériel, mais à la mémoire de l'intelligence. Heureux en effet qui se rappelle avoir accompli quelque bonne œuvre devant le Seigneur et avoir offert, en présents qui plaisent à Dieu, les vertus de l'âme et les ornements de la piété !

Digression : conseils pour la lecture 3, 1. Vient ensuite l'histoire de l'héritage de « Ruben, de Gad et de la demi-tribu de Manassé [a] ». Comme nous avons dessein d'en faire un peu de commentaire, nous voulons d'abord réveiller l'attention des auditeurs et porter leur esprit à prendre en considération le sens spirituel.

Toute parole ne doit pas être examinée seulement en fonction du discours, mais il faut considérer avec attention la personne qui la prononce. Par exemple, si c'est un enfant qui parle, nous préparons nos esprits à entendre un discours d'enfant, et nous n'en attendons pas plus en ses paroles que les réflexions que peut faire un enfant. Si à l'inverse c'est un homme qui parle, notre réflexion va aussitôt à nous demander si ce qu'il dit sied à un homme d'âge ; ou encore, si c'est un savant qui parle, nous examinons ce qu'il dit à la lumière de sa science. Mais à l'inverse, avec un homme ignorant et sans instruction, l'accueil de ses paroles n'est pas le même. Si aussi c'est un vieillard qui parle, s'il possède la large expérience qu'on reconnaît à un homme qui a vieilli dans les recherches savantes, on en attendra beaucoup plus de ses paroles.

L'interprétation de l'Écriture 3, 2. Pourquoi ces prémisses alors que nous avons dessein de commenter l'histoire de l'héritage « de Ruben, de Gad et de la demi-tribu de Manassé » ? Écoute bien ! Le

ausculta. Qui haec gesta narrat quae legimus, neque puer est,
qualem supra descripsimus, neque uir talis aliquis neque
senior nec omnino aliquis homo est ; et ut amplius aliquid
160   dicam, nec angelorum aliquis aut uirtutum caelestium est,
sed, sicut traditio maiorum tenet, Spiritus Sanctus haec narrat. Vnde enim poterat Moyses uel quae ab origine mundi
gesta sunt uel quae in fine eius erant gerenda, narrare, nisi
164   per inspirationem Spiritus Dei ? Vnde potuisset prophetare
de Christo, nisi loquente Spiritu Sancto ? Sic enim et ipse
Christus ei testimonium reddit et dicit : *Si crederetis Moysi,*
crederetis utique et mihi ; de me enim ille scripsit ; si autem
168   *illius litteris non creditis, quomodo meis uerbis credetis* aa ?
Constat ergo ea per Spiritum Sanctum dicta et ideo conueniens uidetur haec secundum dignitatem, immo potius
secundum maiestatem loquentis intelligi.

172   Sed et illud in loco memorare aptissimum duco quod
Abraham, cum audiret illum *diuitem positum in tormentis*
rogare se, ut dimitteretur et ueniens moneret fratres suos pie
uiuere, *ne et ipsi in locum illum descenderent tormentorum,*
176   respondit ei quia : *Habent Moysen et prophetas ; audiant*
illos b. Non utique homines aliquos dicebat in corpore posi-
tos *Moysen et prophetas*, sed haec quae per Moysen Spiritu
Dei dictante conscripta sunt, *Moysen* ea nominauit.

---

aa. Jn 5, 46-47
b. cf. Lc 16, 23-31

1. L'inspiration divine des Livres Saints a toujours été fermement affirmée par Origène. Cf. *De princ.* IV, 2,2, *SC* 268, p. 301 : « Les Livres Saints
ne sont pas des écrits d'hommes, mais ils ont été rédigés par l'inspiration
de l'Esprit Saint d'après la volonté du Père de l'univers par le moyen de
Jésus Christ ».
2. L'expression *pie uiuere* n'est pas de l'Évangile, elle relève de Rufin
qui résume par là le message que le vieil Abraham devrait faire porter de
la part de Lazare à ses frères. Il s'agit, comme disent les traducteurs actuels
de l'Évangile, de leur 'faire la leçon'. Les « faire vivre pieusement », comme

narrateur des faits dont nous lisons le récit n'est ni un enfant, comme celui dont nous avons parlé, ni un homme comme ceux que nous disions, ni un vieillard, ni en aucune manière 'un homme' ; pour m'avancer davantage, ce n'est ni un ange, ni l'une des puissances célestes, mais, conformément à la tradition des anciens, le narrateur c'est l'Esprit Saint [1]. En effet, d'où Moïse pouvait-il tenir le récit des origines du monde ou des événements qui surviendraient à sa mort sinon d'une inspiration de l'Esprit de Dieu ? Comment aurait-il pu émettre des prophéties sur le Christ à moins que ce ne soit l'Esprit Saint qui parle ? Car c'est ainsi que le Christ lui-même lui rend témoignage quand il dit : « Si vous croyiez Moïse, vous me croiriez moi aussi, car c'est de moi qu'il a écrit ; mais si vous ne croyez pas ses écrits, comment croirez-vous mes paroles [aa] ? » Il est donc clair que ces paroles ont été rédigées sous l'inspiration de l'Esprit Saint. C'est pourquoi il est logique de les comprendre en fonction de la dignité, mieux de la majesté de celui qui parle.

A ce propos, il me paraît tout à fait opportun de rappeler que lorsque Abraham eut entendu le riche lui demander du milieu des tourments d'être renvoyé sur terre pour avertir ses frères de mener une vie de justes [2], « afin de ne pas descendre eux aussi en ce lieu de tourments », Abraham répondit : « Ils ont Moïse et les prophètes, qu'ils les écoutent [b] ! » Parlant de Moïse et des prophètes, il ne désignait évidemment pas des hommes vivants, mais en nommant Moïse il signifiait les textes écrits par Moïse sous la dictée de l'Esprit de Dieu [3].

suggère le texte latin de Rufin si on le décalque, ne paraît pas en langue française d'aujourd'hui un moyen bien adéquat. C'est à une *vie de justes*, où droiture, justice et religion se mêlent, que Rufin voudrait voir se ranger ces frères insouciants qui ont l'air de ne songer qu'à la fête !

3. Lire *Spiritu*. Baehrens par erreur a écrit 'Spiritus'.

240 SUR LES NOMBRES

3, 3. Dicat ergo aliquis : cum haec ita scripta sint, si Abraham me ad Moysei dicta transmittat, ut legens ea possim *locum illum* euadere *tormentorum*, quid me iuuabit ad effugiendam gehennam si legam :

— quomodo *filii Ruben et filii Gad et dimidia tribus Manasses* hereditatem capiunt a Moyse *trans Iordanen*, quia erant illis pecora multa prae ceteris tribubus[c] ;

— et quia dicit ad eos Moyses : Videte ne exacerbetis Deum, sicut et illi decem qui *missi sunt* cum Iesu et Caleb *explorare terram*, et dicebant quia « terra talis et talis est et non possumus eam capere[d] » ;

— et quia ad haec responderunt filii Ruben et ceteri cum ipsis : Da nobis terram hanc et hereditatem eius *et non quaeremus iam intra Iordanem hereditatis terram*[e] cum fratribus nostris, sed hic relinquemus *iumenta nostra et sarcinas nostras* et mulieres nostras et infantes nostros[f], uiri autem nostri ibunt pariter et transibunt Iordanen[g] ;

---

c. cf. Nb 32, 1. 22. 19. 33   d. cf. Nb 32, 8-10. 12   e. cf. Nb 32, 19
f. cf. Nb 32, 26   g. cf. Nb 32, 27. 32

1. Origène, qui simule des objections de lecteur en ce qui concerne le sens littéral, se sert de la parabole qui conseille la lecture de Moïse pour lire ici Moïse dans les *Nombres*. Son but (cf. § 3,1) est de nous « faire prendre en considération le sens spirituel » (cf. § 3,1 début). Le voilà donc qui ironise, en quelque sorte, sur l'inefficacité de ces paroles mosaïques prises à la lettre. Elles attribuent un territoire aux tribus de Ruben et Gad et Manassé, et si l'on pense qu'il suffit de les lire pour échapper aux tourments de l'au delà, à quoi pense-t-on ? Vraiment, qu'y pourront-elles ? Et Origène de dire en terminant : 'A quoi riment tous ces textes ?' — « *Quid ista prosunt ?* ».

2. Pour suivre le mouvement des tribus, dont on peut confondre la situation d'un côté ou de l'autre du Jourdain, alors que la rédaction laisse oublier quel est l'un et l'autre côté, nous rappelons ici que les tribus arrivent de l'Est après avoir traversé le désert et le pays dit de Galaad, pays de païens. Alors, les Hébreux passent ou ne passent pas le Jourdain. S'ils ne

Faible intérêt du sens littéral

3, 3. Donc quelqu'un peut dire : « D'après ce texte, Abraham me renvoie aux paroles de Moïse pour que leur lecture me permette d'échapper à "ce lieu de tourments" ». Pour échapper à la géhenne, de quelle utilité me sera-t-il de lire [1] :

— que « les fils de Ruben, les fils de Gad et la moitié de la tribu de Manassé » obtiennent de Moïse leur héritage au-delà du Jourdain parce qu'ils avaient beaucoup plus de troupeaux que les autres tribus [c] ?

— que Moïse leur dit de prendre garde à ne pas provoquer la colère de Dieu comme firent les dix, envoyés avec Josué et Caleb pour explorer le pays, qui disaient : « le pays est de telle et telle sorte, et nous ne pouvons pas le conquérir [d] » ?

— qu'à cela les fils de Ruben et les autres avec eux répondaient : Donne-nous ce pays en héritage « et nous ne chercherons plus notre part d'héritage de ce côté-ci du Jourdain [e] » [2], nous et nos frères, mais nous laisserons ici nos bêtes et nos bagages, nos femmes et nos enfants [f]. Quant aux hommes de chez nous, ils iront de même façon de leur côté passer le Jourdain [g] ?

le passent pas, c'est qu'ils restent à l'Est ; c'est-à-dire <u>au-delà</u> du fleuve, <u>de l'autre</u> côté, <u>extra Iordanen</u> (*extra*, par rapport au rédacteur qui est en principe à l'Ouest du Jourdain). S'ils passent le fleuve, on dit qu'ils viennent <u>intra Iordanen</u> (à l'Ouest). En ce qui regarde le pays, la '<u>pars extra</u>' (à l'Est) ne contient que deux régions et demie : l'autre la '<u>pars intra</u>' ou '<u>de ce côté-ci</u>' (à l'O.) contient neuf régions et demie. La pars extra (à l'E.) relève de Moïse ; la pars '<u>intra</u>' ou '<u>trans</u>' (à l'O.) relève de Josué (appelé Jésus) (§ 4,2 ad fin.). L'ancien peuple reste <u>extra Iordanen</u> (à l'E.) ; il ne passe pas ; il boit et fait boire ses troupeaux <u>extra Iordanis fluenta</u> (§ 4,3) ; mais les peuples qui passent <u>trans Iordanen</u> (à l'O.), sont répartis par Josué (appelé Jésus).

— et quia post haec Moyses commendat eos *Iesu filio Naue et Eleazaro sacerdoti* filio Aaron ʰ, sub ea tamen conditione, ut *transeant* cum filiis Israel et pugnent cum iis
200 aduersum hostes qui erant trans Iordanen, donec liberetur ab iis terra ⁱ et tunc accipiant terram quam poposcerunt *regis Seon et regis Og* ʲ ;

— atque ipsis solis per Moysen detur hereditas extra
204 Iordanen ᵏ, ceteris autem omnibus per Iesum intra Iordanen ˡ.

Dicet ergo aliquis : Quid ista prosunt ad hoc quod dixit Abraham : *Habent Moysen et prophetas ; audiant illos* ᵐ, quo scilicet haec legentes et audientes *in locum illum non*
208 *deueniant tormentorum ?*

3, 4. Haec autem diximus excitantes animos auditorum, ut uigilantius his quae leguntur uel dicuntur intendant et in Moysei litteris, *remoto* litterae *uelamine*, ita intellegant quae
212 scripta sunt, ut in singulis quibusque ea dici inueniant, quae si intellegantur et obseruentur, possint auditores non ad illum *locum tormenti* deduci, quo *diues* ille qui audire haec quae in secreto sunt scripta contempsit, abductus est, sed *in*
216 *sinum* eant *Abraham*, ubi Lazarus requiescit. Oremus ergo Dominum ut *auferatur uelamen a cordibus nostris de lectione Veteris Testamenti* ⁿ, ut ea quae abscondita sunt et occulta in Moysei litteris uidere possimus secundum pro-
220 phetae commonitionem dicentis : *Et nisi audieritis, occulte plorabit anima uestra* ᵒ.

---

h. cf. Nb 32, 28   i. cf. Nb 32, 20-22   j. cf. Nb 32, 33
k. cf. Nb 22, 5. 9   l. cf. Jos 1, 6 ; 23, 4   m. Lc 16, 29
n. cf. 2 Co 3, 14-15   o. cf. Jr 13, 17

---

1. *Josué* appelé *Jésus*, ou *Jésus* appelé *Josué* : nous adoptons ces deux façons de désigner le personnage, sur la double identité duquel on s'apercevra qu'Origène joue continuellement. Les manuscrits grecs (LXX) ne connaissent que 'Jésus' Ἰησοῦς, — et c'est Josué, — mais dans le texte d'Origène l'intelligence spirituelle passe communément du Jésus de l'A.T. au Jésus du N.T. Le mot Josué est ignoré dans le latin, — en § 3,3 on trouve cependant pour le désigner : *Iesu filio Nave*.

— que Moïse donne des ordres à leur sujet à Jésus [1] fils de Navé et au prêtre Éléazar fils d'Aaron [h], en posant cependant cette condition qu'ils passent avec les fils d'Israël et combattent avec eux contre les ennemis de l'autre côté du Jourdain, jusqu'à ce qu'ils aient libéré le pays [i], et qu'ils reçoivent alors, selon leur demande, le pays du roi Séon et celui du roi Og [j] ?

— qu'ils sont seuls à recevoir de Moïse l'héritage au-delà du Jourdain [k] tandis que tous les autres le reçoivent de Jésus de ce côté-ci du Jourdain [l] ?

Alors, on dira : A quoi bon tout cela pour justifier ce que dit Abraham : « Ils ont Moïse et les prophètes ; qu'ils les écoutent [m] » ? évidemment, c'est pour que les lecteurs et les auditeurs de cette histoire ne tombent pas dans le 'lieu des tourments' !

Passons au sens spirituel 3, 4. Mais ce que nous venons de dire a pour but de porter l'esprit des auditeurs à prêter une attention plus vive à la lecture et à la parole et, dans le cas des écrits de Moïse, de comprendre, après avoir écarté le voile de la lettre, le sens de ce qui est dit. Il faudrait qu'en chacun des passages, dès lors qu'il serait compris et observé, les auditeurs puissent trouver de quoi être emmenés, non pas 'au lieu des tourments' où a été précipité le riche dédaigneux d'écouter les secrets de l'Écriture, mais dans 'le sein d'Abraham' où repose Lazare. Prions donc le Seigneur d'ôter de nos cœurs le voile qui les recouvre à la lecture de l'Ancien Testament [n], afin que nous puissions découvrir ce qui est caché et secret dans les Livres de Moïse, étant nous-mêmes attentifs à l'avertissement du prophète : « Si vous n'écoutez pas, votre âme ira pleurer en cachette [o] [2] ».

---

2. Citation de Jérémie selon la LXX. La bible hébraïque parle à la 1re personne : « Si vous n'écoutez pas, je vais me désoler dans mon coin ». (TOB)

3, 5. Et quidem quod haec mystica sint et diuinum aliquem sensum contineant, puto quod ex his quae superius
224 asserta sunt, nullus possit ambigere, quamuis sit ille *iudai-
cis fabulis* ᴾ insatiabiliter deditus ; tamen sicut hoc neminem
negare puto, ita quae sint illa quae ex istis narrationibus
indicentur et quae rerum facies sub hoc uelamine contega-
228 tur, ad liquidum scire ipsius puto esse sancti Spiritus qui
haec scribi inspirauit, et Domini nostri Iesu Christi qui de
Moyse dicebat : *De me enim ille scripsit* �q, et omnipotentis
Dei cuius consilium antiquum humano generi non nudum,
232 sed uelatum litteris indicatur.

Nos autem oremus ex corde Verbum Dei, qui est
Vnigenitus eius ʳ et qui *reuelat Patrem quibus uult* ˢ, ut et
nobis haec reuelare dignetur ; sunt enim in his repromissio-
236 num mysteria *quae repromisit diligentibus se, ut sciamus et
nos quae a Deo donata sunt nobis* ᵗ. Sed et uos iuuate nos in
orationibus et diligenter intendite non tam nobis dicentibus
quam Domino illuminanti eos, quos illuminatione sua
240 dignos inuenerit. Quorum contemplatione etiam nobis *dare*
dignetur *uerbum in adapertione oris nostri* ᵘ.

Sed age iam, si corda erexistis ad Dominum et Verbi eius
sancti illustrationem petistis, ad perscrutandum sensum
244 eorum quae uidentur latere ueniamus.

4, 1. Exeundi de Aegypto figuram duobus modis accipi
et a prioribus nostris et a nobis saepe iam dictum est. Nam

p. cf. Tt 1, 14   q. Jn 5, 46   r. cf. Jn 1, 18   s. cf. Mt 11, 27
t. cf. 1 Co 2, 9. 12   u. cf. Ep 6, 19

---

1. *Prioribus nostris :* nos prédécesseurs. Il est difficile de déterminer avec
exactitude ces prédécesseurs. Le pluriel n'est cependant pas là comme figure
de style. Les lectures d'Origène sont abondantes, toute son œuvre en
témoigne. Ce qu'on peut tirer d'un relevé attentif de ses sources renvoie
souvent à Philon d'Alexandrie. Ici, on recourra à *Phil. Œuv.* 14, *de migr.
Abr.* Ce livre tout entier, — dont le point de départ est la parole du Seigneur
à Abraham, « sors de ton pays », — est comme une histoire de l'âme invi-
tée à sortir d'elle même, de ses passions, de ses routines, etc., et cette his-

3, 5. Que ces passages soient mystérieux et contiennent un sens divin, personne, me semble-t-il, après les assertions précédentes, ne peut le mettre en doute, fût-il insatiablement attaché à des « fables judaïques [p]. » Néanmoins, je pense qu'on ne me contestera pas davantage que tirer au clair les indications qui ressortent de ces récits et la 'figure des réalités' qui se cache sous ce voile, cela relève du Saint Esprit lui-même qui a inspiré que cela fût écrit, de Notre Seigneur Jésus Christ, qui disait de Moïse : « C'est de moi qu'il a parlé [q] », et de Dieu Tout-Puissant dont les desseins antiques ont été signifiés au genre humain non pas en les mettant à nu, mais en les couvrant du voile de la lettre.

Pour nous, prions du fond du cœur le Verbe Fils Unique de Dieu [r] qui révèle le Père à ceux à qui il veut [s], prions pour qu'il daigne nous révéler ces choses à nous aussi, car elles contiennent le mystère des promesses « faites à ceux qui l'aiment afin que nous sachions nous aussi quels dons nous ont été accordés par Dieu [t] ». Et vous, aidez-nous de vos prières et accordez toute votre attention non pas tant à nous qui parlons qu'au Seigneur qui illumine ceux qu'il a trouvés dignes de sa lumière. Que par la contemplation de ces réalités, nous soyons trouvés dignes, nous aussi, en nous mettant à parler, de recevoir la parole [u] !

Et maintenant, allons ! Vous avez élevé vos cœurs vers le Seigneur et demandé la lumière de son Verbe saint, cherchons donc à approfondir le sens des réalités cachées.

L'Exode, conversion et itinéraire vers le ciel

4, 1. Le symbolisme de la sortie d'Égypte s'entend de deux manières, nos prédécesseurs [1] et

toire est analogue à celle que prête Origène, dans les *Nombres*, au peuple de Dieu conduit par Moïse pour quitter l'Égypte. Ce peuple, c'est-à-dire toutes les âmes acquises à Dieu, doit entreprendre un immense voyage — un voyage spirituel — dont l'aboutissement se situe — après le désert et le passage du Jourdain — auprès des « fleuves qui réjouissent la cité de Dieu. » Cela prépare l'*Hom.* XXVII, avec ses 42 étapes, cf. *infra* p. 343.

et cum quis de errorum tenebris ad agnitionis lumen addu-
248 citur et de terrena conuersatione ad spiritalia instituta
conuertitur, de Aegypto uidetur exisse et uenisse ad solitu-
dinem, ad illum uidelicet uitae statum, in quo per silentium
et quietem exerceatur diuinis legibus et eloquiis caelestibus
252 imbuatur ; per quae institutus et directus cum Iordanen
transierit, properet usque ad terram repromissionis, id est
per gratiam baptismi usque ad euangelica instituta perueniat.

Sed et illam figuram esse diximus exeundi de Aegypto,
256 cum relinquit anima mundi huius tenebras ac naturae corporeae caecitatem et transfertur ad aliud saeculum, quod uel
sinus Abrahae, ut in 'Lazaro [a]', uel *paradisus*, ut in 'latrone',
qui de cruce credidit [b], indicatur ; uel etiam si qua nouit esse
260 Deus alia loca uel alias mansiones, per quae transiens anima
Deo credens et perueniens usque ad *flumen* illud quod *laetificat ciuitatem Dei* [c], intra ipsum sortem promissae patribus hereditatis accipiat.

264   **4, 2.** Igitur cum duplici, ut memorauimus, modo egressus designetur ex Aegypto et transitus ad desertum atque
inde ingressus ad sanctae terrae hereditatem, uideamus nunc
quid sibi uelit *Ruben* et *Gad* et *dimidia tribus Manasse*.

---

4. a. cf. Lc 16, 22   b. cf. Lc 23, 43   c. cf. Ps 45, 5

1. Le désert ici a une toute autre signification que dans l'*Hom.* XVII,
§ 1,1 (T. II, *SC* 442, p. 271), où on lit : « *in eremum tendit... id est ad ea
quae erema sunt et deserta Deo negotia* », « vers le désert, c'est-à-dire vers
des occupations stériles et vides de Dieu ». Ainsi distinguons avec Origène
le désert sans Dieu, où l'âme engluée dans le terrestre se dessèche, mais
aussi cet autre désert qui convient aux âmes avides de perfection, le désert
de cette Homélie XXVI, lieu de paix, de calme et de silence où l'on s'instruit des paroles de Dieu. Ce lieu de calme sous la plume d'Origène, est
comme une annonce du désert monacal des temps à venir, là où le moine
dans la paix marche et monte vers Dieu.

nous-même l'avons déjà souvent dit. En effet, quand on est amené des ténèbres de l'erreur à la lumière de la connaissance et quand on se convertit d'un mode de vie terrestre à un plan de vie spirituel, cela apparaît comme une sortie d'Égypte et une arrivée au désert. Il faut entendre par là un état de vie où, dans le silence et le calme, on met en pratique les Lois divines et on s'instruit des paroles célestes [1]. Celui qui s'est laissé former et mettre dans la bonne voie par ces exercices, une fois qu'il aura passé le Jourdain, se hâtera vers la Terre promise, c'est-à-dire qu'il parviendra par la grâce du baptême jusqu'aux modes de vie évangéliques.

Mais nous avons indiqué une autre manière de quitter l'Égypte, c'est quand l'âme abandonne les ténèbres de ce monde et l'aveuglement inhérent à la nature corporelle et qu'elle est transportée vers un autre monde, donné tantôt comme le sein d'Abraham dans 'la parabole de Lazare' [a], tantôt comme le paradis dans l''épisode du larron' pour qui la croix fut source de foi [b], — ou bien en tout autre lieu ou en toute autre demeure, s'il en est dont Dieu connaît l'existence ; tous ces lieux, l'âme qui possède la foi en Dieu les traverse et parvient « au fleuve qui réjouit la cité de Dieu » [c], et c'est alors qu'elle reçoit sa part de l'héritage promis à ses pères [2].

Héritage de Moïse, héritage de Josué 4, 2. Étant donné, comme nous avons dit, les deux manières de représenter la sortie d'Égypte et la traversée du désert, puis l'entrée dans l'héritage de la Terre Sainte, voyons maintenant ce qu'il faut penser de Ruben, de Gad et de la demi-tribu de Manassé.

---

2. On peut appeler 'voyage eschatologique' cette façon de quitter l'Égypte, qui laisse de côté les progrès de l'âme et passe tout droit des ténèbres de ce monde à la pleine lumière de celui d'en haut. Mais l'âme a besoin d'étapes pour parvenir à l'union divine vers laquelle elle est en marche. Dégager ces étapes sera la fonction principale de l'homélie XXVII.

268   Hereditas, quae per Moysen traditur et *extra Iordanen* decernitur, in duodecim tribubus filiorum Israel occultis quibusdam et mysticis rationibus totius humani generis figuram complectitur uel omnium certe hominum qui ad
272   agnitionem Dei uenerunt. Horum ergo pars aliqua *extra Iordanen* hereditatem consequitur per Moysen, pars uero *trans Iordanen* et hereditatem suscipit in terra repromissionis per Iesum.

276   Et illi quidem quibus *extra Iordanen* hereditas decernitur, *primitiui* sunt ; licet minus nobiles, licet non inculpati, *primitiui* tamen sunt. *Ruben* namque est *primogenitus* Iacob [d] ; licet *contaminauerit torum patris, primogenitus*
280   tamen est [e]. Sed et Gad, licet ex *ancilla*, tamen et ipse *primogenitus* est [f]. Manasse quoque, cuius *dimidia tribus extra Iordanen* consequitur, et ipse licet de Aegyptia natus *primogenitus* tamen est [g]. Omnes ergo isti *primogeniti* sunt et
284   ideo priorem populum designant qui non per Iesum Dominum nostrum, sed per Moysen *extra Iordanen* sortem hereditatis accipiunt.

    4, 3. Considera autem diligentius etiam causam, qua
288   priores et *extra Iordanen* et sequestrati a ceteris consequuntur hereditatem ; *iumenta*, inquit, *et pecora multa sunt nobis* [h]. Haec ergo causa est qua prior populus ad hereditatem terrae illius *quae lacte fluit, quae melle abundat, quae*
292   *fauus mellis est prae omni terra* [i], non potuit peruenire ; nec *Verbum carnem factum* [j] potuit agnoscere, quia *multa*

---

d. cf. Gn 35, 23   e. cf. Gn 49, 4   f. cf. Gn 35, 26
g. cf. Gn 41, 51   h. Nb 32, 1   i. cf. Ez 20, 6.   j. Jn 1, 14

    1. *Quae favus mellis.* Que ce pays soit au-dessus des autres, c'est ce que *Ézéchiel* 20, 6 a dit en le qualifiant de 'rayon de miel', et *Jérémie* 3, 19, de

L'héritage que donne Moïse et qu'il décrète au-delà du Jourdain embrasse en figure, dans les douze tribus des fils d'Israël, selon des raisons secrètes et pleines de mytères, le genre humain tout entier ou du moins tous les hommes qui sont venus à la connaissance de Dieu. Une partie d'entre eux obtient donc de Moïse l'héritage de l'autre côté du Jourdain, tandis que l'autre partie, qui a passé le Jourdain, reçoit son héritage de Josué de ce côté-ci, dans la Terre promise.

Ceux à qui est assigné l'héritage de l'autre côté du Jourdain sont des premiers-nés ; quoique moins nobles, quoique non sans reproches, ils sont pourtant premiers-nés. Ruben est le « premier-né de Jacob [d] » ; « bien qu'il ait souillé le lit paternel, il n'en est pas moins premier-né [e] ». Gad, bien que né d'une servante [f], est lui aussi un premier-né. Manassé aussi, dont la demi-tribu obtient un lot de l'autre côté du Jourdain, bien qu'il soit né d'une égyptienne, est encore un premier-né [g]. Tous sont donc des premiers-nés et représentent par là l'ancien peuple, celui qui ne reçoit pas de Jésus notre Seigneur, mais de Moïse, de l'autre côté du Jourdain, sa part d'héritage.

4, 3. Considère plus attentivement la raison pour laquelle les premiers héritiers obtiennent leur héritage et de l'autre côté du Jourdain et à l'écart de tous les autres : « C'est que, est-il dit, nous avons bêtes et troupeaux en grand nombre [h] ». Telle est donc la raison pour laquelle l'ancien peuple n'a pas pu parvenir à l'héritage de ce pays « qui ruisselle de lait, qui regorge de miel [i], qui, rayon de miel [1], est un pays à nul autre pareil ». Il n'a pas pu connaître non plus « le Verbe fait chair [j] », parce qu'ils avaient 'beau-

---

'domaine d'une beauté féerique' (TOB), et plus près de notre texte, Josué en *Nombres* 14, 7 : « C'est un beau pays, un très, très beau pays, ἀγαθή, σφόδρα σφόδρα » (TOB).

iumenta habebat et *multa pecora. Animalis* enim *homo non potuit percipere quae sunt Spiritus Dei, nec spiritaliter diiu-*
296 *dicare* [k]*, quia homo cum in honore esset, non intellexit, sed comparatus est iumentis insipientibus et similis factus est his* [l]*,* pro quibus hereditatem suam extra Iordanis fluenta percepit et a terra se sancta fecit alienum. Ille ergo populus acce-
300 pit hereditatem per Moysen, accepit terram duorum regum tantummodo. Non enim amplius potuit Moyses interficere nisi duos reges, quorum terram diuideret populis *multa animalia multaque pecora* habentibus.

304 **4, 4.** Illis uero qui Iordanen transeunt, Iesus diuidit terram ; quamuis habeant etiam ipsi animalia, habeant pecora, non tamen tanta quae eos excludant ne Iordanen transeant, sed cum ipsis et mulieribus et cum infantibus suis conten-
308 dunt transire Iordanen et ad patrum peruenire promissa. Illi autem propter pecora et iumenta et mulieres suas et infantes non potuerunt transire Iordanen nec ad fidem Christi quae est terra repromissionis intrare.

312 **5, 1.** Increpat tamen eos Moyses *et dicit ad filios Ruben et ad filios Gad : Fratres uestri pergent ad proelium, et uos sedebitis hic ? Et quare peruertitis corda filiorum Israel ut non transeant in terram quam Dominus dat iis* [a] *?* Et cum

---

k. cf. 1 Co 2, 14   l. cf. Ps 48, 13
5. a. Nb 32, 6-7

---

1. *Animalis homo :* Nous avons déjà traduit cette expression de S. Paul, 1 Co 2,14, *Hom.* XXIV, § 2,2, par « l'homme en tant qu'être psychique ». On ne peut pas dire littéralement selon la Vulgate, « l'homme animal », car cette expression française actuelle ne rend pas le sens d'homme ayant souffle de vie. On pourrait dire de cet *animalis homo* que c'est l'homme dépourvu de ce qui fait la noblesse de l'homme, privé de sa capacité d'être fils de Dieu, réduit aux apparences d'un être visible qui va à la corruption.

coup de bêtes et de troupeaux'. « L'homme psychique [1], en effet, n'a pu recevoir les dons de l'Esprit de Dieu ni juger par l'Esprit [k] » ; car on peut bien lui faire honneur, mais il n'a pas eu d'intelligence, il a été comparé aux bêtes sans raison et leur a ressemblé [l]. C'est à cause d'elles qu'il s'empara des eaux de l'autre côté du Jourdain et en fit sa part d'héritage tandis qu'il devint étranger à la Terre Sainte. Ainsi, c'est de Moïse que ce peuple reçut l'héritage, et il ne reçut le territoire que de deux rois seulement. Car Moïse n'a pas pu tuer plus de deux rois [2] ; il devait partager leur territoire aux peuples qui avaient beaucoup de bêtes et de troupeaux.

4, 4. Mais pour ceux qui passent le Jourdain, c'est Jésus qui fait le partage du territoire. Bien qu'ils aient eux aussi des bêtes et des troupeaux, ils n'en ont pas assez pour que ce soit un obstacle au passage du Jourdain. Eux-mêmes, avec femmes et enfants, s'appliquent à traverser le Jourdain et à atteindre les lieux des promesses faites à leurs pères. Quant aux autres, leurs bêtes, leurs troupeaux, leurs femmes et leurs enfants les ont empêchés de passer le Jourdain et ils n'ont pas pu accéder à la foi au Christ, — ce qui est entrer dans la Terre promise.

Le traité   **5, 1.** Cependant Moïse éclate en reproches. « Aux fils de Ruben et aux fils de Gad, il dit : Quoi ! Vos frères vont partir au combat et vous, vous resterez ici ? Pourquoi découragez-vous les fils d'Israël de vouloir passer sur le territoire que le Seigneur leur donne [a] ?

Il lui est opposé l'homme intérieur ou spirituel qui se renouvelle sans cesse et qui vit d'être à l'image même de Dieu.
   2. On l'a vu *supra* § 3,3, p. 243, Dieu avait cantonné l'action de Moïse à l'Est du Jourdain, où il n'y avait que deux rois à déloger. Josué était chargé des trente autres à l'Ouest du Jourdain, cf *infra*, § 6,2, p. 259.

316 increpuisset eos huiusmodi uerbis, *accesserunt*, inquit, *ad*
eum filii Ruben et filii Gad et dicebant : Ouilia ouibus fabri-
cabimus hic et pecoribus et ciuitates impedimentis nostris, et
nos armati prima turma incedemus ante filios Israel, usque
320 *quo perducamus eos in suum locum* [b]. Et haec promittentes
mitigarunt Moysen, ita ut ipse eos commendaret Iesu et
Eleazaro. Ita enim scriptum est : *et adhibuit eos Moyses ad*
Eleazarum sacerdotem et Iesum filium Naue et principes
324 *familiarum tribuum Israel. Et ait ad eos Moyses : Si transie-*
rint filii Ruben et filii Gad uobiscum Iordanen, omnis arma-
tus ad proelium coram Domino, et obtinueritis terram in
conspectu uestro, dabitis iis terram Galaad in possessionem [c].

328   **5, 2.** Terrae nomen in Scripturis diuinis positum diuersis
significationibus inuenimus ; et primo quidem terra haec in
qua habitamus non ex initio terra uocitata est, sed *arida* et
post hoc, quae prius dicta fuerat *arida, terra* nomen acce-
332 pit [d] ; sicut et caelum istud uisibile non ab initio caelum dictum est, sed prius *firmamentum*, post etiam *caeli* uocabulo
nuncupatum est [e]. *In principio* tamen creaturae *caelum et*
terram fecisse dicitur *Deus* et postea *aridam* et postea *fir-*
336 *mamentum* [f]. Vis autem scire quia aliud sit in Scripturis
arida, aliud *terra* ? Audi Aggaeum prophetam dicentem :
Adhuc semel ego mouebo caelum et terram et mare et ari-
dam [g]. Vides quomodo propheta aliud ponit *terram*, aliud
340 *aridam*.

    5, 3. Sed et in multis Scripturae locis inuenimus *terram*
laudabiliter nominari, *aridam* uero non facile legimus lau-

---

b. Nb 32, 16-17   c. Nb 32, 28-29   d. cf. Gn 1, 9-10
e. cf. Gn 1, 7-8   f. cf. Gn 1, 1   g. Ag 2, 6

Quand il les eut blâmés avec de telles paroles, les fils de
Ruben et les fils de Gad s'approchèrent de lui et dirent :
Nous construirons ici des parcs à brebis et des parcs à troupeaux, et des villes pour nos bagages. Pour nous, nous prendrons les armes et nous marcherons en première ligne
devant les fils d'Israël, jusqu'à ce que nous les ayons instal-
lés chacun à son emplacement [b] ». Par ces promesses, ils
apaisèrent Moïse, si bien qu'il les recommanda à Jésus et
à Éléazar. Car il est écrit : « Et Moïse les confia au prêtre
Éléazar, à Jésus fils de Navé, et aux chefs des familles des
tribus d'Israël. Et Moïse leur dit : Si les fils de Ruben et les
fils de Gad passent avec vous le Jourdain, chacun en armes
pour aller au combat devant le Seigneur, et si vous conqué-
rez la terre qui est devant vous, vous leur donnerez la terre
de Galaad en propriété [c] ».

**La terre et l'aride :
stérilité et fécondité
spirituelles**

5, 2. Dans les Écritures divines,
nous trouvons que le mot de 'terre'
est employé avec des sens différents. Ainsi d'abord, la terre que
nous habitons n'a pas été appelée 'terre' au début, mais
l'aride. Puis celle qui avait été dénommée auparavant l'aride,
a reçu le nom de terre [d]. Il en a été de même pour le ciel
visible, qui n'a pas porté le nom de ciel au début, mais
d'abord de firmament, et ensuite a pris le nom de ciel [e]. Et
cependant il est dit qu'au commencement de la création
Dieu fit le ciel et la terre, puis l'aride, puis le firmament [f].
Veux-tu la preuve que dans les Écritures l'aride est une
chose et la terre une autre ? Écoute ce que dit le prophète
Aggée : « Encore un coup et j'ébranlerai le ciel, la terre, la
mer et l'aride [g] ». Tu vois bien que pour le prophète la terre
est une chose et l'aride une autre.

5, 3. En de nombreux passages de l'Écriture, nous trouvons que la terre est citée en bonne part, mais nous n'y trou-

dabilem poni. Nam et Adam in hunc locum quasi culpabi-
344 lem post peccatum detruditur, qui *arida* nominatus est.
Antea enim non fuit in *arida*, sed in *terra ;* paradisus
namque non est in *arida*, sed in *terra*. Sed et *mansuetis* quod
repromittit Dominus in Euangelio, non est arida, sed *terra*.
348 *Beati* enim inquit *mansueti, quoniam ipsi hereditabunt ter-*
ram ʰ. Et item in Euangelio semen, quod *dat fructum cen-*
tesimum, sexagesimum et tricesimum, terra ⁱ dicitur esse,
non arida. Et puto quia profectus quidam sit ab arida ad ter-
352 ram ueniendi, sicut et profectus quidam fuit, ut haec arida
terra uocaretur. Omnes enim nos, donec infructuosi sumus
et nullum iustitiae fructum, nullum pudicitiae, nullum pietatis afferimus, *arida* sumus. Si autem nosmet ipsos coepe-
356 rimus excolere et ad uirtutum frugem desides animos suscitare, *terra* efficimur ex *arida*, quae uerbi Dei suscepta
semina laeta fruge multiplicet.

5, 4. Est ergo quaedam etiam in regno Dei *terra* quae
360 *mansuetis* repromittitur ʲ, et *terra* quae *uiuentium* nominatur ᵏ, et terra in excelsis posita, de qua ad iustum dicit propheta : *Et exaltabit te ut heredites terram* ˡ. Istius ergo *ter-*
rae hereditatem, posteaquam de mundi huius Aegypto
364 exierit, Deo credens anima consequitur ; et alibi quidem hi
qui sub lege uixerunt, alibi autem qui per Iesu Christi fidem
et gratiam dispensati sunt. Verumtamen hi qui uidentur

---

h. Mt 5, 4   i. cf. Mt 13, 18   j. cf. Mt 5, 4   k. cf. Ps 141, 6
l. Ps 36, 34

---

1. Le mot *aride* s'oppose ici à la terre. C'est la terre sèche, qui ne produit rien. D'aucuns (la TOB) l'appellent le continent, ce qui est l'opposer
aux espaces de la mer. Origène ne se soucie pas de la conception que pouvait avoir le rédacteur de ces textes primitifs, il lui importait de trouver des

vons guère l'éloge de l'aride. Ainsi Adam, comme coupable, après le péché, a été chassé en un lieu qui est appelé l'aride. Auparavant, il n'était pas sur l'aride, mais sur la terre, car le paradis n'est pas sur l'aride, mais sur la terre [1]. Or pour les doux ce que promet le Seigneur dans l'Évangile, ce n'est pas l'aride, mais la terre : « Bienheureux les doux, est-il dit, car ils auront la terre en héritage [h] ». Et dans l'Évangile encore, la semence qui donne cent ou soixante ou trente pour un est appelée terre et non aride [i]. Il semble que ce soit un progrès que de passer de l'aride à la terre, comme ce fut un progrès que cet aride fût nommé terre. Nous tous, aussi longtemps que nous sommes stériles, sans porter de fruit de justice, sans fruit de chasteté, sans fruit de piété, nous sommes l'aride. Mais si nous nous mettons à nous cultiver nous-mêmes et à ranimer nos esprits négligents en vue de la moisson des vertus, nous quittons l'aride et nous devenons terre, une terre qu'ensemence la parole de Dieu et qui la multiplie en une fructueuse moisson.

Sens eschatologique   5, 4. Il y a donc, dans le royaume de Dieu aussi, une Terre promise pour les doux [j], une terre appelée « Terre des Vivants » [k]. Terre placée dans les hauteurs, dont le prophète dit en parlant au juste : « Il t'élèvera pour que tu aies la terre en héritage [l] ». C'est donc l'héritage de cette terre que reçoit, après qu'elle est sortie de l'Égypte de ce monde, l'âme qui croit en Dieu ; ainsi, d'un côté se trouvent ceux qui ont vécu sous la Loi, et d'un autre ceux qui, touchés par la foi en Jésus-Christ, ont vécu sous l'influence de sa grâce. Cependant ceux qui sont en premier et qui dépendent de la

qualités différentes en lesquelles il pût symboliquement étager les âmes diversement préparées à entrer dans le Royaume.

primi et per Moysen dispensati, non prius consequentur
368 hereditatem sibi decretam, nisi et ipsi transeant cum his quos
Iesus dispensat, et pugnent cum his contra inimicos et col-
locent eos in sedibus suis, et ita ipsi consequentur hereditatem quam Moyseo duce meruerunt.

372 **6, 1.** Sed haec nisi ex Scripturis diuinis approbentur,
fabulae uidebuntur. Paulus ergo horum producatur idoneus
testis, qui in epistola ad Hebraeos, ubi describit omnes illos
patres et patriarchas ac prophetas, qui per fidem *placuerunt*
376 *Deo* [a], post enumerationem cunctorum in ultima conclusione sic dicit de iis : *Et hi omnes testimonio fidei accepto
non perceperunt repromissiones, Deo pro nobis melius aliquid prouidente, uti ne sine nobis consummarentur* [b]. Quasi
380 si dicerent istae nouem semis tribus de illis duabus et semis
tribubus quia propterea *non acceperunt repromissionem* terrae illius quae iis *extra Iordanen* per Moysen decreta est,

---

6. a. cf. He 11, 1 s.   b. He 11, 39-40

1. Il est trop tôt, semble-t-il, à l'époque des *Homélies sur les Nombres*,
pour formuler l'expression 'd'économie mosaïque'. Ce serait un anachro-
nisme de la mettre sous la plume d'Origène ou de Rufin. Elle serait bien
commode. Mais la dispensation des territoires par Moïse et Josué relève
d'un vocabulaire de répartition, pas encore d' administration où se logerait
à l'aise celui d'économie. 'Économie' est un vocable qui a déployé ses sens
à partir du XVIe siècle. L'emprise du mot s'étend à une réalité bien plus
vaste que la répartition de la Terre promise, même si celle-ci, en langage
origénien, enferme une charge symbolique qui pourra se développer sous
le nom d'économie.

2. Le passage qu'on vient de lire (§ 5,4) demande une certaine gymnas-
tique de l'esprit. Car Origène, après avoir rappelé sur le mode littéral (ou
historique) les péripéties de l'arrivée des Hébreux dans la Terre promise,
cherche à atteindre la réalité spirituelle qu'elles couvrent. La similitude dans
les mots du symbole et de sa signification tient l'esprit en suspens tant qu'il
n'a pas fait jouer dans les deux directions, de l'histoire et de l'intelligence
spirituelle, la clé du sens. Ainsi, par exemple, le mot 'passage' qui est à la

répartition de Moïse [1] n'obtiendront pas l'héritage qui leur
est assigné, si eux-mêmes ne font pas la traversée pour
rejoindre ceux qui dépendent de Jésus, et s'ils ne combattent pas avec eux contre les ennemis, tout le temps qu'il faudra pour les installer dans leurs lieux de résidence. De la
sorte, eux-mêmes obtiendront l'héritage qu'ils ont mérité
sous la conduite de Moïse [2].

6, 1. Mais si cela n'est pas confirmé par les divines Écritures, on le prendra pour de la fable. Produisons donc Paul
comme témoin qualifié. Dans l'*Épître aux Hébreux,* après
avoir cité tous les pères, patriarches et prophètes que leur
foi rendit agréables à Dieu [a], à la fin de l'énumération, il
ajoute comme conclusion : « Tous ceux-là, malgré le
témoignage rendu à leur foi, ne sont pas entrés en possession des promesses, car Dieu, qui nous réservait un sort
meilleur, ne voulait pas que sans nous ils atteignent à la
perfection [b] ». Les neuf tribus et demie semblent dire des
deux tribus et demie qu'elles n'ont pas reçu de promesse
en contrepartie de la terre qui leur a été assignée par Moïse
de l'autre côté du Jourdain, parce que Dieu nous réservait

---

fois passage du Jourdain et passage des âmes du monde ancien au monde
spirituel du Nouveau Testament. Sous la houlette de Moïse, il y a ceux de
l'A.T. qui hésitent à passer le fleuve, et sous la houlette de Josué, ceux qui
finissent leur marche de l'autre côté du fleuve pour vivre selon le N.T. Que
les uns, ceux de l'Est, viennent donner un coup de main à ceux de l'Ouest
pour la bataille, et voilà mystiquement opéré le passage de l'A.T. au N.T. ;
voilà que ceux qui marchaient avec Moïse rallient ceux qui suivent Jésus ;
on oublie Josué qui est le tremplin de ce passage, mais il revient presque
aussitôt, car il distribue les parts d'héritage. On voit tout le symbolisme
qui règne dans ces explications origéniennes. En les lisant nous devons tenir
par l'esprit à la fois la réalité matérielle et sa signification, passer de la lettre
à l'intelligence spirituelle et revenir de l'une à l'autre, car le sens, pour nous,
est au prix de ce passage d'une rive à l'autre des temps, de la rive de Moïse
à la rive de Jésus, le passeur restant ici Origène, qui tient, on le voit, à ce
que Moïse garde ses droits.

384 *Deo pro nobis aliquid melius prouidente, uti ne sine nobis consummarentur.* Propterea ergo transeunt nobiscum armati ad proelium et iuuant nos ad belligerandum, ad expugnandos inimicos. Sed illi transeunt, qui armati sunt, qui uiri
388 fortes sunt et potentes ; ceteri uero omnes, ignaua manus et imbellis, remanent *extra Iordanen*.

Si qui autem in ipsis uiri fortes sunt, relictis animalibus et pecoribus et omnibus impedimentis, pugnant aduersum
392 hostem nobiscum, usque quo uincantur inimici nostri, usque quo hereditatem terrae bonae, *terrae mellis lactisque* capiamus ᶜ.

6, 2. Quis enim dubitat quod sancti quique patrum et
396 orationibus nos iuuent et gestorum suorum confirment atque hortentur exemplis, sed et uoluminibus suis per ea quae nobis ad memoriam scripta reliquerunt, docentes nos et instruentes quomodo aduersum inimicas potestates dimi-
400 candum sit et quomodo agonum toleranda certamina ? Pugnant ergo pro nobis et ipsi incedunt primi ante nos armati. Ipsos enim nos habentes ad exemplum et uidentes eorum per Spiritum fortia facta armamur ad proelium spi-
404 ritale et aduersum *spiritalia nequitiae in coelestibus* ᵈ dimicamus. Sic denique, qui sub Iesu duce militant, triginta et eo amplius reges perimunt et terras eorum sorte hereditatis accipiunt ᵉ. Depulsis namque *spiritalibus nequitiis de caeles-*
408 *tibus* hereditatem regni caelestis Iesu Domino nostro diuidente percipiunt.

---

c. cf. Ex 33, 3.4   d. cf. Ep 6, 12   e. cf. Jos 13, 24

1. Les trente rois de *Josué* 13,24. Ils sont énumérés au cours du livre de Josué, en finale du chap. 13, accompagné chacun du nombre 'un', comme

un sort meilleur, pour que ce ne soit pas sans nous qu'elles atteignent à la perfection. C'est pourquoi plusieurs des leurs passent avec nous le fleuve, en armes pour le combat, et nous aident à poursuivre la guerre en chassant les ennemis. Mais ceux qui passent, ce sont des guerriers, des hommes vaillants et forts, tandis que tous les autres, troupe indolente et inapte à la guerre, restent de l'autre côté du Jourdain.

Mais tout ce qu'il y a parmi eux d'hommes courageux, laissant les animaux, les troupeaux, tous les bagages, combattent l'adversaire avec nous jusqu'à la défaite de notre ennemi, jusqu'à ce que nous entrions en possession de la bonne terre, « de la terre du miel et du lait [c] ».

6, 2. Peut-on douter que les saints Pères ne nous aident par leurs prières, ne nous encouragent par leurs actions, ne nous incitent à les imiter par leurs exemples ? Par les volumes aussi où ils nous ont laissé leurs écrits pour en garder mémoire, ne nous enseignent-ils pas et ne nous disposent-ils pas à combattre les puissances ennemies et à soutenir des combats athlétiques ? Ils combattent donc pour nous ; eux aussi marchent au combat en première ligne devant nous. Les prenant en exemple et au vu de leurs prouesses spirituelles, nous nous armons pour le combat spirituel et « nous luttons contre les esprits du mal répandus dans les airs [d] ». Pour finir, ceux qui font la guerre sous la conduite de Jésus anéantissent trente rois et plus [1] et reçoivent leurs terres en part d'héritage [e]. Car une fois repoussés « les esprits du mal répandus dans les airs », ils reçoivent en héritage le royaume céleste dont Jésus notre Seigneur assure le partage.

---

pour préparer l'addition dont le rédacteur donne le résultat, « en tout 31 rois ». V. *supra*, p. 251, n. 2.

7, 1. Potest et tertius adhuc expositionis uideri modus, ut in filiis Israel, id est in populo Ecclesiae, intellegantur quidam esse spiritales et intra Iordanen percipere hereditatem *terrae fluentis lac et mel,* sapientiae scilicet et scientiae dulcedinem capientes, quorum terra flumine Dei, quod repletum est aquis diuinae intellegentiae, circumdatur et rigatur. Alii autem sunt carnales, qui <ppe> *iumentis* et *pecudibus,* id est crassis et stolidis sensibus, abundantes ; sicut erant illi de quibus dicebat Apostolus : *Ita insensati estis ut, cum spiritu coeperitis, nunc carne perficiamini* [a] et : *O insensati Galatae, quis uos fascinauit ueritati non oboedire* [b] ? Sed et unusquisque nostrum, nisi se armauerit et abiectis brutis et beluinis sensibus ad spiritalem intellegentiam properauerit, remanebit extra Iordanen, — nec poterit per sapientiae *flumen* incedere quod *laetificat ciuitatem Dei* [c], id est animam Dei capacem, — non assequetur eloquiorum Domini interiora quae sunt *dulciora super mel et fauum* [d], sed illam tantummodo consequetur terram, in qua duo reges occisi sunt, ubi dicatur ei : *Nihil aliud iudicaui me ipsum scire inter uos nisi Christum Iesum, et hunc crucifixum* [e].

7, 2. Qui autem potuerit transire Iordanen et ad interiora penetrare, ibi Iesum Dominum nostrum sequens interficiet triginta et eo amplius reges [f], illos fortassis de quibus dicitur quia : *Adstiterunt reges terrae et principes congregati sunt*

---

7. a. Ga 3, 3   b. cf. Ga 3, 1   c. cf. Ps 45, 5   d. cf. Ps 18, 11
e. 1 Co 2, 2   f. cf. Jos 12, 24

1. Les deux premières interprétations sont indiquées *supra*, § 4,1, p. 245.

2. Troisième mention des « deux rois » : voir les notes *supra*, p. 251 et 258. Cette mention d'allure stéréotypée constitue comme un bilan communément reçu à travers les récits de la conquête. Les deux rois vaincus, sur les trente qu'on comptait, parlent à l'imagination : ils servent d'exemple

**Degrés
dans l'Église**

7, 1. On peut envisager encore une troisième explication [1]. Il faut comprendre que
parmi les fils d'Israël, c'est-à-dire dans le
peuple de l'Église, certains sont des spirituels : ils obtiennent
en héritage, de ce côté-ci du Jourdain, 'la terre où coulent le
lait et le miel', c'est-à-dire qu'ils goûtent à la douceur de la
sagesse et de la science, puisque leur territoire est entouré et
irrigué par le fleuve de Dieu débordant des eaux de la divine
Intelligence. D'autres sont des charnels ; ils ont en abondance bêtes et troupeaux, c'est-à-dire des pensées épaisses et
grossières, ils sont comme ceux dont l'Apôtre disait : « Êtes-
vous insensés au point d'avoir commencé par l'Esprit et de
finir maintenant par la chair ? » et encore : « O Galates
insensés, qui vous a ensorcelés, que vous récusiez la
vérité [b] ? » Mais chacun d'entre nous, à moins qu'il n'ait pris
les armes, à moins qu'il n'ait rejeté les pensées ineptes et bes-
tiales et ne se soit rapidement tourné vers l'intelligence spirituelle, celui-là restera de l'autre côté du Jourdain, il ne
pourra pas s'avancer à travers « le fleuve de sagesse qui
réjouit la cité de Dieu [c] », cette cité qui est son âme en capacité de recevoir Dieu ; il n'atteindra pas la moelle substan-
tielle des paroles du Seigneur qui sont « plus douces que le
miel, que le miel qui coule du rayon [d] », mais il s'arrêtera au
territoire où il n'y a eu que deux rois seulement de tués [2] et
là il lui sera dit : « Je n'ai rien voulu savoir parmi vous sinon
Jésus-Christ et Jésus-Christ crucifié [e] ».

7, 2. Mais celui qui aura pu traverser le Jourdain et pénétrer dans les régions de l'intérieur, là, à la suite de Jésus notre
Seigneur, il tuera trente et plus de rois [f], ceux-là sans doute
dont il est dit : « Les rois de la terre se sont dressés, les

pour indiquer que ce n'est pas Moïse qui achève la conquête, mais Jésus —
en filigrane ne lisez pas Jésus/Josué, mais Jésus-Christ, c'est ce qu'Origène
veut vous faire comprendre.

in unum aduersus Dominum et aduersus Christum eius [g], depulsisque his regibus et prostatis, agnoscet secretiora mysteria, usque quo ueniat etiam ad illum locum ubi *sedes* Dei est et Hierusalem *ciuitas Dei uiuentis* [h], non ista quae *seruit cum filiis suis* in terris, sed illa caelestis, quae *libera est et mater est omnium nostrum* [i], ad cuius nos hereditatem perducere dignetur dux et Dominus noster Iesus Christus, cui *gloria in saecula saeculorum. Amen* [j].

g. Ps 2, 22   h. cf. He 12, 22   i. cf. Ga 5, 25-27   j. cf. 1 P 4, 11

princes se sont coalisés contre le Seigneur et contre son Christ [g] ». Après avoir chassé ces rois et ces princes, il aura connaissance de mystères plus profonds, jusqu'à ce qu'il arrive au trône de Dieu et à Jérusalem « la cité du Dieu vivant [h] », non « celle qui est esclave avec ses fils » sur la terre, mais la Cité céleste « qui est libre et qui est notre mère à tous [i] ». A son héritage, daigne nous conduire notre Chef, Jésus-Christ notre Seigneur « à qui appartient la gloire dans les siècles des siècles. Amen [j] ».

HOMÉLIE XXVII

HOMÉLIE XXVII

(Nombres 33, 1-49)

NOTICE

Les étapes des fils d'Israël

Avec cette *Homélie* XXVII, la plus longue de toute la série des *Nombres,* il est évident que nous ne sommes pas en présence d'une homélie prononcée, mais bien d'un mariage adroitement agencé par Rufin entre une homélie et un important fragment de commentaire. Il serait intéressant de démêler l'un de l'autre. Mais, sans indication codicologique, nous ne le ferons pas ; nous contentant de rendre hommage à l'habileté de Rufin qui a su faire, comme il dit dans sa lettre d'envoi à Ursace *(Tome* I), avec des fragments épars et des homélies, une « séquence **unique** ».

Lu par un Origène pour qui l'histoire est secondaire, le Livre des *Nombres,* ici condensé dans le **catalogue des étapes**, est un guide spirituel. Guide pour le voyage de l'âme ici-bas, et pour sa montée progressive vers la demeure du Père céleste. Mais déjà ce sujet a fait l'objet d'approches en plusieurs des homélies précédentes, spécialement *Hom.* XII, XIX, XX. On s'y reportera utilement.

Nous diviserons — mais c'est à l'adresse du lecteur d'aujourd'hui — l'homélie en trois sections.

I. Une introduction générale, assez importante puisqu'elle s'étend jusqu'à § 8,6 ; elle prépare l'auditeur au genre de texte particulier qu'on va expliquer.

II. Le corps principal de l'homélie, c'est-à-dire le passage en revue des 42 étapes, avec leur signification, § 8,6-§ 12,13.

III. Une rapide conclusion, où Origène justifie sa méthode, § 13,1-fin.

I. L'Introduction se développe en trois nappes, — **A, B, C,** — comme des vagues successives dont les limites se fondent les unes dans les autres.

A. § 1,1-§ 1,7. La première nappe, très générale, confirme le rôle de l'Écriture comme nourriture de l'âme, autant par sa diversité, que par son adaptation à l'utilisateur ; elle ne fait pas allusion aux étapes.

B. § 2,1-§ 2,4. La deuxième nappe prépare l'esprit à la notion d'étapes. Historiquement, les étapes sont celles des Hébreux quittant l'Égypte pour la Terre Promise, mais c'est de peu d'intérêt pour l'exégète spirituel qu'est Origène, § 2,1. Au contraire, ces étapes prises dans leur acception **symbolique**, à savoir que quitter l'Égypte, c'est sortir du paganisme pour rallier la Loi de Dieu, et que c'est aussi quitter le monde de cette terre pour celui de l'au-delà, § 2,2, ces étapes, voulues par Dieu, consignées par ordre de Dieu, deviennent comme les règles du voyage de l'âme vers sa patrie. L'itinéraire est fractionné en étapes, car l'Évangile a révélé beaucoup d'étapes (*mansiones* = 'étapes', également 'demeures') pour aller au Père, ces étapes jalonnent l'itinéraire ; elles ont une porte, le Seigneur, § 2,3.

C. § 3,1-§ 6,2. Avec la troisième nappe (3ᵉ vague, si l'on veut), on approche du corps central de l'homélie. Car Origène va expliquer le pourquoi des 42 étapes. Raison mystique : le Christ est descendu à travers 42 générations pour venir sur terre ; l'âme les remonte, § 3,2. Quel long voyage pour atteindre les sommets ! Origène prend en pitié cette âme qu'il entend gémir sur la longueur de son exil. Il recueille son impatience dans les Psaumes, § 4,1. — L'âme se nourrit de vertus. Là est le principal, car son vrai voyage est de croître de vertu en vertu jusqu'à la perfection, § 5,2. — Autres réflexions d'Origène avant le départ : il se demande s'il arrivera lui-même à soulever le poids des mystères qui sont enfermés dans les étapes, § 4,2. Il rappelle le souvenir de ceux qui sont tombés au cours de la montée et qui ont laissé 'blanchir leurs os dans le désert', § 4,3. — Il sait que le guide est le Seigneur, qui fournit la vraie lumière tout au long de la marche, § 5,1, le Seigneur qui sait 'quelle vaste dimension donner à notre attente', § 6,1. En fin de compte, Origène indique les purifications nécessaires avant le départ, § 6,2. — Nous voici donc prêts à nous arracher à la nuit de ce monde, à nous mettre en marche vers la lumière de la vérité, § 7. — Ici, le préambule, incluant la 3ᵉ nappe, peut être considéré comme achevé. On part. C'est urgent, § 7, car les vanités de la vie risquent toujours de nous empêcher de partir.

II. Les étapes. Devant l'imminence du départ, Origène fait encore deux réflexions : l'une sur la célébration de la Pâque, entamée la veille au soir, ce qui démontre que toute festivité ne peut s'achever qu'au ciel, § 8,1-2, — l'autre sur l'action de Dieu qui ne cesse de s'exercer contre les démons, § 8,3-6.

Enfin, nous voilà partis ; nous sommes en route vers Sochoth, première étape. Chaque étape porte un nom hébreu. Mais Origène ne manque pas d'en donner le sens, que Rufin nous transmet en latin. Origène avait donc à portée de main son recueil de traductions, l'*onomasticon* auquel il renvoie, *Hom.* XX, § 3,1, cf. *supra* p. 33. Nous ne nous soucierons pas d'en contrôler l'exactitude, car notre intérêt se porte au sens allégorique que les étapes reçoivent d'Origène.

Ne pensons pas qu'à travers ces 42 étapes — on peut les prendre comme des échelons puisque, au dire d'Origène, il s'agit de montée, § 3,1 — nous allons pouvoir gravir tranquillement de l'un à l'autre les degrés de la spiritualité. Les étapes se suivent sans ordre, au gré de la liste géographique établie par le rédacteur du *Livre des Nombres* en des temps très anciens. Mais prises ensemble, bon nombre d'entre elles peuvent former comme un **code** — Origène dit que c'est le souvenir d'un itinéraire § 4,1 — pour la conduite du chrétien soucieux de progresser et de « sortir de son exil ». Et l'on s'aperçoit alors qu'il y a plusieurs façons de progresser dont Origène, sans l'exprimer, tient compte : on progresse dans la **vertu**, on progresse dans la **foi**, on progresse dans l'**union** mystérieuse (mystique) avec Dieu... Chacune de ces progressions donne vie à l'âme, amplitude à la vie de l'âme, et, à la fin, perfection à la vie de l'âme.

Ainsi la 1re étape suppose que l'on quitte l'agitation terrestre, — la 2e, qu'en un défilé où le diable attaque, on lutte fortement pour la victoire, — la 3e qu'on perçoit la lenteur des progrès, mais que « l'âme se sent plus nourrie par l'espérance que fatiguée par les efforts », § 9,3, — la 4e, que le temps des progrès est le temps des dangers, le temps de la mer à traverser, des eaux agitées et des eaux amères, mais qu'on en sort, — la 5e que Dieu entrecoupe par du repos les fatigues de la montée. — On le voit ! cela n'a pas d'ordre, mais la vertu de l'âme s'accroît à travers ces situations.

Il ne s'agit pas pour nous de passer en revue les 42 étapes. Le lecteur trouvera plus de goût, plus de densité, plus de profondeur au texte même d'Origène qu'à ce que nous pouvons lui en dire. Mais nous voudrions attirer son attention sur les quelques étapes qui abordent la vie mystique de l'âme. Elles ont donné lieu à discussion entre spécialistes de la vie spirituelle, les uns doutant qu'Origène pût parler par expérience de ces états, car ses réflexions sont d'allure plutôt philosophique (néoplatonisme), les autres reconnaissant au contraire la validité d'une expression littéraire reposant sur des réalités, vécues à la fois par un grand maître et par un grand spirituel, dont les actes et les œuvres garantissent la sincérité. J. DANIÉLOU a consacré tout un chapitre à *La mystique d'Origène* dans son livre sur notre auteur, édité en 1948 à *La Table Ronde*, p. 288 s. (on y trouve une Bibliographie sur la question).

Voici pour faire court quelques-unes de ces étapes : la 23ᵉ surtout, celle qui nomme l'extase ; la 7ᵉ, discernement de la vision ; la 14ᵉ, la vision parfaite ; la 16ᵉ, l'éclat de la vraie lumière ; la 18ᵉ, le pouvoir de l'âme sur le monde entier ; la 24ᵉ, la mort avec le Christ ; la 35ᵉ et la 36ᵉ, l'ombre tutélaire du Saint-Esprit sur ses mystères. — A la suite, la 39ᵉ qui ne porte pas sur la mystique, mais qui développe complaisamment une image et un paradoxe : « la ruche aux tentations » : c'est l'Écriture Sainte ; bien comprise elle fourmille d'auteurs, véritables abeilles à l'utilité certaine ; par contre, mal comprise, elle sécrète des difficultés qui peuvent éloigner de la foi.

HOMILIA XXVII

De mansionibus filiorum Israel

1, 1. Cum conderet Deus mundum, innumeras creavit ciborum differentias, pro diuersitatibus scilicet uel humani desiderii uel naturae animalium. Vnde non solum homo,
4 cum uiderit animalium cibum, scit eum non pro se, sed pro animalibus creatum, sed et ipsa animalia agnoscunt proprios cibos, et aliis quidem, uerbi causa, utitur leo, aliis ceruus, aliis bos, aliis uero aues. Sed et inter homines sunt quaedam
8 differentiae in appetendis cibis, et alius quidem, qui bene sanus est et habitudine corporis ualens, fortem cibum requirit et *credit confiditque edere omnia*[a] uelut robustissimi quique athletarum. Si qui uero infirmiorem se sentit et inua-
12 lidum, delectatur oleribus et fortem cibum pro sui infirmitate non recipit. Si uero sit aliquis paruulus, etiamsi uoce indicare non possit, re tamen ipsa nullam aliam quam lactis requirit alimoniam. Et ita unusquisque uel pro aetate uel pro
16 uiribus uel pro corporis ualetudine aptum sibi et competentem uiribus suis expetit cibum.

---

1. a. cf. Rm 14, 2

---

1. Qu'il faille adapter la nourriture aux âges de l'homme est une évidence, — que les anciens se plaisent à développer, on le voit bien ici chez Origène. Mais il y a une nourriture spécifique dont dépendent la santé, la force, les progrès de l'âme : c'est la parole de Dieu. Toute l'homélie 27, pas seulement ce préambule important, va tendre à faire pénétrer le lecteur, au-delà de la lettre, au cœur de la parole faite pour nourrir l'âme. PHILON, sensible à cette nourriture spéciale, la proposait en moralisateur : « *La nourriture parfaite, convenant à des hommes faits, ce sont les vertus* » (*De*

HOMÉLIE XXVII

Vers la Terre Promise, les étapes des fils d'Israël

**Préambule :
plaidoyer en faveur
de l'Écriture,
nourriture de l'âme**

1, 1. En créant le monde, Dieu produisit un très grand nombre d'aliments, qui différaient selon qu'ils répondaient au désir des hommes ou à la nature des animaux. Ainsi l'homme en voyant la nourriture des animaux sait qu'elle n'a pas été créée pour lui mais pour eux, et de leur côté les animaux reconnaissent les aliments qui leur sont propres ; autre, par exemple, est la nourriture du lion, autre celle du cerf, autre celle du bœuf, autre, évidemment, celle des oiseaux. Mais chez les hommes, il y a aussi des différences dans le choix de la nourriture. Tel est bien portant, il a une carrure robuste : il a besoin d'une nourriture forte, « il croit pouvoir manger de tout[a] », comme les athlètes les plus vigoureux. Mais si tel autre se sent plus faible et mal portant, il préfère les légumes et repousse les nourritures fortes à cause de sa mauvaise santé. S'il s'agit d'un petit enfant, même s'il ne peut pas parler, il ne réclame en réalité pas d'autre aliment que du lait. Ainsi chacun, selon son âge, selon ses forces, selon son état de santé, recherche la nourriture qui lui convient et qui correspond à ses forces [1].

---

congr. 19). Mais le lecteur chrétien, qui n'ignore pas le devoir d'interprétation, sait aussi que la parole de Dieu, enfermée en l'Écriture comme nourriture de l'âme, porte un nom propre, celui de Verbe.

1, 2. Si sufficienter rerum corporalium considerastis exemplum, nunc ab his ad intellegentiam spiritalium ueniamus. Omnis natura rationabilis propriis et sibi competentibus nutriri indiget cibis. Cibus autem uerus naturae rationabilis sermo Dei est. Sed sicut in nutrimentis corporis multas paulo ante dedimus differentias, ita et natura rationabilis, quae ratione et uerbo Dei, ut diximus, pascitur, non omnis uno atque eodem uerbo nutritur. Vnde ad similitudinem corporalis exempli est aliqui etiam in uerbo Dei cibus *lactis* [b], apertior scilicet simpliciorque doctrina, ut de moralibus esse solet, quae praeberi consueuit his qui initia habent in diuinis studiis et prima eruditionis rationabilis elementa suscipiunt.

1, 3. His ergo cum recitatur talis aliqua diuinorum uoluminum lectio, in qua non uideatur aliquid obscurum, libenter accipiunt, uerbi causa, ut est libellus Hester aut Iudith uel etiam Tobiae aut mandata Sapientiae ; si uero legatur ei liber Leuitici, offenditur continuo animus et quasi non suum refugit cibum. Qui enim uenit ut disceret Deum colere, iustitiae ac pietatis eius praecepta suscipere, audit mandata de sacrificiis dari et immolationum ritus doceri, quomodo non continuo auertit auditum et tamquam non sibi aptum cibum recusat ?

1, 4. Sed et alius, cum leguntur Euangelia uel Apostolus aut Psalmi, laetus suscipit, libenter amplectitur et uelut remedia quaedam infirmitatis suae inde colligens gaudet. Huic si legatur *Numerorum* liber et ista maxime loca quae

b. cf. 1 Co 3, 2

1, 2. Ayant assez considéré l'exemple des réalités matérielles, venons-en à l'intelligence spirituelle. Toute nature
raisonnable a besoin de nourritures qui lui soient propres et
conviennent à son état. Or la vraie nourriture de la nature
raisonnable est la parole de Dieu. Mais nous venons de dire
qu'il y a beaucoup de variétés dans les aliments terrestres ;
de la même façon, quand il s'agit de la nature raisonnable
qui se nourrit, disions-nous, de la pensée et de la parole de
Dieu, elle ne se nourrit pas toute d'une seule et même
parole. C'est pourquoi à la ressemblance de l'alimentation
corporelle, la parole de Dieu comporte aussi un régime
lacté [b], c'est-à-dire plus ouvert à tous et plus simple de doctrine, tel qu'est l'enseignement de la morale qu'on donne
d'ordinaire à ceux qui s'initient aux études divines et à ceux
qui reçoivent les premiers éléments de la science raisonnable.

1, 3. Quand donc, à ceux-là, on lit un extrait des Livres
divins où n'apparaît aucune obscurité, ils le reçoivent de
plein gré, par exemple quand il s'agit du petit livre d'Esther
ou de Judith, ou encore de Tobie ou des préceptes de la
Sagesse ; mais qu'on lise le livre du Lévitique et voici qu'aussitôt l'esprit de notre homme est choqué et qu'il récuse cette
nourriture comme n'étant pas la sienne. Car il est venu pour
apprendre à honorer Dieu, pour recevoir ses préceptes de
justice et de piété, et il n'entend que préceptes sacrificiels et
qu'observances rituelles d'immolation : comment ne se
détournerait-il pas et ne refuserait-il pas cette nourriture
comme ne lui convenant pas ?

1, 4. Mais cet autre à qui on fait lecture des Évangiles ou
de l'Apôtre ou des Psaumes, les accueille avec joie, s'y
attache volontiers et s'en réjouit, car il y trouve comme des
remèdes à sa faiblesse. Qu'on lui lise le *Livre des Nombres*
et particulièrement les passages que nous avons entre les

nunc habemus in manibus, nihil haec ad utilitatem, nihil ad
infirmitatis suae remedium aut animae salutem prodesse
iudicabit, sed continuo refutabit et respuet tamquam graues
48 et onerosos cibos et qui aegrae atque inualidae non compe-
tant animae. Sed sicut, uerbi gratia — ut iterum ex corporalibus repetamus exempla —, leoni si detur intellectus, non
continuo culpabit abundantiam herbarum creatam, quia ipse
52 crudis carnibus uescitur, nec dicet illas superfluo a condi-
tore productas, quia ipse earum cibo non utitur, nec iterum
homo, quia pane aliisque aptis sibi utitur alimoniis, culpare
debet cur fecerit Deus serpentes quos cibum uideat praebere
56 ceruis, neque ouis aut bos culpare, uerbi causa quod aliis
animalibus carnibus uesci datum sit, cum ipsis ad edendum
gramina sola sufficiant.

1, 5. Ita ergo et in cibis rationabilibus, diuinorum dico
60 uoluminum, non continuo aut culpanda aut refutanda est
Scriptura, quae difficilior aut obscurior ad intellegendum
uidetur uel ea continere, quibus siue incipiens et *paruulus* [c]
siue *infirmior* [d] et minus ad intellegendum omnia ualidus uti

---

c. cf. He 5, 13   d. cf. Rm 14, 2

---

1. Ce passage des *Nombres* 33, 5-49, a ceci de particulier qu'il n'est que
l'énumération pure et simple des localités où passèrent les Hébreux lorsqu'ils durent quitter l'Égypte pour rejoindre la Terre Promise. A première
vue, cette liste ne se prête pas au commentaire, et pour celui qui ne connaît
ni la région ni l'hébreu, — tels étaient les auditeurs d'Origène, des Grecs —,
il représente une somme d'énigmes onomastiques et géographiques sans
intérêt. L'intérêt, au contraire, apparaît légitime au topographe-archéo-
logue soucieux de scruter les textes pour faire surgir à l'histoire des lueurs
encore inaperçues. Mais ce n'est pas notre point de vue. Nous prenons le
texte d'Origène/Rufin tel qu'il est, tel que le présente la tradition manuscrite, tel qu'il a été établi et, pour les noms propres, orthographié par
W.A. Baehrens dans les GCS (vol. 30, 1921). Nous le lisons avec les yeux
d'Origène, ainsi sommes-nous assurés d'atteindre, l'un, au moins, des sens
spirituels qu'il accorde au livre. Mais, — les précédents volumes nous y ont
habitués —, ce sera en pénétrant dans la forêt des symboles à l'ombre desquels, selon notre auteur, se découvrent les desseins de Dieu.

mains [1], il estimera qu'ils ne servent à rien, qu'ils ne sont d'aucune utilité pour remédier à sa faiblesse ou pour le salut de son âme ; il rejettera et repoussera aussitôt des aliments qui lui paraissent lourds, indigestes et ne s'accordant pas à une âme malade et fragile. Mais — pour reprendre des exemples tirés de l'histoire naturelle — supposons qu'on donne l'intelligence au lion, il ne va pas se plaindre de l'abondance des plantes dans la création sous prétexte que sa nourriture est de viande crue, et il ne dira pas non plus que le Créateur en a produit des quantités inutiles sous prétexte qu'il n'en consomme pas. Alors, quand il s'agit de l'homme qui se nourrit de pain et d'autres aliments qui lui sont propres, celui-ci n'a pas de raison non plus de se plaindre que Dieu ait fait des serpents qu'il voit servir de nourriture aux cerfs [2]. Et la brebis ou le bœuf ne peuvent pas davantage se plaindre de ce que, par exemple, les autres animaux aient reçu l'aptitude à se nourrir de viande alors qu'eux-mêmes doivent se contenter d'herbe.

1, 5. Il en est de même pour les nourritures spirituelles. Je veux parler de celles des Livres divins. Il ne faut pas du premier coup accuser ou repousser l'Écriture, quand elle paraît plus difficile à comprendre ou plus obscure ; il ne faut pas non plus estimer que pour celui qui commence — qui est « petit enfant [c] » —, ou pour celui qui est « plus faible [d] »

---

2. L'hostilité des cerfs et des serpents, toute légendaire, est un exemple banal à l'époque ancienne. On s'en convainc, par exemple, en remarquant les quatre allusions que lui accorde PLINE L'ANCIEN, *HN*, VIII,118 ; X, 195 ; XI, 279 ; XXVIII, 149. ORIGÈNE l'évoque à sa manière, allégorique ; *Hom. 2 in Cant.* 11, il écrit : « Le cerf est l'ennemi et le pourchasseur des serpents, ... mon Sauveur est-il un cerf selon les œuvres, Il tue les serpents... les puissances ennemies. » (*SC* 37 bis, p. 141). Au VIIe siècle, ISIDORE DE SÉVILLE dit encore : « Cerui... serpentium inimici » *Etym.* XII, 18 (coll. ALMA, Les Belles Lettres, 1986, p. 51, avec la note de J. André, qui récapitule la vie littéraire de cette expression).

64 non potest nec conferri sibi ex his utilitatis aliquid aestimat
aut salutis ; sed considerare debet quia, sicut serpens et ouis
et homo ac foenum Dei creatura sunt omnia et diuersitas
ista ad laudem spectat et gloriam Creatoris, quod compe-
68 tentem et in tempore unicuique eorum pro quibus creata
sunt, uel praebeant uel capiant cibum, ita et haec omnia,
quae Dei uerba sunt et in quibus diuersus pro captu animarum cibus est, unusquisque, prout sanum se et ualidum sen-
72 tit, adsumat.

1, 6. Quamuis et si diligentius requiramus, uerbi causa in
Euangelii lectione uel apostolica doctrina, in quibus delec-
tari uideris et in quibus tibi aptissimum et suauissimum
76 deputas cibum, quanta sunt quae te latent, si discutias et
perscruteris mandata Domini ? Quod si ea quae obscura
uidentur et difficilia, refugienda sunt protinus et uitanda,
inuenies etiam in illis in quibus ualde confidis, tam multa
80 obscura et difficilia, ut, si hanc sententiam teneas, sit tibi
etiam inde recedendum. Sunt tamen plurima in illis, quae
apertius et simplicius dicta quamuis parui sensus aedificent
auditorem.

84 1, 7. Haec autem in praefatione praemisimus, ut suscite-
mus animos uestros, quoniam quidem huiusmodi lectio
habetur in manibus, quae et difficilis ad intellegendum et
superflua uideatur ad legendum. Sed non possumus hoc
88 dicere de sancti Spiritus litteris ut aliquid in iis otiosum sit
aut superfluum, etiamsi aliquibus uidentur obscura. Sed hoc
potius facere debemus, ut oculos mentis nostrae conuerta-
mus ad eum qui haec scribi iussit, et ab ipso horum intelle-
92 gentiam postulemus, ut siue infirmitas est in anima nostra,

— qui a moins de force pour tout comprendre —, l'Écriture contient des choses inutiles et qu'il n'est pas possible pour lui d'en tirer profit ou avantage en vue du salut. Mais il y a autre chose à considérer : le serpent, la brebis, l'homme, le foin aussi, sont tous 'créatures' de Dieu ; leur diversité contribue à la louange et à la gloire du Créateur : car la nourriture appropriée à chacun des êtres en vue desquels ils sont créés, ou bien ils la fournissent, ou bien ils se la procurent, et ce, à point nommé. Il en va de même pour tous ces textes qui sont paroles de Dieu : ils contiennent une nourriture différente selon ce que les âmes peuvent en saisir ; chacun en prend à la mesure de sa bonne santé et de sa vigueur.

1, 6. Cependant, regardons-y de plus près : dans la lecture de l'Évangile par exemple ou dans l'enseignement de l'Apôtre, où tu parais te plaire et où tu penses trouver la nourriture qui te convient le mieux et qui t'est la plus agréable, que de points te restent cachés si tu examines et approfondis les préceptes du Seigneur ! Et s'il faut refuser franchement ce qui paraît obscur et difficile, là encore, en des textes auxquels tu accordes une grande confiance, tu trouveras tant de points obscurs et difficiles que tu devrais, pour rester fidèle à ce principe, t'écarter d'eux aussi. Néanmoins, dans les paroles qui sont plus claires et plus simples, il y en a beaucoup qui édifient l'auditeur, quelle que soit la faiblesse de son intelligence.

1, 7. Nous avons commencé par ce préambule pour réveiller vos cœurs, parce que la leçon qui est entre nos mains est de celles qui paraissent difficiles à comprendre et inutiles à lire. Mais nous ne pouvons pas dire qu'il y ait dans les écrits du Saint-Esprit de l'inutile et du superflu, même si certains y trouvent des passages obscurs. Nous devons bien plutôt tourner les yeux de notre intelligence vers Celui qui a ordonné d'écrire, et Lui en demander le sens. Y a-t-il de la faiblesse dans notre âme ? qu'il nous en guérisse, « lui qui

SUR LES NOMBRES

sanet nos ille *qui sanat omnes languores eius* ᵉ ; siue parui
sensus sumus, adsit nobis custodiens *paruulos* Dominus et
enutriat nos atque *in mensuram aetatis* ᶠ adducat. Vtrumque
96 enim in nobis est, ut et ex infirmis ad sanitatem et ex paruu-
lis ad aetatem uirilem peruenire possimus. In nobis ergo est
haec a Deo poscere ; *Dei autem est petentibus dare et pul-
santibus aperire* ᵍ. Sed satis sit ista praefatio.

100   **2, 1.** Nunc iam ad lectionis ipsius, quae recitata est,
ueniamus exordium, ut iuuante Domino sensum quoque
eorum, etiamsi non ad liquidum, summatim tamen colligere
et explicare possimus. Ait ergo : *Et hae mansiones filiorum*
104 *Israel, ex quo exierunt de terra Aegypti cum uirtute sua in*
manu Moysi et Aaron. Et scripsit Moyses profectiones eorum
et mansiones eorum per uerbum Domini ᵃ, et cetera. Audistis
quia *scripsit* haec *Moyses per uerbum Domini*. Et quid uoluit
108 Dominus haec scribi ? Vt prodesset nobis aliquid scriptura
haec mansionum quas fecerunt filii Israel, aut ut nihil prodesset ? Et quis audeat dicere quod ea quae per uerbum
Domini scribuntur, nihil utilitatis habeant nec salutis aliquid
112 conferant, sed solam rem gestam narrent, et quae tunc quidem praeterierit, nunc autem nihil ad nos ex eius relatione
perueniat ? Impia haec et aliena a catholica fide sententia est
et eorum tantummodo qui Legis et Euangeliorum negent
116 unum solum sapientem esse *Deum Patrem Domini nostri*
Iesu Christi ᵇ. Quid ergo ex his mansionibus fidelis sentire
debeat intellectus, summatim, prout tempus patitur, per-
tractare temptemus.

---

e. cf. Ps 102, 3   f. cf. Ep 4, 13   g. cf. Mt 7, 7
2. a. Nb 33, 1-2   b. cf. Rm 15, 6

1. Le mot *uirtus* ici employé n'a pas principalement le sens moral de
vertu, mais de force. De force armée, d'où simplement l'armée. Voir plus
loin § 3,1, p. 285, note 1. — Par la main de Moïse = par l'action de Moïse.

la guérit de toutes ses maladies [e] » ; sommes-nous encore dans l'enfance de l'intelligence ? que le Seigneur qui garde les petits nous assiste, nous nourrisse et nous mène « à la mesure de l'âge [f] ». Car il nous appartient à la fois de passer de la maladie à la santé et de l'enfance à l'âge viril. Il nous faut donc le demander à Dieu, car Dieu a coutume « de donner à ceux qui demandent et d'ouvrir à ceux qui frappent [g] ». — Mais arrêtons là ce préambule.

La liste des lieux d'étapes, quelle utilité pour la foi ?

2, 1. Venons-en maintenant au début de la leçon qui vient d'être lue. Avec l'aide du Seigneur, essayons, sinon de tout rendre clair, du moins d'en rassembler les grandes lignes et d'en expliquer le sens. Il y est donc dit : « Voici les étapes des fils d'Israël, depuis qu'ils sortirent de la terre d'Égypte avec leur armée [1], par le moyen de Moïse et d'Aaron. Et Moïse écrivit leurs départs et leurs étapes à cause de la parole du Seigneur [a] », etc. Vous avez entendu ? cela, Moïse l'écrivit « à cause de la parole du Seigneur ». Et pourquoi le Seigneur a-t-il voulu que cela fût écrit ? La mise par écrit des étapes parcourues par les fils d'Israël doit-elle nous servir à quelque chose ou ne nous servir à rien ? Et qui oserait dire que des documents écrits à cause de la parole du Seigneur ne servent à rien et ne contribuent pas au salut, — qu'ils ne sont que le récit d'un événement passager et dont actuellement la relation ne nous profite en rien ? Cette opinion est impie et contraire à la foi catholique ; elle n'appartient qu'à ceux qui refusent que la Loi et les Évangiles soient l'œuvre d'un Sage unique [2], « le Dieu et Père de notre Seigneur Jésus Christ [b] ». Quelles réflexions ces étapes doivent-elles donc suggérer à un esprit éclairé par la foi ? Essayons de l'exposer à grands traits, autant que le temps le permet.

---

2. Cette opinion impie était celle de Marcion, qui tenait que le Dieu de l'AT n'était pas celui du NT.

120 **2, 2.** Superior disputatio, cum nobis occasionem dicendi de profectione filiorum Israel ex Aegypto praebuisset, dupliciter diximus uideri posse spiritaliter exire unum-quemque de Aegypto, uel cum relinquentes gentilem uitam 124 ad agnitionem diuinae Legis accedimus, uel cum anima de corporis huius habitatione discedit. Ad utrumque ergo istae mansiones quas nunc per uerbum Domini Moyses describit, adspiciunt.

128 **2, 3.** Nam de illis quidem mansionibus quas anima cor-pore exuta, immo corpore suo rursus induta habitura est, Dominus pronuntiauit in Euangelio dicens : *Multae man-siones sunt apud Patrem ; alioquin dicerem uobis : uado et* 132 *praeparo uobis mansionem* ᶜ. Sunt ergo *multae* illae *man-siones* quae ad Patrem ducunt, in quibus singulis quid cau-sae, quid utilitatis animae commoratio, quidue eruditionis aut illuminationis accipiat, scit ille solus *futuri saeculi* 136 *Pater* ᵈ, qui ait de semet ipso quia : *Ego sum ostium* ᵉ. *Nemo uenit ad Patrem, nisi per me* ᶠ. Qui fortassis in his singulis mansionibus unicuique animae *ostium* fiet, ut per ipsum *intret* et per ipsum exeat *et inueniat pascua* ᵍ et iterum intret

---

c. Jn 14, 2   d. cf. Is 9, 5   e. Jn 10, 9   f. Jn 14, 6   g. cf. Jn 10, 9

---

1. Cf. *Hom.* XXVI, 4, 1, p. 245.

2. Le mot *mansio* (acte de séjourner ou lieu de séjour), σταθμός en grec, supporte diverses traductions : « demeures », « stations », « haltes », « étapes », « campements ». Il s'agit, dans notre texte, selon l'histoire, des déplacements des Hébreux durant les quarante années qu'ils vécurent au désert. Dieu leur a dit de bien noter les endroits de l'arrivée et du départ. Ce qu'Origène relève avec soin, comme a fait l'auteur du *Livre des Nombres*, mais en transposant dans le domaine spirituel la marche à tra-vers le désert. Son désert devient un espace mystique où l'âme avance, degré par degré, étape par étape, vers le but qui l'attire, celui de sa perfection per-sonnelle, et, plus complètement, celui qui lui est réservé comme lieu de repos définitif, symboliquement désigné sous le nom de Terre Promise.

3. Cette évocation d'une âme à nouveau revêtue de son corps après la mort est assez largement affirmée dans le *Contre Celse* II, 11, 6, car Origène pense qu'il est normal que l'âme fasse station avant le ciel en un lieu où les

Deux sens à « sortie d'Égypte »

2, 2. L'homélie précédente nous a donné l'occasion de parler de la sortie des fils d'Israël de l'Égypte [1], et nous avons dit qu'au sens spirituel on peut sortir d'Égypte de deux manières : ou bien en quittant la vie païenne pour accéder à la connaissance de la Loi divine, ou bien quand l'âme quitte le corps qu'elle habite. C'est donc à ces deux manières que se rapportent les étapes que Moïse a transcrites « à cause de la parole du Seigneur ».

Des étapes pour les âmes libérées du corps

2, 3. Au sujet des étapes [2] où se trouvera l'âme dépouillée du corps, ou plutôt qui sera revêtue à nouveau de son corps [3], le Seigneur a proclamé dans l'Évangile : « Il y a **beaucoup** d'étapes auprès du Père. Autrement, je vous aurais dit : Je vais vous préparer **une** étape [c] ». Elles sont donc nombreuses les étapes qui mènent au Père. A chacune, pourquoi y séjourner, quel profit l'âme aura-t-elle à s'y arrêter, quel enseignement ou quelle lumière en recevra-t-elle, seul le sait « le Père du siècle futur [d] », qui a dit de lui-même : « Je suis la porte [e] », « Nul ne va au Père que par moi [f] ». Sans doute, à chacune de ces étapes, deviendra-t-il pour chaque âme « la porte », de sorte que ce soit par lui qu'elle entre et par lui qu'elle sorte et trouve le pâturage [g], et par lui de nouveau qu'elle passe à une autre étape,

mystères lui seront révélés, où elle apprendra « les causes de tout », où elle recevra « la grâce d'une science complète qui lui permettra de jouir d'une joie inénarrable ». Et pour cela, il lui faut encore des attaches terrestres. Le Paradis apparaît ainsi doté à son entrée, d'une sorte de vestibule ou d'auditorium céleste mais aérien, où se tient une école des âmes. — Il y a des échos de tout cela, mais très légèrement suggérés, dans la progression des quarante-deux étapes qu'on va lire plus loin. Trop généreux dans l'allégorie, Origène ne peut pas être et ne sera pas suivi à la lettre dans les progrès eschatologiques de son ascension vers l'au-delà, même si sa traversée des étapes peut paraître à certains comme une christianisation de la traversée platonicienne des sphères cosmiques.

140 ad aliam et inde ad aliam mansionem, usque quo ad ipsum
    perueniat Patrem.

Sed nos paene immemores praefationis nostrae subito
auditum uestrum ad alta et excelsa subreximus. Immo uero
144 redeamus ad ea quae inter nos et in nobis geruntur.

2, 4. In Aegypto erant filii Israel, *in operibus* Pharaonis
regis *luto ac latere* affligebantur [h], donec ingemiscentes cla-
marent ad Dominum et exaudiens gemitum eorum mitteret
148 iis uerbum suum per Moysen et educeret eos de Aegypto.
Et nos ergo cum essemus in Aegypto, mundi dico huius
erroribus et ignorantiae tenebris, operantes opera diaboli
in concupiscentiis et uoluptatibus carnis, miseratus est
152 Dominus afflictionem nostram [i] et *misit* Verbum *suum unigenitum Filium* [j], qui nos de ignorantia erroris ereptos ad
lucem diuinae Legis adduceret.

3, 1. Sed primo omnium intuere mysterii rationem,
156 quam qui diligenter obseruauerit, in Scripturis inueniet in
egressione filiorum Israel de Aegypto quadraginta et duas
habitas esse mansiones ; et rursus aduentus Domini et

---

h. cf. Ex 1, 14 s.   i. cf. Ex 3, 7   j. cf. 1 Jn 4, 9

1. Les « considérations extrêmement élevées » touchent à l'eschatologie.
Cette science de la vie future est plus que d'autres pleine de mystères et
sujette à conjectures. Origène la réserve à ceux dont la foi ne risque pas
d'être entamée par les bizarreries gnostiques sur ce sujet.

2. Autour des débuts de l'ère chrétienne, les Targums, qui sont des traductions en langue araméenne paraphrasant et parfois commentant le texte
biblique, avaient remarqué cette « section des étapes », car elle correspon-
dait, non sans intention divine, pensait-on, aux quarante-deux lignes d'une
colonne de la Bible manuscrite qu'on déroulait. Si la chose avait retenu l'attention des écrivains juifs, elle continua à poser des questions aux chrétiens
quand ils eurent à la lire. A l'époque patristique, Origène fut un des premiers sans doute, mais ne resta pas longtemps le seul, à commenter et à
donner leur sens aux quarante-deux étapes. Pour lui, elles nous rapprochent
du royaume de Dieu pas à pas s'il s'agit de quitter la terre pour le ciel, ou

et de là à une autre encore, jusqu'à ce qu'elle parvienne au Père lui-même.

Mais voici que pour un peu oublieux de notre préambule, nous avons tout d'un coup hissé votre attention à des considérations extrêmement élevées [1]. Revenons plutôt à ce qui se passe à notre niveau, en nous et autour de nous.

Quitter l'Égypte : aller des ténèbres de l'ignorance à la lumière

2, 4. Les fils d'Israël étaient en Égypte voués aux briques et au limon pour les ouvrages du roi Pharaon [h] ; ils étaient accablés et cela dura jusqu'à ce qu'ils fassent monter leurs gémissements et leurs cris vers le Seigneur. Écoutant leur gémissement, le Seigneur leur envoya sa parole par Moïse pour qu'il les fît sortir d'Égypte. — Nous donc, alors que nous étions en Égypte, je veux dire dans les erreurs de ce monde et dans les ténèbres de l'ignorance, accomplissant les œuvres du diable au sein des concupiscences et des voluptés charnelles, nous avons, par notre détresse, suscité la pitié du Seigneur [i] ; il a envoyé le Verbe, son Fils Unique [j] pour nous arracher à l'ignorance et à l'erreur et nous conduire à la lumière de la Loi divine.

Les quarante-deux étapes : un nombre plein de mystères

3, 1. Mais d'abord pénètre la raison du mystère. Un observateur attentif trouvera dans les Écritures qu'il y a eu pour la sortie d'Égypte par les fils d'Israël quarante-deux étapes [2], et que semblablement la venue de notre Seigneur et

bien elles nous conduisent de vertu en vertu à l'accomplissement parfait de l'homme spirituel. Après Origène, dans sa ligne mais avec bien des variantes, il faut désigner JÉRÔME, *Lettre 78 à Fabiola* (éd. Labourt, *CUF*, t. 4, p. 52-93 et note p. 179), puis, beaucoup plus tard, des auteurs latins qui eurent à commenter le passage du *Livre des Nombres*, ISIDORE DE SÉVILLE (*PL* 83, 339-360), BÈDE (*PL* 91, 373-378), RABAN MAUR (*PL* 108,

Saluatoris nostri in hunc mundum per quadraginta et duas
160 generationes adducitur. Sic enim Matthaeus euangelista
commemorat dicens : *Ab Abraham usque ad Dauid regem,*
generationes quattuordecim, et a Dauid usque ad transmi-
grationem Babylonis generationes quattuordecim, et a trans-
164 *migratione Babylonis usque ad Christum generationes quat-*
tuordecim [a]. Istas ergo quadraginta et duas generationum
mansiones quas Christus fecit descendens in Aegyptum
mundi huius, ipso numero quadraginta et duas mansiones
168 faciunt qui adscendunt de Aegypto.

Et bene obseruanter posuit Moyses dicens : *Adscenderunt*
filii Israel cum uirtute sua [b]. Quae est *uirtus* eorum, nisi ipse
Christus, qui est *uirtus Dei* [c] ? Qui ergo adscendit, cum ipso
172 adscendit qui ad nos inde descendit, ut illuc perueniat unde
ille non necessitate, sed dignatione descendit, ut uerum sit
illud quod dictum est quia *Qui descendit, ipse est et qui*
adscendit [d].

176 Igitur in quadraginta duabus mansionibus perueniunt
filii Israel usque ad principium capiendae hereditatis.
Principium uero capiendae hereditatis fuit ubi Ruben et Gad
et dimidia tribus Manasse accipiunt *terram Galaad* [e].
180 Constat itaque numerus descensionis Christi per quadraginta et duos patres secundum carnem uelut per quadraginta
duas mansiones descendentis usque ad nos, et per totidem
mansiones adscensus filiorum Israel usque ad hereditatis
184 promissae principium.

---

3. a. Mt 1, 17   b. Nb 33, 1   c. cf. 1 Co 1, 24
d. cf. Ep 4, 8-10   e. cf. Jos 17, 6

808-827), Pierre Damien (*PL* 145, 1052-1064), Bruno d'Asti, (*PL* 164,
502), Rupert de Deutz (*PL* 167, 911-916). Le traité *De 42 mansionibus*
attribué à Ambroise (*PL* 17) est inauthentique et tardif (cf. Wust,
Onomastica sacra, I p. 143, note), mais il relève de la même interprétation
mystique. On mesure par l'imitation origénienne, proche ou indirecte, de
tous ces auteurs, l'influence d'Origène sur la littérature spirituelle occi-
dentale.

Sauveur en ce monde a été amenée par quarante-deux générations. Voici en effet comment l'Évangéliste Matthieu
évoque la chose : « D'Abraham au roi David, quatorze
générations ; de David à la déportation de Babylone, quatorze générations ; de la déportation de Babylone au Christ,
quatorze générations [a] ». Ces quarante-deux étapes de
générations parcourues par le Christ qui descendait dans
l'Égypte de ce monde sont donc, bien comptées, les quarante-deux étapes que parcourent ceux qui montent de
l'Égypte.

Et Moïse a bien pris soin de dire : « Les fils d'Israël mon-
tèrent avec leur armée [b 1] ». Quelle est donc leur armée, si ce
n'est le Christ lui-même « armée de Dieu » [c]. Celui qui
monte, monte donc avec Lui, qui est descendu chez nous,
pour retourner au lieu d'où il était venu. Mais ce n'est pas
par nécessité, c'est par bonté qu'il est descendu accomplir la
parole qui dit que « celui qui est descendu est le même que
celui qui est monté [d] ».

C'est donc en quarante-deux étapes que les fils d'Israël
parviennent au moment où ils peuvent commencer à
prendre possession de leur héritage. Le début de cette prise
de possession se note quand Ruben, Gad et la demi-tribu de
Manassé reçoivent la terre de Galaad [e]. C'est pourquoi il est
reconnu que le Christ est descendu jusqu'à nous à travers
quarante-deux ancêtres selon la chair comme par autant
d'étapes et c'est par autant d'étapes que les fils d'Israël montent jusqu'au lieu où commence l'héritage promis.

---

1. Sur cette expression « *cum uirtute sua* », « avec leur armée »,
G. DORIVAL, commentant notre passage dans BA IV, p. 543, écrit : « Pour
Origène, l'"armée" *(dunamis)*, au sens spirituel, est, non la force armée,
mais la force morale, ou plutôt celui qui nous donne la vertu de force, Jésus,
qui est "la force de Dieu" (*1 Co* 1,24) : les fils d'Israël étaient assistés par
le Christ » — Cf. *supra*, p. 278, n. 1.

3, 2. Quodsi intellexisti quantum sacramenti numerus iste descensionis adscensionisque contineat, ueni iam et incipiamus per ea quae descendit Christus adscendere et primam mansionem istam facere, quam ille nouissimam fecit, scilicet qua natus ex uirgine est ; et haec sit prima nobis mansio de Aegypto exire uolentibus, in qua relicto idolorum cultu et daemoniorum non deorum ueneratione credimus Christum natum ex Virgine et Spiritu sancto et *Verbum carnem factum uenisse in hunc mundum* [f]. Post haec iam proficere et adscendere ad singulos quosque fidei et uirtutum gradus nitamur ; quibusque si tam diu immoremur donec ad perfectum ueniamus, in singulis uirtutum gradibus mansionem fecisse dicemur, usque quo ad summum peruenientibus nobis institutionum profectuumque fastigium promissa compleatur hereditas.

4, 1. Sed et anima cum de Aegypto uitae huius proficiscitur, ut tendat ad Terram Repromissionis, pergit necessario per quasdam uias et certas quasque, ut diximus, conficit mansiones. Quarum credo memor propheta dicebat : *Haec memoratus sum, et effudi super me animam meam, quoniam degrediar in locum tabernaculi admirabilis, usque ad domum Dei* [a]. Istae sunt mansiones et ista tabernacula de quibus et in alio loco dicit : *Quam amabilia sunt tabernacula tua, Domine uirtutum ! Concupiscit et deficit anima mea ad atria Domini* [b]. Idcirco et in alio loco idem propheta dicit : *Multum peregrinata est anima mea* [c]. Intellege ergo, si potes, quae sint istae peregrinationes animae, in quibus cum quodam gemitu ac dolore peregrinari se diutius deflet. Sed hebescit harum intellectus et obscuratur, donec adhuc

f. Jn 1, 14
4. a. Ps 41, 5　　b. Ps 83, 1-2　　c. Ps 119, 6

1. En feuilletant les Bibles que nous avons en main, on verra que le « lieu de la Tente admirable » du Ps. 41, 5 (LXX) se transforme à partir de l'hébreu en des traductions bien diverses.

3, 2. Si tu as saisi la grandeur du mystère enfermé en ce nombre de la descente et de la montée, alors viens et commençons à monter par les étapes de la descente du Christ. Faisons une première étape de celle qu'il fit la dernière, celle où il est né de la Vierge. Qu'elle soit pour nous qui cherchons à sortir de l'Égypte, la première étape, celle où, après avoir abandonné le culte des idoles et la vénération des démons, ces faux dieux, nous déclarons avec foi que le Christ, né d'une Vierge et de l'Esprit Saint et « Verbe fait chair, est venu en ce monde [f] ». Après quoi, essayons de progresser et de monter un à un les degrés de la foi et des vertus. Si nous nous y arrêtons un temps assez long pour parvenir à la perfection, on pourra dire que nous avons fait étape à chaque degré des vertus jusqu'au plus haut sommet. Quand nous arriverons là, au faîte des dispositions et des progrès, la promesse de l'héritage sera accomplie.

Les étapes vers l'au-delà. L'âme est encore en exil

4, 1. Mais quand l'âme quitte l'Égypte de cette vie pour atteindre la Terre Promise, elle doit suivre certains itinéraires et effectuer des étapes, chacune bien déterminée, comme nous avons dit. C'est leur souvenir, je crois, qui faisait dire au prophète : « Je m'en suis souvenu et mon âme s'est épanchée en moi, car je pénétrerai dans le lieu de la Tente admirable [1] jusqu'à la Maison de Dieu [a] ». Ce sont ces étapes et ce sont ces tentes dont il est dit à un autre endroit : « Que tes tentes sont aimables, Seigneur des armées ! Mon âme soupire et languit après les parvis du Seigneur [b] ». C'est pourquoi le même prophète dit encore ailleurs : « Il a beaucoup duré l'exil de mon âme [c] ». Comprends donc, si tu peux, ce que sont ces exils de l'âme, quand gémissante et dolente elle déplore de se voir exilée trop longtemps. Le sens spirituel de ces exils s'émousse et s'obscurcit aussi longtemps qu'on reste à marcher en exil. Mais ensuite, l'âme

peregrinatur ; tunc autem uerius edocebitur et uerius intelleget quae fuerit ratio peregrinationis suae, cum regressa
216 fuerit ad requiem suam, id est ad patriam suam paradisum ;
quod sub mysterio intuens propheta dicebat : *Conuertere
anima mea ad requiem tuam, quia Dominus benefecit tibi* [d].

Sed interim peregrinatur et agit iter et conficit mansiones,
220 utilitatis sine dubio alicuius causa per haec Dei prouisioni-
bus dispensata, sicut et quodam loco dicit : *Afflixi te, et
cibaui te manna in deserto, quod nesciebant patres tui, ut
dinosceretur, quid est in corde tuo* [e]. Istae ergo mansiones
224 sunt, quibus iter e terris agitur ad caelum.

4, 2. Et quis ita inuenietur idoneus et diuinorum
conscius secretorum qui possit itineris istius et adscensionis
animae describere mansiones et uniuscuiusque loci uel
228 labores explicare uel requies ? Quomodo enim enarret quod
post primam et secundam et tertiam mansionem insequatur
adhuc Pharao, insequantur Aegyptii et, licet non compre-
hendant, tamen insectentur et, licet submersi sint, tamen
232 insecuti sint ? Quomodo enuntiet quod saluus effectus Dei
populus post aliquot mansiones primum cantauerit canti-
cum dicens : *Cantemus Domino, gloriose enim honorificatus
est ; equum et adscensorem proiecit in mare* [f] ? Sed haec, ut
236 dixi, qui per singulas mansiones audeat aperire et pro
contemplatione nominum qualitates quoque conicere man-

---

d. Ps 114, 7   e. cf. Dt 8, 3.2   f. Ex 15, 1

1. Rare chez Origène, ce ton de nostalgie, même dès lors que c'est le
Psalmiste qui l'inspire ! Mais il convient de se souvenir qu'Origène tint que
les âmes vivaient au paradis, leur patrie antérieure, avant de descendre à la
naissance de la vie terrestre.

recevra un enseignement plus profond. Elle comprendra mieux la raison de son exil lorsqu'elle sera revenue au lieu de son repos, c'est-à-dire au paradis, sa patrie [1]. Le prophète contemplait cette vérité sous une forme mystérieuse quand il disait : « Retourne, mon âme, à ton repos, car le Seigneur t'a fait du bien [d] ».

En attendant, elle est en exil, elle est en chemin, elle effectue des étapes. Sans doute est-ce utile, car Dieu lui dispense par là des nourritures providentielles selon qu'il est dit en certain passage : « Je t'ai éprouvé, et je t'ai nourri de la manne dans le désert, d'une manne que tes pères n'ont pas connue, pour que soit connu ce qu'il y a dans ton cœur [e] [2]. » Telles sont donc les étapes par lesquelles on passe en allant de la terre au ciel.

Peines et repos, mystères en chacune des étapes

4, 2. Et qui trouvera-t-on d'assez avancé, d'assez initié aux secrets divins pour exposer les étapes de ce voyage, de cette ascension de l'âme, et pour en développer à chaque lieu les efforts ou le repos ? Comment expliquer qu'après la première, la seconde, la troisième étape, Pharaon continue sa poursuite, que les Égyptiens continuent leur poursuite, que, sans rattraper les fugitifs, ils s'acharnent à les rechercher, et que, malgré leur propre engloutissement, ils les poursuivent encore ? Comment faire comprendre que le peuple de Dieu, ayant trouvé le salut juste après quelques étapes, ait entonné le cantique : « Chantons au Seigneur, car il a été magnifiquement glorifié ; il a précipité à la mer cheval et cavalier [f] » ? — Mais tout cela, comme j'ai dit, qui pourrait oser l'exposer chaque fois pour chaque étape ? Qui pourrait aussi en considérant les noms, découvrir la nature des étapes ? Je ne sais si

2. La citation *Deut.* 8, 2-3 est entièrement recomposée par Origène qui a changé l'ordre des éléments de la phrase et en a omis à son gré.

sionum, nescio si aut sensus dicentis ad mysteriorum pondus sufficiat aut auditus capiat audientium.

240 **4, 3.** Quomodo enim uel occursus belli explicetur Amalechitarum uel diuersae tentationes et illi quomodo enarrentur quorum artus *ceciderunt in deserto* [g], et quod omnino non filii Israel, sed filii filiorum Israel ad Terram
244 sanctam peruenire potuerunt et omnis ille uetus populus cecidit quibus conuersatio et habitatio fuerat cum Aegyptiis, solus autem nouus peruenit ad regnum, qui ignorabat Aegyptios, exceptis sacerdotibus et leuitis ? Si qui enim
248 potuerit se in sacerdotum et leuitarum ordine collocare, si qui potuerit non habere portionem in terris ullam nisi solum Dominum, iste non *cadit in deserto*, sed peruenit ad Terram repromissionis. Vnde et tu, si uis non *cadere in deserto*, sed
252 peruenire ad repromissiones patrum, sortem tuam non habeas in terra nec sit tibi aliquid commune cum terra. Portio tua sit Dominus solus, et numquam cades. Agitur ergo adscensio de Aegypto ad Terram repromissionis, per
256 quam mysticis, ut dixi, descriptionibus edocemur adscensum animae ad caelum et resurrectionis ex mortuis sacramentum.

5, 1. Ponuntur autem et nomina mansionibus. Neque
260 enim conueniens uidebatur, ut omnis locus qui sub caelo est

---

g. Nb 14, 32 ; 1 Co 10, 5

---

1. Ces réflexions sont empreintes d'une certaine solennité. En face du travail qui l'attend, mais plus encore de la difficulté à en transmettre le sérieux et la profondeur, Origène se demande si ses auditeurs sauront le suivre jusque dans le cœur des mystères qu'il prévoit de soulever. Mais n'y a-t-il pas là un peu de rhétorique ? Ce n'est pas la seule fois que nous entendons Origène faire allusion à la lourdeur d'esprit de ses auditeurs. Il détient le sens, ils n'en retiennent que des images, le littéral à évacuer pour être illuminé d'en haut.

l'intelligence de l'orateur suffira à soulever ce poids de mystères, ni si l'attention des auditeurs pourra le soutenir [1].

**Comment se garder
de tomber
dans le désert ?**

4, 3. Ainsi, comment détailler
la guérilla des Amalécites ou les
diverses tentations, comment faire
connaître ceux « dont les membres
jonchèrent le désert [g] », comment expliquer que ce ne sont
pas les fils d'Israël, mais les fils des fils d'Israël qui ont pu
parvenir jusqu'à la Terre sainte, comment dire que le peuple
qui est tombé, c'est, sauf les prêtres et les lévites [2], tout le
peuple ancien qui avait vécu et habité avec les Égyptiens, et
que seul est parvenu au Royaume le peuple nouveau qui
ignorait les Égyptiens. Car si on a pu prendre place parmi
les prêtres et les lévites, si l'on est arrivé à ne posséder
comme part sur la terre que le Seigneur seul, alors « on ne
tombe pas dans le désert », mais on parvient à la Terre promise. Si donc tu veux 'ne pas tomber dans le désert', mais
atteindre les promesses faites à tes Pères, n'aie aucune part
sur la terre, n'aie rien en commun avec la terre. Que ta part
soit le Seigneur seul, et tu ne tomberas jamais. — Ainsi donc,
c'est d'une montée qu'il s'agit quand on quitte l'Égypte
pour la Terre promise : elle nous enseigne sous forme symbolique, comme j'ai dit, la montée de l'âme vers le ciel et le
mystère de la résurrection des morts.

**Noms mystérieux
des étapes.
Le Seigneur comme guide.
Illumination croissante**

5, 1. Les étapes portent
des noms. Il ne serait pas
convenable que tout lieu
sous le ciel, montagne, colline ou plaine, portât un

---

2. On se souvient que les prêtres et les lévites ont eu un traitement spécial lors du recensement, cf. T. I, *Hom.* III-V sur les fonctions et privilèges
des lévites, et sur le texte « Les lévites seront à moi », dit le Seigneur (*Nb*
3,12). Ce texte, à lui seul, fournit l'explication du traitement à part.

siue montium siue conuallium siue camporum nominibus uteretur, illa uero adscensio qua anima adscendit ad regnum Dei mansionum suarum nomina non haberet. Habet nomina 264 mansionum mysticis aptata uocabulis, habet et deducentem se non Moysen — et ipse enim quo iret ignorabat [a] — sed *columnam ignis et nubem* [b], filium scilicet Dei et Spiritum sanctum, sicut et in alio loco propheta dicit : *Ipse Dominus* 268 *ducebat eos* [c]. Talis ergo fiet beatae animae adscensus, cum submersi fuerint omnes Aegyptii et Amalechitae atque uniuersi, qui impugnauerant eam ; ut per singulas quasque digrediens *mansiones*, illas scilicet *multas*, quae dicuntur *esse* 272 *apud Patrem* [d], illuminetur amplius et ex una ad aliam ueniens maiora semper illuminationis augmenta conquirat, usque quo assuescat ipsius *ueri luminis quod illuminat omnem hominem* [e] intuitum pati et uerae maiestatis ferre 276 fulgorem.

5, 2. Si uero ad secundam de qua superius memorauimus expositionem redeamus et animae in hac uita positae per haec doceri intellegamus profectus, quae conuersa de gentili 280 uita non tam Moysen quam legem Dei nec Aaron, sed *sacerdotem* illum qui permanet *in aeternum* [f] sequitur. Antequam ad perfectum ueniat, in eremo habitat, ubi scilicet exerceatur in praeceptis Domini et ubi fides eius per tentationes 284 probetur. Vbi cum uicerit unam tentationem et fides eius in ea fuerit probata, inde uenit ad aliam et quasi de una mansione ad alteram transit,et ibi cum obtinuerit quae acciderint et fideliter tulerit, pergit ad aliam. Et ita per singula 288 quaeque tentamenta uitae ac fidei profectus *mansiones* habere dicetur, in quibus per singula uirtutum quaeruntur augmenta, et impletur in his illud, quod scriptum est : *ibunt*

---

5. a. cf. He 11, 8   b. cf. Ex 13, 21   c. cf. Dt 1, 33
d. cf. Jn 14, 1   e. cf. Jn 1, 9   f. cf. He 6, 20

nom et que cette montée de l'âme vers le Royaume de Dieu
en fût dépourvue. Elle a des noms d'étapes, constitués de
termes mystérieux. Elle a un guide, mais ce n'est pas Moïse,
— car 'il ignorait lui aussi où il fallait passer' ᵃ — ce guide
est la Colonne de feu et la Nuée ᵇ, c'est-à-dire le Fils de Dieu
et l'Esprit Saint, selon que le dit le prophète en un autre
endroit : « Le Seigneur lui-même les conduisait ᶜ ». C'est
ainsi que se fera la montée de l'âme bienheureuse, quand
auront été engloutis tous les Égyptiens, les Amalécites, et
tous ceux qui l'assaillaient. Quittant les étapes les unes après
les autres, — ces nombreuses étapes que l'Écriture place près
du Père ᵈ —, elle sera de plus en plus illuminée. Passant de
l'une à l'autre ; elle cherchera toujours à l'être davantage,
jusqu'à ce que son regard s'accoutume à contempler « la
vraie lumière elle-même qui éclaire tout homme ᵉ » et à soutenir l'éclat de son authentique majesté.

Les progrès de l'âme en cette vie 5, 2. Revenons à la seconde interprétation que nous avons mention-
née plus haut et comprenons qu'il
nous est enseigné par là une doctrine des progrès de l'âme
en cette vie. Convertie de la vie païenne, l'âme suit non pas
tant Moïse que la Loi de Dieu, non pas Aaron, mais « le
Prêtre devenu prêtre pour l'éternité ᶠ ». Avant d'arriver à la
perfection, elle habite au désert pour s'exercer aux préceptes
du Seigneur et pour mettre sa foi à l'épreuve des tentations.
Y a-t-elle vaincu une tentation et sa foi en a-t-elle été forti-
fiée, alors elle va au devant d'une autre et passe à elle comme
on passe d'une étape à une autre. Ensuite, après avoir fait
face aux difficultés en cours et en avoir soutenu l'épreuve
avec foi, elle se dirige vers une autre étape. Ce qui fera dire
qu'à chacune des tentations de la vie et à chacun des progrès de la foi, l'âme traverse des étapes au cours desquelles,
une à une, les vertus acquièrent des accroissements.
S'accomplit alors là le mot de l'Écriture : « Ils iront de vertu

de uirtute in uirtutem g, usque quo perueniatur ad ultimum,
292   immo ad summum gradum uirtutum, et transeatur flumen
Dei ac promissa suscipiatur hereditas.

6, 1. Duplici igitur expositione utentes omnem hunc qui
recitatus est considerare debemus ordinem mansionum, ut
296   ex utroque sit animae nostrae profectus, agnoscentibus ex
his, uel haec uita quae ex conuersione erroris legem Dei
sequitur, qualiter agi debeat, uel futurae spei, quae ex resurrectione promittitur, quanta sit exspectatio. Sic enim puto
300   quod in his quae leguntur, digna Sancti Spiritus legibus
intellegentia doceatur. Nam scire in deserto illo qui dictus
sit locus ille, ubi uerbi gratia applicuerunt tunc transeuntes
filii Israel, quid mihi utilitatis affert aut qui legentibus ex hoc
304   profectus et *legem Dei die ac nocte meditantibus* a confe-
retur, maxime cum uideamus tantam fuisse curam Domino
de istis mansionibus perscribendis, ut descriptio earum
secundo iam hoc diuinis legibus inderetur ? Commemorata
308   sunt enim nomina ista, licet in nonnullis immutata, iam tunc,
cum per loca singula eleuasse dicuntur filii Israel de illo
loco b et applicuisse in illo loco ; sed et nunc iterum per uerbum Domini describi iubentur a Moyse. Vnde et hoc ipsum

---

g. cf. Ps 83, 8
6. a. cf. Ps 1, 2   b. cf. Ex 13, 18

---

1. On mesurera ici l'écart entre les traductions françaises, entre celles
de la LXX et celles du texte hébreu. Pour *Ps* 83,8, LXX : « Ils marcheront
de vertu en vertu », — c'est le mot δύναμις auquel Origène donne le sens
de « vertu » ; l'hébreu, selon la TOB, dit : « Toujours plus ardents, ils avancent » ; selon la BJ : « Ils marchent de hauteur en hauteur » ; selon la
Pléiade : « Ils avancent de muraille en muraille ». Cela dit pour comprendre
qu'Origène se soucie peu du contexte quand il extirpe de la parole divine
un mot ou une brève expression ; du moment qu'elle peut convenir — par
des voies allégoriques ou autrement — au développement en cours, il la fait
servir à ses desseins.

en vertu [g][1] » jusqu'à ce que soit atteint le terme, ou mieux le plus haut degré des vertus, jusqu'à ce que soit franchi le fleuve de Dieu, jusqu'à ce que soit reçu l'héritage promis.

Pourquoi la liste des étapes, et pourquoi deux fois ?

6, 1. C'est donc sous une double interprétation que nous devons porter notre attention à toute cette liste des étapes qui nous a été lue. Notre âme doit en tirer doublement profit : apprenons, d'une part, pour cette vie, comment doit se comporter celui qui se convertit de l'erreur et se met à la suite du Christ, d'autre part, en ce qui concerne la vie future, dont la résurrection est la promesse, quelle vaste dimension donner à notre attente. Je trouve que c'est ainsi que la lecture du texte actuel peut fournir à la pensée un enseignement digne des lois du Saint-Esprit. Car de savoir comment s'appelle, par exemple, la partie du désert où campèrent, lors de leur passage, les fils d'Israël, quel intérêt cela représente-t-il pour moi ou quel profit pourront en tirer des lecteurs qui « méditent jour et nuit la loi de Dieu [a] » ? Or nous voyons que le Seigneur a attaché tant d'importance au relevé de ces étapes que, pour lors, c'est la deuxième fois que celui-ci est inséré dans les Lois divines. Ces noms en effet ont déjà été mentionnés, quoique avec quelques variantes [2], quand il est dit que les fils d'Israël, à travers chaque lieu désigné nommément, « montaient (du pays d'Égypte) [b] » et s'en allaient de tel endroit camper vers tel autre. Mais ici maintenant, c'est la deuxième fois que la parole du Seigneur ordonne à Moïse

---

2. Le récit de la sortie d'Égypte inséré dans l'Exode, auquel Origène fait ici allusion, contient beaucoup moins d'étapes que le nôtre, et « raconte » plus abondamment, par exemple, le passage à pied sec de la Mer Rouge ; c'est donc minimiser la chose que de dire qu'il y a peu de différences, « *in nonnullis immutata* », entre les deux textes. — Origène a commenté l'Exode, cf. *SC* 321, et consacré l'homélie V au départ d'Israël de l'Égypte.

312 quod secundo repetitur ista descriptio, satis congrue mihi
uidetur ad mysterium expositionis huius quam proposuimus ; bis enim repetuntur, ut duas animae ostenderent uias :
unam, qua in carne posita per legem Dei in uirtutibus exer-
316 cetur et per gradus quosdam profectuum adscendens pergit,
ut diximus, *de uirtute in uirtutem* et ipsis profectibus quasi
mansionibus utitur ; aliam uero, qua post resurrectionem
adscensura ad caelos non subito nec importune ad summa
320 conscendit, sed per multas deducitur mansiones, in quibus
illuminata per singulas et augmento semper splendoris
accepto in unaquaque mansione illustrata sapientiae lumine
usque ad ipsum perueniat *luminum Patrem* c.

324 **6, 2.** *Exierunt* ergo inquit *filii Israel cum uirtute sua* d.
Erat cum illis *uirtus*, illa, quae dixerat : *tecum descendam in
Aegypto* e, et quia erat cum illis ista *uirtus*, propterea dicit
propheta : *et non erat in tribubus eorum infirmans* f.
328 *Exierunt* autem *in manu Moysi et Aaron* g. Ad exeundum
de Aegypto non sufficit una manus Moysi, quaeritur et
manus Aaron. Moyses indicat scientiam legis, Aaron sacri-
ficandi Deo et immolandi peritiam. Opus est ergo, ut
332 exeuntes de Aegypto non solum scientiam legis et fidei, sed
et operum, quibus Deo placetur, fructus habeamus. Ideo
enim et manus commemoratur Moysis et Aaron, ut opera
per manus intellegas. Etenim si exiens de Aegypto et *conuer-*
336 *sus ad Deum* abiciam superbiam, per manus Aaron taurum
Domino sacrificaui. Si petulantiam lasciuiamque peremero,

---

c. cf. Jc 1, 17   d. Nb 33, 1   e. cf. Gn 46, 4   f. Ps 104, 37
g. Nb 33, 1

1. Le mot *uirtus*, sans perdre son sens de force, requiert d'être traduit
ici et plus loin, en fonction du développement qui précède, en songeant à
la vertu qui est une force morale.

de désigner les lieux. Aussi, par le fait même que cette désignation est reprise une seconde fois, elle me paraît assez bien concorder avec l'interprétation mystique que nous avons proposée : car si les noms sont répétés deux fois, c'est pour montrer qu'il y a deux voyages de l'âme, — l'un qu'elle accomplit dans la chair, en cultivant les vertus suivant la Loi de Dieu et en s'élevant, comme nous avons dit, par degrés de vertu en vertu et en constituant comme des étapes dans les progrès eux-mêmes, — l'autre qu'elle accomplira, après la résurrection, pour monter aux cieux : au terme suprême, elle ne monte pas du premier coup ni violemment ; elle traverse maintes étapes en chacune desquelles elle est illuminée et reçoit un accroissement de splendeur toujours nouveau ; à chaque étape elle est inondée de la lumière de la sagesse et, enfin, parvient au « Père des lumières [c] » lui-même.

La sortie d'Égypte : purification des vices

6, 2. Donc, est-il dit, « les fils d'Israël sortirent avec leur force [d] [1] ». La force qui les accompagnait était celle qui avait dit : « Je descendrai avec toi en Égypte [e] » et c'est parce que cette force était avec eux que le prophète dit : « Et dans leurs tribus il n'y avait pas de défaillant [f] ».

Ils sortirent « par la main de Moïse et d'Aaron [g] ». Pour sortir d'Égypte, la main de Moïse ne suffit pas, il faut aussi la main d'Aaron. Moïse représente la science de la Loi, Aaron l'aptitude à sacrifier et à immoler devant Dieu. Nous avons donc besoin, en sortant d'Égypte, en plus de la science de la loi et de la foi, du fruit des œuvres qui rendent agréables à Dieu. Car s'il est fait allusion à la main de Moïse et d'Aaron, c'est parce qu'il faut comprendre que la main signifie les œuvres. En effet, si sortant d'Égypte et retournant à Dieu, je rabats mon orgueil, c'est un taureau que j'ai sacrifié au Seigneur par les mains d'Aaron. Si je supprime

hircum Domino iugulasse me Aaron manibus credam. Si
libidinem uicero, uitulum ; si stultitiam, immolasse ouem
340 uidebor. Sic ergo cum animae uitia purgantur, *manus Aaron*
operatur in nobis ; et *manus Moysi* nobiscum est, cum ad
haec ipsa intellegenda illuminamur ex lege. Et ideo utraque
manus necessaria est de Aegypto exeuntibus, ut inueniatur
344 in iis non solum fidei et scientiae, sed et actuum operumque
perfectio. Et tamen utraque haec non sunt duae manus, sed
una. *In manu* enim *Moysi et Aaron* eduxit eos Dominus et
non in manibus Moysi et Aaron ; unum enim opus
348 utriusque manus est atque una perfectionis expletio.

7. *Et scripsit* inquit *Moyses profectiones eorum et mansiones eorum per uerbum Domini* [a]. *Scripsit* ergo haec *per
uerbum Domini*, ut legentes nos et uidentes, quantae nobis
352 immineant profectiones et quantae mansiones ad iter, quod
ducit ad Regnum, praeparemus nos ad hanc uiam et consi-
derantes iter quod nobis immineat non segniter nec remisse
uitae nostrae tempus permittamus absumi, ne forte, dum in
356 huius mundi uanitatibus immoramur et singulis quibusque
quae ad uisum uel auditum uel etiam quae ad tactum atque
odoratum gustumque ueniunt, delectamur, labantur dies,
tempus praetereat et non occurramus omne spatium immi-
360 nentis itineris explicare et deficiamus in medio atque accidat
nobis illud, quod de quibusdam refertur qui peruenire non
potuerunt, sed *artus eorum ceciderunt in deserto* [b]. Iter ergo

---

7. a. Nb 33, 2   b. cf. He 3, 17

1. Baehrens a écrit ici *perfectiones*, par erreur, au lieu de *profectiones*.
Nous regrettons que cette « coquille » ait pesé dans l'édition précédente de
SC (1951) — qui ne comportait pas le latin — pour faire traduire le mot
profectiones par « étapes », alors qu'il en est précisément le contraire par
son sens obvie de « départs ». Deux lignes plus bas, on trouve encore l'opposition *profectiones/mansiones*, avec ce même sens de départs/étapes. On

l'ardeur agressive et le libertinage, je considérerai que j'ai égorgé un bouc au Seigneur par les mains d'Aaron ; si j'ai vaincu la luxure, ce sera un bœuf ; la sottise, une brebis. Ainsi donc, lorsque l'âme se purifie de ses vices, c'est « la main d'Aaron » qui travaille en nous ; et la main de Moïse est avec nous quand pour comprendre ces opérations nous recevons la lumière de la Loi. Aussi l'une et l'autre mains sont-elles nécessaires à ceux qui sortent d'Égypte, pour qu'on trouve en eux, non seulement la foi et la science, mais aussi la perfection des actes et des œuvres. L'une et l'autre cependant ne font pas deux mains, mais une seule. Car c'est 'par la main', et non par les mains de Moïse et d'Aaron que le Seigneur les a fait sortir d'Égypte : par la main de l'un et de l'autre, un seul ouvrage et une seule façon de mener la perfection à son achèvement !

Le voyage spirituel   7. Et Moïse nota les départs [1] et les étapes à cause de la parole du Seigneur [a]. S'il « nota à cause de la parole du Seigneur », ce n'est pas sans raison. Puisque la lecture nous montre combien de départs et combien d'étapes nous attendent sur le chemin qui conduit au Royaume, il faut nous préparer à ce voyage ; en vue de ce trajet qui ne saurait tarder, ne laissons pas se consumer le temps de notre vie dans la paresse et l'inaction ; que nos jours ne s'écoulent pas à nous attarder aux vanités de ce monde ni à prendre plaisir aux délices des spectacles, ou de ce qui charme l'oreille, ou de ce qui flatte le toucher, l'odorat ou le goût ; <craignons> que le temps ne nous échappe sans pouvoir accomplir tout au long le voyage qui ne saurait tarder, sans défaillir en route : craignons de subir le sort de ceux dont l'Écriture rapporte qu'ils n'ont pu parvenir jusqu'au bout et dont « les membres jonchèrent le désert [b] ».

peut remarquer que Migne (texte des bénédictins, C. de La Rue) a évité l'erreur de Baehrens.

agimus et idcirco uenimus in hunc mundum, ut transeamus
364 *de uirtute ad uirtutem* ᶜ, non ut permaneamus pro terrenis
in terra, sicut et ille qui dicebat : *Destruam horrea mea et
alia maiora aedificabo, et dicam animae meae : anima, habes
multa bona reposita in annos multos, manduca, bibe, lae-*
368 *tare* ᵈ, ne forte dicat et nobis Dominus, sicut et illi : *stulte,
hac nocte auferetur abs te anima tua* ᵉ. Non dixit in hac die,
sed in *hac nocte. In nocte* enim perimitur et hic, sicut *primogenita Aegyptiorum* ᶠ, tamquam qui dilexerit mundum et
372 tenebras eius et particeps fuerit *rectorum mundi huius tene-
brarum harum* ᵍ. Tenebrae autem et nox mundus iste appellatur pro his qui in ignorantia uiuunt nec lucem recipiunt
ueritatis. Qui autem tales sunt, *de Ramesse* non proficis-
376 cuntur nec transeunt *ad Sochoth.*

8, 1. Videamus tamen prius, quando proficiscuntur filii
Israel *ex Ramesse. Mense,* inquit, *primo, quintadecima die
mensis* ᵃ. Per praeceptum Domini *quartadecima die mensis* ᵇ
380 egerant pascha in Aegypto iugulantes agnum pridie quam
proficiscerentur et initium quodammodo festiuitatis adhuc
in Aegypto positi egerunt. Sequenti ergo die, qui est primus
azymorum dies, *quintadecima die mensis primi* proficiscun-
384 tur *de Ramesse* et ueniunt *in Sochoth,* ut ibi faciant festiuitatis azymorum diem. *Quis sapiens et intelleget haec ? sen-
satus et cognoscet ea* ᶜ ? Immo quis est qui haec uel *ex parte*

c. cf. Ps 83, 8   d. Lc 12, 18-19   e. Lc 12, 20   f. cf. Ex 12, 29
g. cf. Ep 6, 13
8. a. Nb 33, 3   b. cf. Ex 12, 3   c. Os 14, 10

1. Cf. *supra*, p. 294, n. 1.
2. La citation d'*Osée* intrigue ; le lecteur se demande ce qu'il lui faut comprendre. L'objection qu'Origène se fait à lui-même a peu d'importance pour
nous. Que les Hébreux aient commencé leur fête la veille au soir et l'aient
continuée le lendemain matin, cela ne nous semble pas entacher la fête d'in-
validité. Mais ce qu'il faut comprendre, c'est que la veille au soir on était en
Égypte, cette terre misérable qu'on doit quitter et où aucune fête ne peut
prendre sa dimension totale, tandis que ce n'est que le lendemain — hors

Nous sommes donc en voyage, et si nous sommes venus en ce monde, c'est pour « passer de vertu en vertu [c 1] » et non pour demeurer sur terre à jouir des choses terrestres, comme celui qui disait : « Je détruirai mes greniers et j'en construirai de plus grands, et je dirai à mon âme : Mon âme, tu as beaucoup de biens engrangés pour de nombreuses années ; mange, bois, réjouis-toi [d] ». Puisse le Seigneur ne pas nous dire comme à lui : « Insensé, cette nuit, on te prendra ton âme [e] ». Il n'a pas dit : « ce jour », mais « cette nuit ». Car c'est la nuit que cet homme est frappé, ainsi que le furent « les premiers-nés des Égyptiens [f] », comme pour avoir aimé le monde et ses ténèbres et partagé la vie « des princes de ce monde de ténèbres [g] ». Or on donne le nom de ténèbres et de nuit à ce monde à cause de ceux qui vivent dans l'ignorance sans recevoir la lumière de la vérité. De telles gens ne partent pas de Ramessé et ne vont pas à Sochoth.

Au départ, la fête des Azymes se célèbre d'un jour sur l'autre : sens mystique de la chose

8, 1. Mais occupons-nous d'abord du moment où les fils d'Israël partent de Ramessé. : « Au premier mois, au quinzième jour du mois [a] ». Selon le précepte du Seigneur, ils avaient célébré la Pâque le quatorzième jour du mois [b] en Égypte ; ils avaient égorgé l'agneau la veille du départ et entamé, en quelque façon, la festivité alors qu'ils étaient encore en Égypte. Le jour suivant donc, qui est le premier jour « des Azymes », « quinzième jour du premier mois », ils partent de Ramessé (= Ra'msès) et arrivent à Sochoth pour y célébrer le jour des Azymes. — « A-t-on de la sagesse ? on le comprendra. A-t-on de l'entendement ? on le saisira [c 2] ». Ou plutôt, a-t-on

d'Égypte, dans le royaume de Dieu ! — qu'on peut s'adonner à toute la festivité que requiert un jour de fête. Pour cette réflexion, Origène avait le texte d'Osée et celui de 1 *Cor.* 5,8. Il nous apprend par sa catéchèse comment les comprendre, ou du moins comment il les comprend, lui.

cognoscat, sicut Apostolus dicit : *ex parte scimus, et ex parte*
388 *prophetamus* ^d ? *Quis intellegit,* quomodo et *ex parte* dies
festos agimus, *ut nemo nos iudicet in parte diei festi aut neo-*
meniae aut sabbati ? Omnis namque dies festus qui in terris ab hominibus geritur, *in parte* non in integro neque per-
392 fecto festiuitatis titulo geritur ; sed cum exieris de Aegypto
ista tunc erit tibi perfecta festiuitas, tunc *azyma sinceritatis*
et ueritatis ^e ad perfectum curabis, tunc Pentecostes diem in
eremo ages et tunc forte primum mannae cibum caelestem
396 suscipies ac singulas quasque festiuitates geres, de quibus
iam superius, ut potuimus, dictum est.

8, 2. Scito tamen quoniam post illud pascha, quod in
Aegypto factum est, semel inuenimus in deserto pascha
400 curatum, cum lex data est ^f, et aliud, sicut obseruauimus, in
Numeris ^ff, et post haec iam nusquam geri nisi in terra repromissionis. Igitur *quintadecima die mensis primi,* sequenti
post Pascha die, qui est primus azymorum dies, *profecti sunt*
404 *filii Israel de Ramesse in manu* inquit *excelsa, in conspectu*
omnium Aegyptiorum ^g. Quae est *manus excelsa ?* Et alibi
enim dicit : *exaltetur manus tua* ^h. Vbi non est humanum
opus neque terrenum, sed diuinum est, ibi *manus excelsa*
408 nominatur. Per manus namque opus intellegi saepe iam dictum est. *In manu* ergo *excelsa, in conspectu omnium*
Aegyptiorum profecti sunt.

---

d. 1 Co 13, 9   e. cf. 1 Co 5, 8   f. cf. Ex 13, 3
ff. cf. Nb 9, 1 s.   g. Nb 33, 3   h. Ps 9, 33

cette connaissance, fût-elle partielle, dont l'Apôtre dit :
« Nous connaissons imparfaitement, nous prophétisons
imparfaitement [d] ? » alors on comprend que c'est imparfaitement aussi que nous célébrons les jours de fête, sans que
quiconque ait à nous reprocher de célébrer partiellement un
jour de fête, néoménie ou sabbat, car toute fête célébrée sur
terre par des hommes n'est célébrée qu'en partie et non en
totalité, et ne répond pas intégralement au titre de festivité.
Mais quand tu seras sorti de l'Égypte de ce monde, alors il
y aura pour toi parfaite festivité, alors tu entoureras d'un
soin parfait « les azymes de pureté et de vérité [e] », alors tu
fêteras dans le désert le jour de Pentecôte, et sans doute
alors, pour la première fois, recevras-tu en nourriture la
manne céleste et célébreras-tu les unes après les autres
toutes les festivités dont nous avons, de notre mieux, parlé
plus haut [1].

8, 2. Sache cependant qu'après cette Pâque célébrée en
Égypte, nous trouvons encore une fois une Pâque célébrée
au désert, au moment où la Loi a été donnée [f], — et une
autre Pâque dans les *Nombres* [ff], comme nous l'avons
observé. Après quoi, il n'en est célébré ailleurs aucune autre,
sauf dans la Terre Promise. Donc, « le quinzième jour du
premier mois, le lendemain de la Pâque, qui est le premier
jour des Azymes, les fils d'Israël partirent de Ramessé, la
main levée, est-il dit, en vue de tous les Égyptiens [g] ». Que
signifie cette main levée ? Ailleurs aussi il est dit : « Que ta
main se lève [h] ». Quand une œuvre n'est pas humaine ni terrestre, mais divine, on emploie cette expression de « main
levée ». Par la main, en effet, il faut comprendre l'œuvre,
nous l'avons déjà souvent dit. Donc « ils partirent la main
levée, en vue de tous les Égyptiens ».

---

1. Cf. *supra, Hom.* XXIII et XXIV.

8, 3. *Et Aegyptii* inquit *sepeliebant mortuos suos* [i] ; mor-
412 tui sepeliebant mortuos suos [j], uiuentes autem sequebantur
Dominum Deum suum. Post haec dicitur quia : *Et in diis
eorum fecit Dominus vindictam* [k]. Sed et in *Exodo* ita dicit :
Et in omnibus diis Aegyptiorum faciet Dominus uindictam [l].
416 Hic autem dicit quia *fecit in eos Dominus uindictam. Sunt
quidam, qui dicuntur dii siue in caelo, siue in terra* [m],
Apostolus ait. Sed et in Psalmis dicitur : *Omnes dii gentium
daemonia* [n]. Non ergo simulacra, sed daemones qui simula-
420 cris assident, deos dicit, in quos *fecit Dominus uindictam.*
Sed uelim requirere quomodo *Deus uindictam faciat* in daemones, cum utique uindictae dies et iudicii nondum uenerit.

424   **8,** 4. Sed hanc ego puto in daemones fieri *uindictam,* cum
is qui ab illis deceptus fuerat ut idola coleret, per uerbum
Domini conuersus Dominum colit ; et ex ipso opere conuersionis uindicta in eum qui deceperat datur. Similiter et si is
428 qui a daemonibus deceptus fuerat ad fornicandum, conuertatur ad pudicitiam, diligat castitatem, errasse se defleat, pae-
nitentiae ipsius lacrimis uritur et incenditur daemon, et sic
uindicta datur in deceptionis auctorem. Similiter etiam si
432 quis de superbia ad humilitatem, de luxuria ad parsimoniam
redeat, per haec singula daemones qui se in haec deceperant,
flagellat et cruciat.

8, 5. Quantis eos putatis agi tormentis, si quem uideant,
436 secundum uerbum Domini, *uendere omnia sua quae possi-*

i. Nb 33, 4   j. cf. Mt 8, 22   k. Nb 33, 4   l. Ex 12, 12
m. 1 Co 8, 5   n. Ps 95, 5

1. « *a fait justice* », c'est-à-dire qu'il révéla leur inanité en frappant les
premiers-nés de l'Égypte ; un peu plus loin : « le Seigneur fera justice »,
c.-à-d. qu'il châtiera les dieux en démontrant leur caractère faux, menson-
ger, nuisible.

Comment Dieu fait justice des faux dieux, des démons

8, 3. « Et les Égyptiens, est-il dit, ensevelissaient leurs morts[i] ». « Les morts ensevelissaient leurs morts[j] », mais les vivants suivaient le Seigneur leur Dieu. Puis il est dit : « Et le Seigneur a fait justice[1] de leurs dieux[k] ». Dans l'Exode aussi, il y a ce texte : « Et de tous les dieux des Égyptiens le Seigneur **fera** justice[1] » ; mais ici il est dit qu'« il **a fait** justice d'eux ». L'Apôtre dit : « Il y a de prétendus dieux soit au ciel, soit sur la terre[m] », et dans les Psaumes il est dit : « Tous les dieux des nations sont des démons[n] ». Ce ne sont donc pas les idoles, mais les démons demeurant dans les idoles qui sont appelés « dieux », ces dieux dont le Seigneur a fait justice. Mais je voudrais bien savoir comment Dieu fait justice des démons, alors que le jour de la justice et du jugement n'est évidemment pas encore arrivé.

8, 4. Il me semble que justice est faite des démons, quand une personne, entraînée au culte des idoles par leur tromperie, se convertit sous l'effet de la parole du Seigneur et s'adonne au culte du Seigneur. Par le fait même de cette conversion, justice est faite du démon trompeur. Semblablement, si quelqu'un, trompé par les démons, a été entraîné à la fornication, et s'il se convertit aux bonnes mœurs, s'il privilégie la chasteté, s'il déplore son erreur, alors les larmes elles-mêmes de sa pénitence sont pour le démon une brûlure cuisante : et c'est ainsi que justice est faite de l'auteur de la tromperie. Semblablement encore, si quelqu'un revient de l'orgueil à l'humilité, de la débauche à la tempérance, en chacune de ces occasions il flagelle et tourmente les démons qui l'avaient trompé en ces matières.

8, 5. A quels tourments ne croyez-vous pas que les démons seront en proie s'ils voient quelqu'un, suivant la parole du Seigneur, « vendre tout ce qu'il possède et le

det et dare pauperibus ° et *tollere crucem suam et sequi Christum* ᵖ ? Super omnia uero iis est tormentorum genera et super omnes poenas, si quem uideant uerbo Dei operam
440 dare, scientiam diuinae Legis et mysteria Scripturarum intentis studiis perquirentem ; in hoc eorum omnis flamma est, in his toto uruntur incendio, quoniamquidem ignorantiae tenebris humanas obscurauerant mentes et per haec
444 obtinuerant, ut Deus quidem ignoraretur, ad ipsos uero diuini cultus studia transferrentur. Quae putas in illos uindicta datur, quae infertur iis flamma poenarum, cum uident haec lumine ueritatis aperiri et fraudis suae nebulas per agni-
448 tionem Legis diuinae reserari ?

8, 6. Possident enim cunctos qui in ignorantia uiuunt ; et non solum illos qui adhuc in ignorantia sunt, sed ingerunt se saepe his qui agnouerunt Deum, et rursus in iis opera
452 ignorantiae conantur operari. Neque enim sine ipsis consummatur omne peccatum. Nam cum adulterium quis admittit, non est utique sine daemone ; uel cum ira immoderata rapitur uel cum diripit aliena ; et « *qui sedens aduer-*
456 *sum proximum suum detrahit et aduersum filium matris suae ponit scandalum* �q », non est sine daemone. Et ideo omnimodo agendum nobis est, ne forte Aegyptiorum primogenita uel deos eorum quos Dominus percussit et exs-
460 tinxit, nos resuscitemus in nobis, si iis locum dederimus operandi in nobis ea quae odit Deus. Si autem ab his omnibus contineamus nos, eo modo quo superius diximus, *dedit*

---

o. cf. Mt 19, 21   p. cf. Mt 16, 24   q. Ps 49, 20

1. N'est exact selon la lettre que le v.20 du *Ps.* 49. Mais Origène fait allusion aux vv.18-20. Ceux-ci, dans la traduction selon l'hébreu de la TOB, se présentent ainsi : « *Si tu vois un voleur, tu deviens son complice ; tu prends ta place chez les adultères. Tu livres ta bouche à la méchanceté, tu*

donner aux pauvres ° », « prendre sa croix et suivre le
Christ P » ? Mais ce qui pour eux dépasse tous les tourments
et tous les châtiments, c'est de voir quelqu'un s'appliquer à
la parole de Dieu, approfondir, en des études soutenues, la
science de la Loi divine et les mystères des Écritures. La
flamme qui les brûle vient toute de là, l'incendie qui les
embrase vient tout entier de là, car, pour le moins, ils avaient
enténébré les esprits des hommes dans l'ignorance et réussi,
en faisant ignorer Dieu, à substituer en leur faveur le zèle
du culte divin. Ne crois-tu pas qu'il y a là une punition infligée, qu'il y a là, en eux, un feu suscité qui les tourmente
quand ils voient que la lumière de la vérité découvre leurs
manœuvres et que la connaissance de la Loi divine dissipe
les nuées de leur tromperie ?

8, 6. Car ils possèdent tous ceux qui vivent dans l'ignorance. Et ils ne se contentent pas de ceux qui sont restés dans
l'ignorance, mais ils reviennent souvent à ceux qui ont
reconnu Dieu et ils s'efforcent de produire à nouveau en eux
les œuvres de l'ignorance. Aucun péché, en effet, n'est
consommé sans leur collaboration. Quelqu'un commet-il
l'adultère, ce n'est assurément pas sans le concours du
démon ; quelqu'un se laisse-t-il emporter par une violente
colère ou dérobe-t-il le bien d'autrui ou « s'assied-il et se
fait-il le détracteur de son prochain et le diffamateur du fils
de sa mère q 1 », tout cela ne se produit pas sans le concours
du démon. Aussi faut-il mettre toutes nos forces à éviter de
ressusciter en nous les premiers-nés des Égyptiens et leurs
dieux que le Seigneur a frappés et détruits ; cela pourrait se
produire si nous les laissions opérer en nous les œuvres que
Dieu tient en abomination. Mais si nous nous refusons à ces
comportements pervers, c'est que, comme nous disions plus

---

*associes ta langue au mensonge. Tu t'assieds, tu parles contre ton frère, tu
salis le fils de ta mère. »*

uindictam Dominus in omnibus diis Aegyptiorum poenasque
464 ex nostra emendatione et conuersione suscipiunt.

9, 1. Exeunt ergo ex Aegypto filii Israel et *proficiscentes
ex Ramesse ueniunt in Sochoth* ᵃ. Profectionis hic ordo et
distinctio mansionum ualde necessaria et obseruanda est his
468 qui sequuntur Deum et de uirtutum profectibus cogitant.
De quo ordine memini quod iam et in aliis, cum aedifica-
tionis causa aliqua loqueremur quae Dominus dare dignatus
est, prosecuti sumus, sed et nunc paucis iterum commone-
472 bimus.

Fit ergo prima profectio *ex Ramesse* et, siue de hoc
mundo anima proficiscens ad futurum saeculum pergit, siue
ab erroribus uitae ad uiam uirtutis et agnitionem Dei
476 conuertitur, *ex Ramesse proficiscitur. Ramesse* enim in nostra lingua dicitur commotio turbida uel commotio tineae. In
quo utique ostenditur quod omnia in hoc mundo in com-
motionibus et perturbationibus posita sunt et in corruptela ;
480 — hoc enim tinea indicat. In quibus non oportet residere
animam, sed proficisci et uenire *in Sochoth. Sochoth* autem
interpretatur tabernacula. Igitur primus animae profectus
est, ut auferatur a commotione terrena et sciat sibi tamquam
484 peregrinanti et iter agenti in tabernaculis habitandum, quo
uelut in procinctu posita aduersum insidiantes expedita
occurrere possit et libera.

---

9. a. Nb 33, 5

1. PHILON donne la même étymologie : *De Somn.* § 77 : « Ramsès, la
sensation par laquelle l'âme est dévorée comme par des vers — le mot veut
dire en effet 'ébranlement par le ver' » : même explication *De post. Caini*
§ 56. JÉRÔME de son côté connaît cette explication, mais porté par le goût
de l'étymologie, il ne peut s'empêcher d'en ajouter une autre qui s'oppose,
ou plutôt corrige l'impression que laisse la première. Il dit *Ep. 78* § 3 :
« Ramessès... commotion turbulente, ou bien amertume et commotion de
la teigne ; pour nous, nous croyons qu'il se traduit plus exactement par
"tonnerre de la joie". C'est auprès de cette ville... que le peuple se rassem-
bla, poussé par le désir de gagner le désert ; quittant le tumulte du siècle,

haut, « le Seigneur a fait justice de tous les dieux des Égyptiens », et qu'ils subissent les châtiments que sont pour eux notre redressement et notre conversion.

Première étape : Sochoth : quitter l'agitation terrestre

9, 1. Les fils d'Israël sortent donc de l'Égypte : « Partis de Ramessé, ils arrivent à Sochoth [a] ». Ce point de départ et la désignation des lieux d'étapes sont indispensables. Ceux qui marchent à la suite de Dieu doivent les observer, ainsi que ceux qui se sont donné comme projet d'avancer dans la vertu. Je me souviens m'être déjà attaché à décrire cet ordre des choses en d'autres occasions, quand le Seigneur daigna m'accorder de vous en parler un peu au cours d'une instruction. Mais je vais encore maintenant y revenir brièvement.

Donc le premier départ a lieu à Ramessé. Soit que l'âme quitte ce monde et s'engage dans la marche vers le monde futur, soit qu'elle se convertisse des erreurs de cette vie et marche dans la voie de la vertu et de la connaissance de Dieu, « elle part de Ramessé ». Ramessé, en notre langue, veut dire 'agitation troublée' ou 'agitation de la teigne' [1]. Ce qui fait bien comprendre que tout ce qui est dans le monde est en proie à l'agitation, au trouble et — c'est la signification de la teigne — à la corruption. L'âme ne doit pas rester là, mais elle doit partir et arriver à Sochoth. Sochoth veut dire 'les tentes'. Ainsi le premier degré d'avancement de l'âme est de s'arracher à l'agitation terrestre, de se considérer comme une voyageuse qui fait route vers les tentes où elle doit séjourner : il faut donc qu'elle soit comme un soldat prêt à combattre et quelle puisse se porter prestement et sans entraves à la rencontre des assaillants.

il se mettait en mouvement pour secouer ses vices antérieurs ; et cette teigne des péchés qui le dévorait jusque-là changeant toute amertume en douceur, il se disposait de la sorte à écouter la voix de Dieu qui allait tonner depuis le sommet du mont Sinaï. »

9, 2. Inde iam ubi se sentit esse praeparatam, *proficiscitur*
488 *ex Sochoth et applicat in Buthan* [b]. *Buthan* conuallis appellatur. Virtutum diximus in his esse profectum. Virtus autem
non nisi exercitiis et labore conquiritur nec tantum in pros-
peris quantum in aduersis probatur. Venitur ergo et ad
492 conuallem. In conuallibus autem et in inferioribus locis certamen habetur aduersum diabolum et contrarias potestates.
In conualli ergo agon gerendus est et in conualli pugnandum est. Denique et Abraham *in ualle salinarum* [c] pugnauit
496 aduersum barbaros reges et ibi uictoriam consecutus est.
Descendit ergo uiator hic noster ad eos qui in profundis
sunt et in imis, non ut ibi demoretur, sed ut ibi uictoriam
consequatur.

500 **9,** 3. *Profecti sunt autem ex Buthan et applicuerunt ad os*
Iroth [d]. *Iroth* uicus interpretatur. Nondum enim ad ciuitatem uenitur nec quae perfecta sunt iam tenentur, sed interim
primo parua quaeque capiuntur. Hic est enim profectus, ut
504 a paruis ad magna ueniatur. Venitur ergo *ad os*, hoc est ad
ingressum primum uici, quod est indicium conuersationis et
abstinentiae mediocris ; periculosa namque est in initiis
grandis et immoderata abstinentia.

---

b. Nb 33, 6   c. cf. Gn 14, 10   d. cf. Nb 33, 7

1. La précédente édition (*SC* 29, 1951) a compté le départ comme « première station » et situé Socoth à la « 2e station », puis a fait de Buthan la
3e station et ainsi de suite a décalé d'une unité toute la série jusqu'à la fin ;
arrivé à la dernière station qui eût dû être alors la 43e, l'auteur de ce compte
a tout simplement omis de lui donner un numéro, ce qui lui donnait l'illu-
sion de rester dans les 42 stations ou étapes comptées par les anciens selon
le nombre des générations du Christ. Au reste, la chose n'apparaît que dans
les vignettes modernes du sous-titrage, à qui veut être un « observateur
attentif », comme dit Origène *supra* § 3, 1, et se donner la peine de vérifier
le compte. Le texte quant à lui ne fait pas le calcul et n'est nullement affecté
par cette erreur.

2. « *pratique d'abstinence modérée* » : on a fait remarquer l'opportunité
de ce conseil à l'égard des nombreux débutants qu'Origène enseignait par

Deuxième étape :
Buthan [1].
Le défilé : se battre

9, 2. Puis, quand elle se sent prête, elle part de Sochoth et campe à Buthan [b]. Buthan veut dire 'défilés'. Nous avons dit qu'il s'agit ici du progrès dans la vertu. Or la vertu ne s'acquiert que par les exercices et le travail, elle fait ses preuves moins dans le succès que dans les difficultés. On arrive donc en un défilé. Or c'est dans les défilés et les lieux bas que se livre la bataille contre le diable et les puissances adverses. Dans un défilé, il faut donc soutenir une lutte athlétique ; dans un défilé, il faut se battre. Ainsi Abraham eut à se battre dans la vallée des Salines [c] contre des rois barbares et il y remporta la victoire. Ici donc, notre voyageur est descendu vers ceux qui habitent les profondeurs et les lieux bas, non pour y demeurer, mais pour y remporter la victoire.

Troisième étape :
Iroth.
Lents et petits progrès

9, 3. Ils partirent de Buthan et campèrent au débouché d'Iroth [d]. Iroth veut dire 'village'. On n'est pas encore arrivé à la cité et ce qui est parfait n'est pas encore atteint, cependant on s'est d'abord mis en possession de petites choses. Car le progrès consiste à passer des petites choses aux grandes. On arrive donc au débouché, c'est-à-dire à ce qui est d'abord l'entrée du village, et c'est une indication à entrer dans une pratique d'abstinence modérée, — modérée car il y a danger dans les débuts à pratiquer sans mesure une sévère abstinence [2].

---

ses catéchèses. La fougue de certains pouvait les porter à des excès contre lesquels Origène lui-même, plus jeune, n'avait pas su se défendre. — On remarque d'autre part, dans ce paragraphe et dans la suite, l'afflux du langage symbolique auquel les auditeurs et nous-mêmes devons nous habituer pour profiter pleinement de la catéchèse origénienne. La marche, l'entrée du village, le village lui-même, qui n'est pas la cité, mais qui est comme une cité tout de même, réduite à une petite échelle, tout cela dit vertu, initiation, prudence dans les débuts, progrès ici-bas, espérance de la perfection, attrait du Royaume, cité de Dieu parfaite et magnifique...

508 *Iroth* autem haec *posita est contra Beelsephon et contra Magdolum. Beelsephon* interpretatur adscensio speculae siue turris. A paruis ergo adscenditur ad magna, et nondum in ipsa specula, sed *contra* speculam, id est in conspectu spe-
512 culae, posita est. Speculari enim incipit et prospicere spem futuram et altitudinem profectuum contemplari et paulatim crescit, dum plus spe nutritur quam laboribus fatigatur. Quae statio siue mansio *contra Magdolum* est, nondum in
516 ipso Magdolo ; *Magdolum* enim magnificentia dicitur. Habens ergo in conspectu et adscensionem speculae et magnificentiam rerum futurarum, spebus, ut diximus, ingentibus pascitur et nutritur ; in profectibus enim est, non
520 in perfectione iam posita.

10, 1. Post haec *proficiscuntur de Iroth et transeunt per medium Maris Rubri, et applicuerunt ad amaritudines* [a]. Diximus tempus profectuum tempus esse periculorum.
524 Quam molesta tentatio *transire per medium mare*, uidere fluctus in cumulum crescere, audire undarum insanientium uoces et strepitus ; sed tamen si sequaris Moysen, id est legem Dei, *aquae* tibi fient *murus dextra ac laeua* et iter
528 inuenies *per siccum in medio mari* [b]. Sed et illud iter caeleste quod agere diximus animam, potest fieri, ut habeat aliquid aquarum, potest fieri ut et ibi inueniantur undae ; est enim pars aliqua aquarum *super caelum* et pars aliqua *sub caelo* [c]

---

10. a. Nb 33, 8   b. cf. Ex 14, 22   c. cf. Gn 1, 7

1. « La montée de l'Observatoire » : l'image n'est pas une anticipation moderne. Le mot *specula*, lieu d'observation, σκοπιά en grec, a une carrière chez Origène. Dans *Hom. in Gen.* I, 7, c'est l'observatoire (allégorique) pour le lever du soleil divin, d'autant plus efficace qu'il est situé plus haut. En *Hom. in Ex.* V, 3, au cours de la marche, c'est pour les Hébreux, après une montée tortueuse, l'arrivée en un endroit reposant où l'âme reprend souffle, pour mieux croire et mieux agir. Dans notre homélie, l'observatoire est un lieu mystique intermédiaire entre la région d'en bas et celle d'en haut. L'âme a quitté les mesquineries terrestres et elle est à même,

Mais cet Iroth fait face à Béelséphon et à Magdolum. Beelsephon veut dire 'montée de l'observatoire' ou bien 'tour'. Ainsi, des petites choses, on monte aux grandes, mais pas encore jusqu'à l'observatoire lui-même : on est situé face à l'observatoire, c'est-à-dire en vue de l'observatoire [1]. L'âme commence en effet à observer : elle perçoit l'espérance à venir, elle mesure la hauteur des progrès, la lente croissance, tandis qu'elle se sent plus nourrie par l'espérance que fatiguée par les efforts. — Cette halte, ou cette étape, est 'en face de Magdolum', mais pas encore à Magdolum même, car Magdolum veut dire 'magnificence'. Ayant donc sous les yeux et 'la montée de l'observatoire' et 'la magnificence' des choses futures, l'âme trouve sa pâture et sa nourriture, comme nous avons dit, en de grandes espérances. Elle est en progrès, elle n'est pas au niveau de la perfection.

Quatrième étape : traverser la Mer ; camper aux Eaux Amères

10, 1. Après cela, « ils partent d'Iroth, ils traversent la Mer Rouge et campèrent aux Eaux Amères [a] ». Le temps des progrès, avons-nous dit, est le temps des dangers. Quelles dures épreuves de traverser en pleine mer, de voir les vagues s'amonceler, d'entendre la voix grondante des flots en furie ! Mais si tu suis Moïse, c'est-à-dire la loi de Dieu, « les eaux formeront pour toi une muraille à droite et à gauche et tu marcheras à pied sec au milieu de la mer [b] ». Or dans ce voyage céleste que l'âme, avons-nous dit, est en train d'accomplir, il peut se faire qu'il y ait un passage à franchir au milieu de l'eau, il peut se faire que là aussi on rencontre des flots agités : car il y a une partie des eaux « qui est au-dessus du ciel, et l'autre partie qui est sous le ciel [c] ».

selon que dit Origène qui la prend désormais très directement comme sujet de sa catéchèse, de considérer en arrière d'elle la lenteur de ses progrès et en avant la grandeur des récompenses qui l'attendent ; elle se sent, dit-il, « plus nourrie par l'espérance que fatiguée par les efforts ».

532 et nos interim harum *quae sub caelo sunt aquarum* undas
fluctusque perferimus ; Deus uiderit si illae quietae sunt
semper et placidae nec aliquibus uentis flantibus excitantur.

10, 2. Sed nos interim cum uenerimus ad transitum
536 maris, etiamsi uideamus Pharaonem et Aegyptios inse-
quentes, nihil trepidemus, nullus de his metus, nulla formido sit. Credamus tantum in *unum uerum Deum et quem
misit Filium suum Iesum Christum* [d]. Quod et si dicatur
540 *populus credidisse Deo et famulo eius Moysi* [e], credimus et
nos secundum hoc etiam Moysi, id est legi Dei et prophetis. Constans ergo esto et paulo post uidebis *Aegyptios
iacentes ad litus maris* [f]. Cum autem uideris eos *iacentes*, tu
544 exsurge et *canta* in canticis *Domino* et collauda eum qui
equum et adscensorem demersit in Rubrum Mare [g].

10, 3. *Applicuerunt* ergo *ad amaritudines* [h]. Audiens
amaritudines non pauescas neque terrearis. *Omnis* enim
548 *eruditio ad praesens non uidetur dulcis esse, sed amara ;
postea uero fructum dulcissimum et pacatissimum exercitatis
per semet ipsam reddit iustitiae* [i], sicut Apostolus docet.
Denique et *azyma cum amaritudine* uesci praecipiuntur [j] ;
552 nec est possibile perueniri ad Terram Repromissionis, nisi
per *amaritudines* transeamus. Sicut enim medici amaritudines quasdam medicamentis inserunt salutis prospectu et
sanitatis languentium, ita et salutis prospectu medicus ani-
556 marum nostrarum amaritudines nos uitae huius uoluit pati
in diuersis tentationibus, sciens quia finis huius amaritudi-
nis animae nostrae dulcedinem salutis adquirat ; sicut e

---

d. Jn 17, 3   e. cf. Ex 14, 31   f. cf. Ex 14, 30   g. cf. Ex 15, 1
h. cf. Nb 33, 8   i. He 12, 11   j. cf. Ex 12, 8

1. Ici, pas de commentaire sur le Cantique *'cheval et cavalier dans la
Mer Rouge'* ; mais on le trouvera largement exploité dans *Hom. in Ex.* V
(*SC* 321, trad. M. Borret, p. 171 s.).

Nous, pour le moment, nous avons à affronter les vagues et les flots des eaux qui sont sous le ciel. Dieu veuille qu'elles demeurent en repos et se tiennent tranquilles sans qu'aucun vent ne vienne les soulever !

10, 2. Mais nous, au moment de franchir la mer, même si nous voyons Pharaon et les Égyptiens nous poursuivre, ne tremblons pas, ne les craignons pas, ne nous effrayons pas ! Croyons seulement en « un seul vrai Dieu et en son Fils qu'il a envoyé, Jésus-Christ [d] ». Si le peuple, ainsi qu'il est dit, « mit sa foi en Dieu et en son serviteur Moïse [e] », nous aussi, de même façon, nous croyons en Moïse, c'est-à-dire à la loi de Dieu et aux prophètes. Sois donc ferme et, dans peu, tu verras « les Égyptiens gisant sur le rivage de la mer [f] ». Et quand tu les verras gisant à terre, lève-toi et chante des cantiques au Seigneur ; fais retentir la louange de Celui « qui a englouti cheval et cavalier dans la Mer Rouge [g] [1] ».

Aux Eaux Amères : utilité de l'amertume

10, 3. « Ils campèrent donc aux Eaux Amères [h] ». A ce mot d'amères n'aie pas peur, ne t'effraye pas ! Car « toute éducation sur le moment, paraît dénuée d'agrément, mais plus tard elle produit chez ceux qu'elle a formés un fruit extrêmement agréable de paix et de justice [i] » ; c'est l'Apôtre qui nous l'enseigne. On doit aussi consommer les azymes avec des herbes amères [j], et il n'est pas possible de parvenir à la Terre Promise sans passer par l'amertume. Les médecins introduisent dans les remèdes des substances amères en vue de pourvoir à la guérison et à la santé des malades ; le médecin de nos âmes agit de même en vue de notre salut, il a voulu que nous supportions les amertumes de la vie d'ici-bas à travers des épreuves variées, car il savait que cette amertume finirait par procurer à notre âme la douceur du salut. Inversement, les douceurs qui viennent

contrario finis dulcedinis quae est in uoluptate corporea, ut
560 diuitis illius exempla docuerunt, amarum finem reddit in
inferno poenarum. Tu ergo, qui iter uirtutis incedis, non
refugias *applicare ad amaritudines*. Proficisceris enim et
inde, sicut et *filii Israel*.

564 **11,** 1. *Profecti sunt* inquit *de amaritudine et uenerunt in
Aelim*. *Aelim* est, ubi sunt *duodecim fontes aquarum et sep-
tuaginta [duae] arbores palmarum* ᵃ. Vides, post amaritudines, post asperitates tentationum quam te amoena susci-
568 piunt loca. Non uenisses ad palmas, nisi tentationum
amaritudines pertulisses, nec uenisses ad dulcedinem fon-
tium, nisi prius quae tristia fuerant et aspera superasses ; non
quo iam finis sit in his itineris et perfectio cunctorum, sed
572 dispensator animarum Deus in ipso itinere interserit laboribus etiam quaedam refrigeria, quibus refota anima et repa-
rata promptior redeat ad reliquos labores.

---

11. a. Nb 33, 9

1. Les tourments du mauvais riche : cf. *supra, Hom.* XXVI, § 3,2-4,
p. 239-243.
2. Sur le nombre des palmiers : 72 ou 70 ? La question se pose, car
Jérôme (*Ep.* 78, 8) mentionne 70 palmiers. Le texte de Baehrens, fort des
douze mss sur lequel il repose, en mentionne 72. D'autre part, la lettre de
Jérôme à Fabiola donne les explications suivantes : « Auprès de ces eaux-
là (*à savoir : les douze Apôtres*), ont poussé les 70 palmiers ; nous entendons par là les maîtres du second ordre, puisque l'évangéliste Luc (*10, 1*)
atteste qu'il y eut douze apôtres et soixante-dix disciples de moindre degré,
que le Seigneur envoyait devant lui deux à deux » (*Ep.* 78,8). Le texte de
Jérôme est très net : il faut donc lier le chiffre des palmiers à celui des disciples. Ce serait facile, si la critique textuelle n'avait pas soulevé des hési-
tations sur le nombre 72/70 de l'Évangile. Les familiers de l'Évangile savent
que les tenants du nombre 72 l'ont emporté jusqu'à une époque récente.
Mais après une plus juste étude des mss bibliques et l'apparition imprimée
des instruments de travail spécialisés, l'option du nombre 70 s'est imposée.
Nos lecteurs devraient assister à l'éclosion de ce progrès en comparant les

des satisfactions corporelles finissent, comme l'a montré l'exemple du mauvais riche, de façon amère, car elles se terminent dans l'enfer des tourments [1]. Toi donc qui t'avances dans le chemin de la vertu, ne refuse pas de camper aux Eaux Amères. Car tu en partiras aussi, comme les fils d'Israël.

Cinquième étape :
Élim, sources
et palmiers : le repos

11, 1. « Ils partirent de l'amertume et vinrent à Élim. C'est à Élim qu'il y a douze sources et soixante-dix palmiers [a] [2]. » Après l'amertume, après l'âpreté des tentations, tu vois comme ce sont des lieux agréables qui t'accueillent ! Tu ne serais pas arrivé aux palmiers si tu n'avais pas supporté les amertumes des tentations, et tu ne serais pas arrivé à la douceur des sources si tu n'avais pas d'abord franchi des lieux austères et rudes. Non que cela marque la fin du voyage et la perfection finale, mais Dieu, qui pourvoit au bien des âmes, a entrecoupé les fatigues du voyage par des lieux de rafraîchissement. L'âme s'y refait, retrouve des forces, et s'apprête à reprendre la suite de ses efforts.

éditions anciennes du N.T. de Nestle avec celles d'aujourd'hui. Pour légitimer encore mieux notre choix du nombre 70, nous devons aussi récuser les mss de Baehrens, tous latins et postérieurs au VIIIᵉ s. Nous le faisons au motif qu'ils paraissent entachés de contamination tardive par des traductions latines de l'Itala, où le nombre de 72 a prévalu par suite de la confusion avec d'autres emplois de 72 dans l'A.T. Origène pour sa part a été fidèle, un peu plus bas (l. 580 du latin) et en d'autres de ses œuvres, au nombre de 70 (p. ex. *Hom. in Ex.* VII, 3, *SC* 321, p. 213, ou *Hom. in Lc,* fg. 69, *SC* 87, p. 518, etc.). Un auteur antérieur, IRÉNÉE (*C. Haer.* II, 21, 1 et III, 13, 2), est un témoin précieux du nombre 70 ; le *Vaticanus* aussi. Bref, ces raisons, ces témoignages nous font récuser les mss de Baehrens pour établir le texte d'Origène. Cela n'entame pas l'autorité de Baehrens dans son travail de report des documents, cela ne discrédite pas Rufin, non plus, car il n'est pas l'auteur de la confusion des chiffres, mais cela nous permet, avec les explications convenables, de donner ici une ligne de texte d'Origène sans doute plus authentique.

Aelim tamen interpretatur arietes. Arietes duces sunt gre-
576 gum. Qui sunt ergo duces gregis Christi, nisi Apostoli, qui
sunt et *duodecim fontes* ? Verum quoniam non solum illos
duodecim elegit Dominus et Saluator noster, sed et *alios sep-*
tuaginta, idcirco non solum *duodecim fontes*, sed et *septua-*
580 *ginta arbores* scribuntur esse *palmarum* ; et ipsi enim
Apostoli nominantur, sicut et ipse Paulus dicit, cum de
resurrectione Saluatoris exponeret, *uisus est* inquit *illis*
<duo>decim, deinde apparuit et omnibus Apostolis [b]. In quo
584 ostendit esse et alios Apostolos exceptis illis duodecim.
Haec te ergo amoenitas post amaritudinem, haec te requies
post laborem, haec te gratia post tentamenta suscipiet.

11, 2. *Profecti sunt de Aelim et applicuerunt iuxta mare*
588 *rubrum* [c]. Obserua quia iam non intrant in mare rubrum —
semel tantum sufficit intrasse — modo iam *applicant iuxta*
mare, ut uideant quidem mare et undas eius adspiciant,
nequaquam tamen motus ipsius et impetus pertimescant.

592 *Et profecti sunt a rubro mari et applicuerunt in deserto*
Sin [d]. *Sin* rubus interpretatur siue tentatio. Incipit ergo tibi
iam arridere bonorum spes. Quae est autem bonorum spes ?
De rubo apparuit Dominus et responsa dedit Moysi [e] et inde
596 initium uisitationis factum est a Domino ad filios Israel. Sed
non otiose Sin etiam tentatio interpretatur ; solet enim in

---

b. 1 Co 15, 5.7   c. Nb 33, 10   d. Nb 33, 11   e. cf. Ex 3, 2

---

1. Problème semblable au précédent : notre citation de 1 *Co* 15,5 dit,
selon le latin de Baehrens : « il apparut ensuite aux Onze », mais si nous
consultons le grec de *Co*, il faut lire : « il apparut ensuite aux Douze », —
suit la réflexion d'Origène : « montrant par là qu'il y avait d'autres apôtres
que les Douze ». L'option d'Origène pour le nombre Douze est avérée. On
doit donc encore se demander si les mss latins de Baehrens — ou plus exactement si leur source particulière n'a pas corrigé d'elle-même un chiffre qui
lui paraissait faux après la défection de Judas. Nous laissons les spécialistes
en discuter. Mais la récente édition vaticane de la Vulgate (1979) a pris ici
parti pour le texte paulinien de « Douze » en 1 *Co* 15, 5.

Élim pourtant veut dire 'béliers'. Les béliers sont chefs dans le troupeau. Or quels sont les chefs du troupeau du Christ, sinon les Apôtres, qui sont aussi 'les Douze sources'. Et comme notre Seigneur et Sauveur ne s'est pas contenté de choisir ces Douze-là, mais encore a fait choix de soixante-dix autres, l'Écriture ne mentionne pas seulement 'douze sources', mais 'soixante-dix palmiers', et ceux-là sont aussi désignés comme des Apôtres, conformément à ce que dit Paul lui-même quand, s'expliquant sur la résurrection du Sauveur, il dit : « Il est apparu aux Douze [1], ensuite il apparut aussi à 'tous les Apôtres' [b] », montrant par là qu'il y avait d'autres Apôtres que les Douze. Ainsi, en ce qui est de toi, l'agréable [2] t'accueillera après l'amertume, le repos après la peine, la bienveillance après les tentations.

Sixième étape : au bord de la Mer Rouge : sérénité

11, 2. « Ils partirent d'Élim et campèrent au bord de la Mer Rouge [c] ». Remarque qu'ils ne traversent plus la Mer Rouge — il suffit de l'avoir fait une fois. Maintenant, ils campent désormais au bord de la mer de manière à voir la mer et à observer les flots, sans avoir à craindre agitation ni tempête.

Septième étape : au désert de Sin : la vision, le discernement

« Ils partirent de la Mer Rouge et campèrent au désert de Sin [d] ». Sin veut dire 'buisson' ou 'tentation'. Voici donc que commence à te sourire l'espoir des vrais biens. Mais qu'est-ce à dire 'espoir des vrais biens' ? — C'est que « dans le buisson, le Seigneur apparut » et répondit à Moïse [e]. Or c'est là que prend commencement l'apparition du Seigneur aux fils d'Israël. — Mais ce n'est pas sans raison, non plus, que Sin

2. « l'agréable » : nous retournons à l'ombre des palmiers et à la douceur des sources. Gardons ici, comme partout en ce voyage spirituel, le sens symbolique des choses.

uisionibus esse etiam tentatio. Nam nonnumquam angelus
iniquitatis *transfigurat se in angelum lucis* [f]. Et ideo cauen-
600 dum est et sollicite agendum, ut scienter discernas uisionum
genus, sicut et Iesus Naue, cum uisionem uideret, sciens
esse in hoc tentationem statim requirit ab eo qui apparuit,
et dicit : *Noster es an aduersariorum* [g] ? Ita ergo et profi-
604 ciens anima, ubi ad id uenerit, ut iam incipiat discretionem
habere uisionum, inde probabitur *spiritalis* esse, si *scit
omnia discernere* [h]. Idcirco denique et inter dona spiritalia
unum ex donis sancti Spiritus esse memoratur *discretio
608 spirituum* [i].

12, 1. *Profecti uero ex deserto Sin uenerunt in Raphaca* [a].
Raphaca interpretatur sanitas. Vides ordinem profectuum,
quomodo, ubi iam spiritalis efficitur anima, et *discretionem*
612 caelestium coeperit habere uisionum, peruenit ad sanitatem,
ut merito dicat : *Benedic anima mea Dominum, et omnia
interiora mea nomen sanctum eius* [b]. Quem *Dominum ?
Qui sanat* inquit *omnes languores tuos, qui redimit de inte-
616 ritu uitam tuam* [c]. Sunt enim multi animae *languores* : auaritia *languor* eius est, et quidem pessimus ; superbia, ira,
iactantia, formido, inconstantia, pusillanimitas et horum
similia. Quando me, Domine Iesu, ab his omnibus languo-
620 ribus curabis ? Quando sanabis, ut et ego dicam : *Benedic
anima mea Dominum, qui sanat omnes languores tuos*, ut
possim et ego mansionem facere *in Raphaca*, quod est
sanitas ?

---

f. cf. 2 Co 11, 14   g. Jos. 5, 13   h. cf. 1 Co 2, 15
i. cf. 1 Co 12, 10
12. a. Nb 33, 12   b. Ps 102, 1   c. Ps 102, 3-4

---

1. Cette septième étape qui comporte la vision de Dieu est un pôle de
haute mystique, en même temps que le don de discernement qui l'accompagne témoigne de la prudence avec laquelle Origène demande que l'on

se traduit par 'tentation', car, dans les visions, il y a souvent aussi une tentation ; il arrive qu'un ange d'iniquité se transforme en ange de lumière [f]. Aussi faut-il se méfier, agir avec précaution et discerner adroitement la nature de la vision. C'est ce que fit Jésus Navé quand il eut une vision : sachant qu'elle cachait une tentation, il questionna aussitôt l'apparition ; il dit : « Es-tu des nôtres ou de nos ennemis ? [g] » Quand donc l'âme qui progresse en est là qu'il lui faille alors discerner les visions, elle fera la preuve qu'elle est spirituelle, en sachant discerner toute chose [h]. C'est pourquoi, parmi les dons spirituels, il en est un qui est mentionné comme don de l'Esprit Saint : « le discernement des esprits [i] [1] ».

Huitième étape : Raphaca, maladies de l'âme et santé

12, 1. « Partis du désert de Sin, ils arrivèrent à Raphaca [a] ». Raphaca veut dire « santé ». Tu vois comment l'âme progresse : la voilà devenue spirituelle : elle commence à acquérir le discernement des visions célestes ; alors elle parvient à la santé et elle a le droit de dire : « Bénis le Seigneur, ô mon âme ; que tout mon être intérieur bénisse son saint nom [b] ! » Quel Seigneur ? « Celui qui guérit toutes tes maladies, qui rachète ta vie de la perdition [c] ». Car nombreuses sont les maladies de l'âme : la convoitise en est une, la plus funeste, mais aussi l'orgueil, la colère, la vanité, la peur, l'inconstance, la pusillanimité et tout ce qui leur ressemble. Seigneur Jésus, quand me soigneras-tu pour toutes ces maladies ? Quand me guériras-tu, que je puisse dire : « Bénis, ô mon âme, le Seigneur qui guérit toutes tes maladies », que je puisse, moi aussi, faire étape à Raphaca, qui est la santé.

---

s'engage dans ces voies exceptionnelles. Il a heureusement uni la grandeur et le danger en forgeant l'expression du « danger de la vision ». On constatera que le discernement avec les visions accompagne l'âme à la 8e, 10e, 11e et autres étapes...

624   **12, 2.** Longum est si uelimus ire per singulas mansiones
et ex unaquaque, si qua ex nominum contemplatione sug-
geruntur, aperire ; strictim tamen et breuiter percurremus,
ut non tam plenam uobis expositionem, quia minime id tem-
628   pus indulget, sed occasiones intellegentiae praebeamus.

Proficiscuntur ergo *ex Raphaca et ueniunt in Halus* [d].
Halus labores interpretantur. Nec mireris, si sanitatem
sequuntur labores. Propterea enim et adipiscitur a Deo
632   anima sanitatem, ut labores delectabiliter et non inuita sus-
cipiat ; dicetur enim ei : *Labores fructuum tuorum mandu-
cabis, beata es et bene tibi erit* [e].

Post haec *ueniunt in Raphidin* [f]. Interpretatur autem
636   *Raphidin* laus iudicii. Iustissime laus sequitur post labores.
Cuius tamen rei laus ? Iudicii, inquit. Fit ergo laude digna
anima, quae recte iudicat, recte discernit, id est quae *spiritaliter diiudicat omnia, et ipsa a nemine diiudicatur* [g].

640   **12, 3.** Post haec *peruenitur in deserto Sina* [h]. *Sina* ipse
quidam locus *deserti* est, quem supra *Sin* memorauit ; sed
hic magis locus montis, qui in ipso deserto est, appellatur,
qui etiam ipse ex uocabulo deserti *Sina* nominatur. Post-
644   quam ergo laudabilis iudicii facta est anima et rectum coe-
pit habere iudicium, tunc ei datur lex a Deo, cum capax esse
coeperit secretorum diuinorum et caelestium uisionum.

---

d. Nb 33, 13   e. Ps 127, 2   f. Nb 33, 14   g. cf. 1 Co 2, 15
h. cf. Nb 33, 15

12, 2. Il serait trop long de vouloir aller d'étape en étape et d'exposer en chacune les idées suggérées par l'observation des noms. Nous les passerons cependant en revue rapidement, en nous resserrant, pour vous donner non pas tant une pleine explication, — ce que le temps ne permet pas, — que des occasions pour pénétrer le sens.

Neuvième étape : Halus, les travaux « Ils partent donc de Raphaca et arrivent à Halus [d]. » Halus veut dire 'travaux'. Ne sois pas surpris si les travaux succèdent à la santé. Si Dieu, en effet, procure la santé à l'âme, c'est précisément pour qu'elle supporte les travaux de bon cœur, sans mauvaise humeur. Il lui sera dit en effet : « Tu te nourriras de tes récoltes, du travail de tes mains ; heureuse es-tu, et tu seras comblée de biens [e] ».

Dixième étape : Raphidin, le discernement Ensuite, « ils arrivent à Raphidin [f] ». Raphidin veut dire « éloge du jugement ». Il est tout à fait juste que l'éloge vienne après les travaux. Mais quel éloge ? Celui du jugement, est-il dit. Donc, l'âme devient digne d'éloge quand elle juge droit, quand elle discerne bien, c'est-à-dire « quand elle juge de tout spirituellement et qu'elle-même n'est jugée par personne [g] ».

Onzième étape : au Désert de Sina, l'âme accueille la Loi **12, 3.** Ensuite, « on arrive au désert de Sina [h] ». Sina est un endroit du désert appelé plus haut Sin ; mais c'est plutôt le nom d'une montagne située dans le désert et qui porte elle-même le nom de Sina d'après le nom du désert. Donc, quand l'âme a reçu l'éloge du jugement et qu'elle commence à avoir un bon jugement, alors Dieu lui donne la Loi, car elle a commencé à avoir capacité de recevoir les secrets divins et les visions célestes.

Inde *uenitur ad monumenta concupiscentiae* [i]. Quid est
648 *monumenta concupiscentiae ?* Sine dubio ubi sepultae sunt
et obrutae concupiscentiae, ubi exstincta est omnis cupidi-
tas nec ultra *concupiscit caro aduersus spiritum* [j], mortificata,
scilicet morte Christi.

652 Post haec *uenitur in Aseroth* [k], quod interpretatur atria
perfecta uel beatitudo. Intuere diligentius, o meus uiator,
qui sit ordo profectuum ; posteaquam sepelieris et morti tra-
dideris concupiscentias carnis, uenies ad amplitudines atrio-
656 rum, uenies ad beatitudinem. Beata namque est anima quae
nullis iam uitiis carnis urgetur.

12, 4. Inde *uenitur in Rathma* [l] siue *Faran. Rathma* uisio
consummata interpretatur, *Faran* uero uisibile os. Quidni
660 ita crescat anima, ut, cum desierit molestiis carnis urgeri,
uisiones habeat consummatas perfectamque rerum capiat
intellegentiam, causas scilicet incarnationis Verbi Dei dis-
pensationumque eius rationes plenius altiusque cognos-
664 cens ?

Hinc iam *uenitur in Remmon Phares* [m], quod in nostra
lingua excelsa intercisio dicitur, hoc est ubi magnarum et
caelestium rerum a terrenis et infimis separatio sit et discre-
668 tio. Crescente namque intellectu animae et notitia ei excel-

i. cf. Nb 33, 16   j. cf. Ga 5, 17   k. cf. Nb 33, 17
l. cf. Nb 33, 18   m. cf. Nb 33, 19

**Douzième étape :
Tombeaux-du-Désir,
apaisement
de la concupiscence**

De là, on arrive aux « Tombeaux du désir [i] ». Qu'est-ce à dire « Tombeaux du désir » ? Pas de doute ! c'est là que sont ensevelies et étouffées les convoitises, là que tout désir est éteint et que « la chair ne convoite plus contre l'esprit [j] », morte qu'elle est, — sous-entendez : par la mort du Christ.

**Treizième étape :
Aséroth, bonheur
de l'âme purifiée**

Ensuite, « on arrive à Aséroth [k] », nom qui veut dire 'parvis achevé' ou 'béatitude'. Fais bien attention, ô mon voyageur, à la succession des progrès. Quand tu auras enseveli et livré à la mort les convoitises de la chair, tu arriveras à l'immensité des parvis, tu arriveras à la béatitude. Heureuse, en effet, l'âme qu'aucun vice charnel ne tourmente plus !

**Quatorzième étape :
Rathma ou Pharan,
vision parfaite**

12, 4. De là, « on arrive à Rathma [l] » ou Pharan. Rathma signifie 'vision consommée', Pharan 'visage visible'. Pourquoi l'âme, après avoir cessé d'être tourmentée par les ennuis de la chair, ne grandirait-elle pas jusqu'à avoir des visions parfaites et à saisir le sens profond des choses ? — c'est-à-dire qu'elle saurait les causes de l'Incarnation du Verbe de Dieu, puisqu'elle connaîtrait mieux et plus profondément les formes que revêt l'économie de ce mystère ?

**Quinzième étape :
Remmon-Pharès,
séparation entre éternel
et temporel**

Puis, « on arrive à Remmon-Pharès [m] », ce qui veut dire en notre langue 'haute coupure', c'est-à-dire l'endroit où se fait la séparation et le discernement entre les choses célestes importantes et les choses terrestres insignifiantes. Car l'âme, se développant intellectuellement,

sorum praebetur et iudicium datur, quo sciat a temporalibus aeterna intercidere et a perpetuis caduca separare.

12, 5. Post haec *uenitur Lebna* [n], quod interpretatur
672   dealbatio. Scio in aliis dealbationem culpabiliter poni, ut
cum dicitur *paries dealbatus* [o] et *monumenta dealbata* [p]. Sed
hic dealbatio illa est, de qua dicit propheta : *Lauabis me et
super niuem dealbabor* [q] ; et iterum Esaias : *Si fuerint pec-
676   cata uestra sicut phoenicium, ut niuem dealbabo, et ut lanam
candidam efficiam* [r] ; et item in Psalmo : *Niue dealbabuntur
in Selmon* [s] ; et *Vetusti dierum capilli* dicuntur esse *candidi,*
id est *albi sicut lana* [t]. Sic igitur dealbatio haec ex splendore
680   uerae lucis uenire intellegenda est et ex uisionum caelestium
claritate descendere.

Post haec mansio fit *in Ressa* [u], quod apud nos dici potest
uisibilis siue laudabilis tentatio. Quid est hoc, quod quamuis
684   grandes habeat anima profectus, tamen tentationes ab ea non
auferuntur ? Vnde apparet quia uelut custodia quaedam et
munimen ei tentationes adhibentur. Sicut enim caro, si sale
non adspergatur, quamuis sit magna et praecipua, corrum-
688   pitur, ita et anima, nisi tentationibus assiduis quodammodo
saliatur, continuo resoluitur ac relaxatur. Vnde constat
propter hoc dictum esse quod *omne sacrificium sale salie-
tur* [v]. Inde denique est quod et Paulus dicebat : *Et ex subli-*
692   *mitate reuelationum ne extollar, datus est mihi stimulus car-*

---

n. cf. Nb 33, 20   o. cf. Ac 23, 3   p. cf. Mt 23, 27
q. Ps 50, 9   r. Is 1, 18   s. Ps 67, 15   t. cf. Dn 7, 9
u. cf. Nb 33, 21   v. cf. Lv 2, 13

---

1. Certains lisent Dessa (Dorival) au lieu de Ressa, deux lettres
hébraïques ayant été confondues, nous dit-on. D'autres (de Vaulx) lisent
Rissâh... Comme nous l'avons dit, nous respectons pour tous ces noms de
lieu la lecture de Baehrens, qui correspond aux transcriptions de ses mss
latins.

apprend à connaître les réalités d'en haut et acquiert le jugement qui lui permet de séparer l'éternel du temporel et le périssable de ce qui dure toujours.

Seizième étape :
Lebna, éclat
de la vraie lumière

12, 5. Ensuite, « on arrive à Lebna [n] », ce qui veut dire 'blancheur'. En certains cas, je le sais, la blancheur est prise en mauvaise part, comme quand on dit 'mur blanchi [o]' ou 'sépulcres blanchis [p]'. Mais ici la blancheur est celle dont parle le prophète : « Tu me laveras et je deviendrai plus blanc que neige [q] » ; et Isaïe : « Si vos péchés sont comme la pourpre, je les blanchirai comme neige, et je les rendrai pareils à la blancheur de la laine [r] » ; de même dans le Psaume : « Ils seront blanchis comme neige sur le Selmon [s] » ; et il est dit que : « Les cheveux de l'Ancien des Jours sont éblouissants, c'est-à-dire blancs comme de la laine pure [t] ». Ainsi donc cette blancheur, il faut la comprendre comme venant de l'éclat de la vraie lumière et descendant de la clarté des visions célestes.

Dix-septième étape :
Ressa, la tentation
comme garde
et protection

Ensuite, l'étape a lieu « à Ressa [u] [1] ». Ce nom chez nous peut être pris pour 'tentation visible' ou 'louable'. Eh quoi ? Quelque grands que soient les progrès de l'âme, les tentations ne lui sont pas épargnées ! Il est donc évident que les tentations sont employées auprès d'elle comme une garde et une protection. De même en effet que la viande se gâte, quelle que soit sa qualité, si elle n'est pas bardée de sel, de même l'âme, si elle n'est pas en quelque sorte salée par des tentations continuelles, se désagrège sans tarder et se relâche. Il est évident que c'est là le motif qui a fait dire à l'Écriture que « tout sacrifice devra être salé au sel [v] ». Et c'est aussi ce qui faisait dire à Paul : « Et pour que l'excellence des révélations ne m'enorgueillisse pas, il m'a été

nis meae angelus Satanae, qui me colaphizet ᵂ. Haec ergo est uisibilis uel laudabilis tentatio.

12, 6. Ex hac *uenitur in Macelath* ˣ, quod est principatus
696 uel uirga. Ex utroque potestas indicari uidetur et quod anima eo usque profecerit, ut dominetur corpori et ipsa in illud uirgam potestatis obtineat ; immo non solum corpori, sed et uniuerso mundo, cum dicit : *Mihi autem mundus cru-*
700 *cifixus est et ego mundo* ʸ.

Inde *uenitur in monte Sephar* ᶻ, quod tubicinatio appellatur. Tuba signum belli est. Igitur ubi se tantis ac talibus uirtutibus sentit armatam, necessario procedit ad bellum, quod
704 est ei *aduersus principatus et potestates, et aduersum mundi huius rectores* ᵃᵃ ; uel certe tuba canit in uerbo Dei, praedicationis scilicet et doctrinae, ut det *significantem uocem per tubam*, ut qui audierit *praeparare se possit ad bellum* ᵇᵇ.

708 Post haec *uenitur super Charadath* ᶜᶜ, quod in nostra lingua sonat idoneus effectus ; profecto ut et ipse dicat quia : *idoneos nos fecit ministros noui testamenti* ᵈᵈ.

12, 7. Inde mansio habetur apud *Maceloth* ᵉᵉ, quod inter-
712 pretatur ab initio. Contemplatur namque, qui ad perfectionem tendit, initium rerum, immo potius cuncta ad eum refert, qui erat *in principio* ᶠᶠ, nec ab isto initio aliquando discedit.

---

w. 2 Co 12, 7   x. cf. Nb 33, 22   y. Ga 6, 14
z. cf. Nb 33, 23   aa. cf. Ep 6, 12   bb. cf. 1 Co 14, 8
cc. cf. Nb 33, 24   dd. cf. 2 Co 3, 6   ee. cf. Nb 33, 25
ff. cf. Jn 1, 1

1. « On », c'est-à-dire celui qui est sujet du verbe dans le paragraphe précédent, celui qui doit se préparer à la prédication et à l'enseignement.

mis dans la chair une écharde, un ange de Satan chargé de me souffleter ᵂ ». Voilà bien une tentation visible et louable !

Dix-huitième étape : Macélath, pouvoir sur le monde entier

12, 6. On en sort et « on arrive à Macélath ˣ », qui est 'suprématie' ou 'sceptre'. Les deux indiquent le pouvoir et montrent que l'âme a progressé jusqu'à dominer le corps et à maintenir sur lui le sceptre du pouvoir, et pas seulement sur le corps, mais bien mieux, sur le monde entier, puisqu'il est dit : « Le monde est crucifié pour moi et je le suis pour le monde ʸ ».

Dix-neuvième étape : Séphar, le signal de l'attaque

De là, « on arrive au mont Séphar ᶻ », qui répond à l'appellation de 'sonnerie de trompettes'. La trompette donne le signal de la guerre. Donc, quand l'âme se sent armée de tant de fortes vertus, elle entre forcément dans la guerre que lui font « les principautés et dominations ennemies, et les souverains de ce monde ᵃᵃ ». Ou du moins elle fait retentir la trompette pour la parole de Dieu, c'est-à-dire pour la prédication et l'enseignement, de telle manière que celui qui l'aura entendue puisse se préparer au combat ᵇᵇ.

Vingtième étape : Charadath, aptitude à l'apostolat

Ensuite, « on arrive au-dessus de Charadath ᶜᶜ », ce qui veut dire en notre langue 'rendu capable'. Cela certainement pour qu'on¹ puisse dire : « Il nous a rendus capables d'être les ministres d'une alliance nouvelle ᵈᵈ ».

Vingt et unième étape : Macéloth, « au principe »

12, 7. Ensuite on fait étape à « Macéloth ᵉᵉ », ce qui veut dire 'au commencement', car celui qui tend à la perfection contemple le principe des choses, ou plutôt il rapporte tout à « Celui qui était au principe ᶠᶠ » et ne s'écarte jamais de ce Principe.

716   Post haec fit mansio *in Cataath* ^{gg}, quod est confirmatio uel patientia. Necesse est enim eum qui uult etiam aliis prodesse, multa pati et cuncta ferre patienter, sicut de Paulo dictum est : *Ego enim ostendam ei quanta oporteat eum pati*
720 *pro nomine meo* ^{hh}.

    Inde *uenitur Thara* ⁱⁱ, quod apud nos intellegitur contemplatio stuporis. {Non possumus in Latina lingua uno sermone exprimere uerbum Graecum, quod illi ἔκστασιν
724 uocant}, id est cum pro alicuius magnae rei admiratione obstupescit animus. Hoc ergo est, quod dicit contemplatio stuporis, cum in agnitione magnarum et mirabilium rerum mens attonita stupet.

728   **12, 8.** Post haec *uenitur ad Matheca* ^{jj}, quod interpretatur mors noua. Quae est noua mors ? Quando *Christo commorimur et Christo consepelimur, ut et conuiuamus ei* ^{kk}.

    Inde *Asemna uenitur* ^{ll}, quod os uel ossa significare dici-
732 tur. Virtus per haec sine dubio et robur patientiae declaratur.

---

gg. cf. Nb 33, 26   hh. Ac 9, 16   ii. cf. Nb 33, 27
jj. cf. Nb 33, 28   kk. cf. 2 Tm 2, 11   ll. cf. Nb 33, 29

---

1. Cet accès de l'âme à l'extase, à la sortie de soi, touche à l'un des plus hauts états mystiques. Origène, ici, se contente de le mentionner. Rufin y a mis du sien ; aussi avons-nous mis entre {...} ce qui est sûrement de sa plume. Certains pensent que tout le reste du paragraphe est de sa main. Dans ce cas, et même si Rufin n'y est pour rien, on se demande pourquoi tant de sobriété chez Origène. A-t-il eu peur que d'aucuns s'autorisent de la description de cet état pour justifier les folles exaltations des cultes dionysiaques ou orphiques ? La question est d'importance. On sait qu'à l'oc-

**Vingt-deuxième étape :
Cataath, la patience**

Ensuite, l'étape a lieu à « Cataath [gg] », ce qui veut dire 'confirmation' ou 'patience'. Car il faut, à celui qui veut aussi être utile aux autres, beaucoup souffrir et tout endurer avec patience, selon ce qui a été dit de Paul : « Je lui montrerai tout ce qu'il doit souffrir pour mon nom [hh] ».

**Vingt-troisième étape :
Thara, l'extase**

De là, « on arrive à Thara [ii] », ce qui veut dire pour nous 'contemplation de stupeur'. {Nous ne pouvons pas en latin exprimer d'un seul mot ce que le grec appelle 'extase'}, c'est-à-dire ce qui se produit quand l'esprit tombe en saisissement d'admirer une très belle chose. Cet état que notre texte appelle 'contemplation de stupeur' se produit quand l'esprit est frappé de stupeur en parvenant à la connaissance de réalités merveilleuses [1].

**Vingt-quatrième étape :
Mathéca, mort
avec le Christ**

12, 8. Ensuite, « on arrive à Mathéca [jj] », ce qui veut dire 'nouvelle mort'. Quelle est cette nouvelle mort ? C'est lorsque « nous mourons avec le Christ et sommes ensevelis avec lui, pour vivre aussi avec lui [kk] ».

**Vingt-cinquième étape :
Asemna, force
de la patience**

De là, on passe à « Asemna [ll] », qui signifie, est-il dit, 'l'os' ou 'les ossements'. C'est l'expression de la vigueur et de la force de résistance de la patience.

---

casion des éditions d'Origène, elle a été étudiée sous tous ses aspects. On lira J. Daniélou, *Platonisme et théologie mystique* (Coll. *Théologie*) Paris 1944, chap. IIIe : L'amour extatique, p. 259 s.

Iam hinc habetur mansio apud *Mesoroth* [mm], quod significare putatur excludens. Quem excludens ? Sine dubio
736   malignas suggestiones contrarii spiritus de cogitationibus
suis. Sic enim et sapientia Dei dicit : *Spiritus potestatem
habentis si adscenderit super te, locum tuum non dimittas* [nn].
Tenendus est ergo locus et excludendus est aduersarius, ne
740   inueniat locum in corde nostro, sicut Apostolus dicit : *nolite
date locum diabolo* [oo].

Post haec *Baneain uenitur* [pp], quod fontes significat uel
excolationes, id est ubi diuinorum uerborum fontes haurit,
744   usque quo excolet eos bibendo. {Excolat autem dicitur hic
a colando, non a colendo.} Excolat ergo uerbum Dei quis,
cum ne *minimum* quidem *mandatum* praeterit, immo cum
ne *iota* quidem *unum uel unus apex* [qq] de uerbo Dei intel
748   lectu eius habetur otiosus.

12, 9. Post haec *uenitur in Galgad* [rr], quod interpretatur
temptamentum siue constipatio. Fortitudo quaedam, ut
uideo, et munimen est animae temptamentum. Ita enim uir
752   tutibus admiscetur, ut uideatur absque his uirtus nec decora
esse nec plena. Et ideo proficientibus ad uirtutem et uariae
et frequentes mansiones in temptationibus fiunt.

---

mm. cf. Nb 33, 30   nn. cf. Qo 10, 4   oo. Ep 4, 27
pp. cf. Nb 33, 31   qq. cf. Mt 5, 18-19   rr. cf. Nb 33, 32

---

1. C'est une manière de dire « le diable ».
2. Ce filtrage suppose que les matières les plus importantes ont passé
les premières et qu'il ne reste plus devant la grille que de tout petits éléments, c'est-à-dire les plus petits commandements à observer comme les
autres. — Rufin nous donne encore ici de son cru avec *excolat* une leçon
de grammaire, que nous mettons entre {...}. L'apex est un menu trait d'écriture.

Vingt-sixième étape : Mésoroth, exclusion des mauvais esprits

Alors, de là, on fait étape à « Mésoroth [mm] », qui signifie, croit-on, 'celui qui exclut'. Qui exclut-il ? Pas de doute, il exclut les mauvaises suggestions que l'esprit du mal présente à ses pensées. Voici comment s'exprime la Sagesse de Dieu : « Si l'esprit de celui qui a la puissance [1] s'élève contre toi, ne quitte pas ton poste [nn] ». Donc il faut garder son poste et exclure l'adversaire, pour qu'il ne trouve pas de place dans notre cœur, selon ce que dit l'Apôtre : « Ne donnez pas prise au diable [oo] ».

Vingt-septième étape : Banéain, aux sources de la Parole

Ensuite, « on arrive à Banéain [pp] », qui signifie 'sources' ou 'filtrages'. C'est l'endroit où l'âme puise à leurs sources les paroles divines et va jusqu'au filtrage en les buvant [2]. {Il faut savoir que le mot *excolat* s'apparente ici à *colare* 'filtrer' et non à *colere* 'cultiver'}. Filtre donc la parole de Dieu, celui qui ne laisse passer « aucun des plus petits commandements », et même mieux celui pour qui « un seul iota ou un seul apex [qq] » n'est pas sans importance quand il s'agit de comprendre la parole de Dieu.

Vingt-huitième étape : Galgad, l'offensive des tentations

12, 9. Puis « on arrive à Galgad [rr] », ce qui veut dire 'harcèlement' [3] ou 'resserrement'. C'est une force pour l'âme et une protection, me semble-t-il, que le harcèlement. Car il est si bien mêlé aux vertus que sans les offensives de la tentation, la vertu ne paraîtrait ni belle ni complète. C'est pourquoi quand on progresse dans la vertu, il y a diverses et fréquentes étapes avec tentations.

---

3. *Harcèlement*, ce mot aide à distinguer *temptatio* de *temptamentum*.

Quas cum transieris, *applicabis in Tabatha* [ss]. *Tabatha*
756 interpretatur bona. Ad bona ergo non nisi post tempta-
mentorum experimenta uenietur.

Inde *applicuerunt* inquit *in Ebrona* [tt], quod est transitus.
Transeunda namque sunt omnia ; quia, etiamsi ad bona
760 uenias, oportet te et ad meliora transire, usque quo ad illud
bonum uenias, in quo semper debeas permanere.

Post haec *peruenitur ad Gasiongaber* [uu], quod interpretatur consilia uiri. Si quis desiit puer esse sensibus, iste per-
764 uenit ad consilia uiri, sicut et ille qui dicebat : *Cum autem
factus sum uir, quae paruuli erant deposui* [vv]. Sunt ergo
magna consilia uiri, sicut et ille ait : *Aqua alta consilium in
corde uiri* [ww].

768   **12, 10.** Hinc iterum *uenitur Sin* [xx]. Iterum temptatio est
Sin. Diximus enim quia nec aliter expedit iter istud incedere,
sicut uerbi gratia si quis aurifex uas necessarium facere
uolens frequenter illud igni admoueat, frequenter malleis
772 subdat, rasoriis saepe perstringat, ut et purgatius fiat et ad
illam speciem quam prospicit artifex atque ad illam pulchritudinem deducatur.

---

ss. cf. Nb 33, 33   tt. cf. Nb 33, 34   uu. cf. Nb 33, 35
vv. 1 Co 13, 11   ww. Pr 20, 5   xx. cf. Nb 33, 36

1. *Sin* pour la deuxième fois : « Le même mot 'Sin' désigne dans la LXX
deux réalités géographiques différentes : d'une part, une région désertique
de Chanaan..., d'autre part, un désert non loin de la Mer Rouge »
(G. Dorival, B.A. IV, p. 311). Pour Origène, cela confirme la fréquence
des tentations, en même temps que la double utilité que l'âme en retire.

Vingt-neuvième étape :
Tabatha, les biens

Quand tu les auras traversées,
« tu camperas à Tabatha [ss] ».
Tabatha veut dire 'les biens'. Par
conséquent, on n'arrive pas aux biens sans passer par
l'épreuve des harcèlements.

Trentième étape :
Ébrona, passage

Ensuite, « ils campèrent à Ébrona [tt] », qui veut dire 'passage'. Car
tout doit passer, parce que, même si
tu arrives aux biens, il te faut encore passer à des biens
meilleurs jusqu'à ce que tu arrives au bien en lequel tu dois
toujours demeurer.

Trente et unième étape :
Gasiongabèr,
sagesse d'adulte

Après cela, « on parvient à
Gasiongabèr [uu] », ce qui veut
dire 'desseins d'homme'. Quand
on a cessé d'être un enfant dans
ses pensées, on devient homme pour la délibération, à l'instar de celui qui disait : « Quand je suis devenu homme, j'ai
fait disparaître ce qui était de l'enfant [vv] ». Il y a donc de
grands desseins chez l'homme ; aussi bien a-t-il été dit :
« Eau profonde, le dessein d'un cœur d'homme [ww] ! »

Trente-deuxième étape :
de nouveau 'Sin'
et la tentation [1]

12, 10. De là, une seconde
fois « on arrive à Sin [xx] ». Sin est
encore la tentation. Sans elle, en
effet, nous avons dit qu'il ne sert
à rien de poursuivre ce voyage. C'est comme un orfèvre,
par exemple, obligé de faire un vase ; il ne cesse de le
mettre au feu, il le martèle constamment, il le lisse sans
arrêt au polissoir, de manière qu'il apparaisse sans défaut et
qu'il atteigne la forme et la beauté que l'artiste a prévues
pour lui.

Post haec *applicatur ad Pharancades* [yy], quod est fructifi-
776 catio sancta. Vides unde quo uenitur, uides quia temptationum sulcos fructificatio sancta subsequitur.

Inde *applicatur in monte Or* [zz], quod interpretatur montanus. Venit enim ad montem Dei, ut et ipse fiat *mons uber*
780 et *mons coagulatus* [a*], uel ab eo quod semper in monte Dei
habitet, montanus dicatur.

12, 11. Subsequitur post haec mansio *Selmona* [b*], quod
interpretatur umbra portionis. Illam puto umbram dici, de
784 qua et propheta dicebat : *Spiritus uultus nostri Christus
Dominus, cui diximus : in umbra eius uiuemus in
Gentibus* [c*]. Sed et illa similis huic umbra est de qua dicitur :
Spiritus Domini obumbrabit tibi [d*]. Vmbra ergo portionis
788 nostrae, quae nobis opacitatem praestat ab omni aestu temptationum, Christus Dominus est et Spiritus sanctus.

Hinc iam *uenimus ad Phinon* [e*], quod interpretari puta-
mus oris parsimoniam. Qui enim intueri potuerit mysterium
792 de Christo et de Spiritu sancto, et siue uiderit siue audierit
ea *quae non licet hominibus* [f*] *loqui,* necessario habebit oris
parsimoniam, sciens quibus uel quando uel quomodo de
mysteriis diuinis oporteat loqui.

---

yy. cf. Nb 33, 36   zz. cf. Nb 33, 37   a.* cf. Ps 67, 16
b.* cf. Nb 33, 41   c.* cf. Lm 4, 20   d.* cf. Lc 1, 35
e.* cf. Nb 33, 42   f.* cf. 2 Co 12, 4

---

1. Origène raccourcit à son gré cette citation : elle rappelait l'humilia-
tion subie par le Seigneur tombé dans la fosse. On conçoit le motif de la
suppression.

**Trente-troisième étape :
Pharancadès,
une sainte fertilité**

Après, « on campe à Pharan-cadès ʸʸ », ce qui veut dire 'fer-tilité sainte'. Tu vois d'où l'on vient et où l'on va. Tu vois que la sainte fertilité vient après des sillons de tentations.

**Trente-quatrième étape :
Hor-le-Mont,
le montagnard**

De là « on campe à Hor-le-Mont ᶻᶻ », ce qui peut se dire 'le montagnard'. Car celui-ci vient à la montagne de Dieu pour devenir lui-même « une grasse, une compacte mon-tagne ᵃ* » ; ou bien ce nom de montagnard vient de ce qu'il habite continuellement la montagne de Dieu.

**Trente-cinquième étape :
Selmona, ombre du Christ
et du Saint-Esprit**

12, 11. A cette étape suc-cède celle de « Selmona ᵇ* », qui veut dire 'ombre d'une portion de bien'. Je pense qu'il s'agit de l'ombre dont le prophète de son côté disait : « Le souffle de notre visage, le Christ Seigneur à qui nous avons dit : "A son ombre nous vivrons parmi les nations" ᶜ* »[1]. Mais cette ombre est pareille à cette autre dont il est dit : « L'Esprit du Seigneur te couvrira de son ombre ᵈ* ». Donc l'ombre de notre portion de bien, celle qui nous protège par son couvert de la chaleur de toute tenta-tion, c'est le Christ Seigneur et l'Esprit Saint.

**Trente-sixième étape :
Phinon, discrétion
à l'égard des mystères**

De là, maintenant « nous arri-vons à Phinon ᵉ* », ce qui veut dire, pensons-nous, 'bouche so-bre'. Celui qui aura pu contem-pler le mystère du Christ et de l'Esprit Saint, soit qu'il ait vu, soit qu'il ait entendu « ce qu'il n'est pas permis aux hommes de dire ᶠ* », celui-là s'obligera à la sobriété de la bouche, puisqu'il sait à qui, quand et comment il faut par-ler des mystères divins.

796   Post haec *uenitur Oboth* g*, cuius nominis quamuis non inuenerimus interpretationem, tamen non dubitamus, sicut et in ceteris omnibus, etiam in hoc nomine consequentiam profectuum conseruari.

800   Sequitur post haec mansio quae appellatur *Gai* h*, quod interpretatur chaos. Appropiat enim per hos profectus *ad sinus Abrahae*, qui dicit ad eos qui in tormentis sunt, quia *inter uos et nos chaos magnum confirmatum est* i*, ut et ipse 804 *in sinibus eius* sicut beatus ille Lazarus *requiescat*.

12, 12. Inde iterum *uenitur Dibongad* j*, quod significare fertur apiarium temptationum. O miram diuinae prouidentiae cautelam ! Ecce iam uiator hic itineris caelestis summae 808 perfectioni proximus fit successione uirtutum, et tamen ei temptamenta non desunt. Sed noui generis audio temptamenta : apiarium, inquit, temptationum. Apis laudabile animal in Scripturis positum est k*, ex cuius laboribus reges et 812 mediocres ad sanitatem abutantur ; quod recte de uerbis prophetarum et Apostolorum atque omnium qui sacra uolumina conscripserunt, accipitur ; et istud esse apiarium, id est omnem numerum Scripturarum diuinarum, dignissime intel-816 legi puto. Est ergo his, qui ad perfectionem tendunt, etiam in hoc apiario, id est in uerbis propheticis et apostolicis, nonnulla tentatio. Vis uidere quia sit in his temptatio non

g.* cf. Nb 33, 43   h.* cf. Nb 33, 44   i.* cf. Lc 16, 26
j.* cf. Nb 33, 45   k.* cf. Ps 117, 12

---

1. *Iterum* semble ici intercalé par Rufin, peut-être comme mot de liaison ou de remplissage littéraire, facilitant la progression. C'est dans un tout autre contexte que Dibon a déjà paru en *Nb* 21, 30, et ce n'est pas là que Rufin serait allé le chercher.

**Trente-septième étape :
Oboth, pur nom d'étape**

Ensuite, « on arrive à Oboth [g*] ». Nous n'avons pas trouvé de signification pour ce nom : nous ne doutons pas cependant qu'il respecte, comme tous les autres, la suite dans les progrès.

**Trente-huitième étape :
Gai, le gouffre**

Vient ensuite l'étape qui s'appelle « Gai [h*] », ce qui veut dire 'gouffre'. A la suite de ces progrès, l'âme approche 'du sein d'Abraham' ; or Abraham dit à ceux qui sont dans les tourments : « Entre nous et vous, un gouffre immense s'est creusé [i*] », de sorte que notre voyageur se repose en son sein comme le bienheureux Lazare.

**Trente-neuvième étape :
à nouveau Dibongad,
la ruche aux tentations**

12, 12. De là « on arrive encore à Dibongad [j* 1] », qui signifie, nous dit-on, « ruche à tentations ».

O merveille d'habileté de la divine providence ! Voici que notre voyageur, engagé dans l'itinéraire céleste, approche, par la succession des vertus, de la perfection suprême. Cependant les harcèlements ne lui manquent pas ! Et avec « la ruche aux tentations », c'est une nouvelle sorte de harcèlement que je saisis dans les lectures de l'Écriture. L'abeille, dans les Écritures [k*], a été mise au nombre des animaux utiles : c'est grâce à son activité que rois et petites gens entretiennent leur santé. A bon droit, on a pensé que cela pouvait s'étendre aux paroles des prophètes, des Apôtres et de tous les écrivains des volumes sacrés, et je trouve que l'appellation de 'ruche' donnée à l'ensemble des 'Écritures divines' convient parfaitement à l'idée qu'on s'en fait. — Donc, il y a encore chez ceux qui tendent à la perfection, et même dans cette ruche, c'est-à-dire dans les paroles des prophètes et des Apôtres, quelque occasion de tentation. Veux-

minima ? In hoc apiario scriptum inuenio : *Vide* inquit *ne*
820 *adspiciens solem et lunam adores ea, quae sequestrauit*
Dominus Deus tuus gentibus [l.*]. Vides, quae temptatio de
apiario isto procedit ? Et iterum cum dicit : *Deos non male-*
dices [m.*]. Et iterum in Noui Testamenti apiario, ubi legimus :
824 *Quid me uultis occidere hominem, qui ueritatem locutus sum*
uobis [n.*] ? Et iterum in aliis ipse Dominus dicit : *Propterea in*
parabolis loquor iis, ut uidentes non uideant et audientes non
intellegant, ne forte conuertantur, et sanem eos [o.*]. Sed et cum
828 Apostolus dicit : *In quibus Deus saeculi huius excaecauit*
mentes infidelium [p.*] et multa huiusmodi in hoc diuino apiario temptamenta repperies, ad quae necesse est uenire unumquemque sanctorum, ut etiam per haec, quam perfecte et pie
832 de Deo sentiat, agnoscatur.

12, 13. Post haec iam *uenitur Gelmon Deblathaim* [q.*],
quod interpretatur contemptus ficuum, id est ubi contem-
nuntur et despiciuntur penitus terrena. Nisi enim spreta fue-
836 rint et contempta ea, quae delectare uidentur in terris, ad
caelestia transire non possumus.

---

l.* cf. Dt 4, 19   m.* cf. Ex 22, 27   n.* Jn 8, 40
o.* cf. Mt 13, 13-15   p.* cf. 2 Co 4, 4   q.* Nb 33, 46

1. Les tentations de la 'ruche', on le voit, ce sont des questions posées
par l'Écriture, prise littéralement, énigmatiques parfois, difficiles à
résoudre, et qui montrent que la vie de foi ne les résout pas d'un coup ; se
laisser harceler par ces difficultés sans les avoir surmontées — par l'esprit
d'allégorie particulièrement — risque de maintenir l'âme dans un climat de
paganisme, loin de la perfection requise pour tout homme qui veut être
fidèle à Dieu. — Dans l'ordre où Origène les présente à travers les citations, les « tentations » seraient les suivantes : 1) rendre un culte païen aux
choses de la nature, 2) parler comme si le polythéisme existait, 3) avoir des
propos où le Christ ne serait pas reconnu comme homme, 4) ne pas ajouter foi aux paraboles.
2. Il s'agit bien de 'figues'. JÉRÔME, (*Ep.* 78, n° 41, Labourt, p. 89) donne
aussi cette traduction : *contemptus palatharum.* Or les 'palathae' sont des

tu te rendre compte qu'en ces paroles, la tentation n'est pas
insignifiante ? Dans cette ruche, voici ce que je trouve :
« Prends garde, en regardant le soleil et la lune, à ne pas ado-
rer ce que le Seigneur ton Dieu a réservé aux païens [l*] » : tu
vois la tentation qui sort de cette ruche [1] ? et encore, quand
il est dit : « Tu ne maudiras pas les dieux [m*] ? » et encore,
dans la ruche du Nouveau Testament, quand nous lisons :
« Pourquoi cherchez-vous à me tuer, moi, un homme qui
vous ai dit la vérité [n*] ? » ailleurs encore, quand c'est le
Seigneur lui-même qui dit : « Si je leur parle en paraboles,
c'est afin qu'ils ne voient pas et qu'ils ne comprennent pas
en entendant, de peur qu'ils ne se convertissent et que je ne
les guérisse [o*] » ; mais c'est aussi l'Apôtre qui dit : « Ces infi-
dèles dont l'entendement a été aveuglé par le dieu de ce
monde [p*]. » Bref, dans cette divine ruche, tu trouveras beaucoup de textes de ce genre qui te harcèleront l'esprit. Il faut
que les saints soient affrontés à ces harcèlements pour que,
en ces matières aussi, on reconnaisse la perfection et la foi
qui les animent à l'égard de Dieu.

**Quarantième étape :
Gelmon Déblathaim,
mépris des biens terrestres**

12, 13. Ensuite, « on arrive
à Gelmon Déblathaim [q*] », ce
qui veut dire 'mépris des
figues' [2], c'est-à-dire que c'est
là qu'on dédaigne et méprise totalement les biens de la terre.
Sans ce dédain, sans ce mépris de tout ce qui est agréable sur
la terre, nous ne pouvons pas passer aux réalités du ciel.

---

gâteaux de fruits desséchés, de figues notamment, que l'on amasse et que
l'on comprime. Ce sont ces gâteaux de fruits que Judith emportait avec elle
chez Holopherne. JÉRÔME (*Lib. Interpr. Hebr. Nom*, CCSL LXXII, p. 80,
21) précise : « Deblathaim lateres siue massas, quas de recentibus ficis com-
pingere solent, quas Hebraei 'deblathan', Graeci παλάθας nuncupant. ».
Origène, en en faisant un symbole des biens terrestres, laisse penser que le
produit était savoureux !

Sequitur enim post haec mansio *Abarim contra Nabau* [r*], quod est transitus ; Nabau uero abscessio interpretatur. Vbi enim per has omnes uirtutes iter egerit anima et ad summam perfectionis adscenderit, transit iam de saeculo et abscedit, sicut scriptum est de Enoc : *Et non inueniebatur, quia transtulerat illum Deus* [s*]. Quod et si uideatur esse adhuc in saeculo, qui huiusmodi est, et in carne habitare, tamen *non inuenitur*. In quo *non inuenitur* ? In nullo actu saeculari, in nulla re carnali, in nullo colloquio uanitatis inuenitur. *Transtulit* enim *eum Deus* ab his et esse fecit in regione uirtutum.

Vltima mansio est *ab occidente Moab iuxta Iordanen* [t*]. Omnis namque hic cursus propterea agitur et propterea curritur, ut perueniatur ad flumen Dei, ut proximi efficiamur fluentis sapientiae et rigemur undis scientiae diuinae ; ut sic per omnia purificati terram repromissionis mereamur intrare.

Haec interim de Israeliticis mansionibus secundum unum exponendi modum in transcursu perstringere atque in medium proferre potuimus.

13, 1. Verum ne huiusmodi expositio, quae per Hebraeorum nominum significantias currit, ignorantibus linguae illius proprietatem affectata uideatur et uiolenter extorta, dabimus etiam in nostra lingua similitudinem, qua consequentiae huius ratio patescat. In litterario ludo, ubi prima

---

r.* cf. Nb 33, 47   s.* cf. Gn 5, 24   t.* cf. Nb 33, 48

1. Le destin d'Hénoch, enlevé par Dieu, mais encore 'dans sa chair', est énigmatique. Il a de quoi, certes, stimuler Origène dans sa recherche de l'état céleste des êtres, mais il faut avouer qu'ici, le droit à l'existence dans un paradis tout spécial où règne la vertu (*eum Deus ... esse fecit in regione virtutum*), relève d'une imagination bien optimiste.

Quarante et unième étape :
Abarim en face
de Nabau, séparation

Après cela, suit l'étape « Abarim en face de Nabau ʳ* », ce qui est un 'passage' ; mais Nabau signifie 'séparation'. En effet, quand l'âme aura voyagé à travers toutes ces vertus et qu'elle aura atteint le sommet de la perfection, alors elle passe hors du siècle et s'en sépare, comme il est écrit d'Hénoch, qu'« on ne le trouvait plus parce que Dieu l'avait emporté ˢ* ». Et si l'on peut croire qu'un homme de cette sorte est encore de ce monde, qu'il habite dans la chair, cependant il est introuvable. Où donc est-il introuvable ? Dans les actions du monde, dans les opérations charnelles, dans de vains entretiens, voilà où il est introuvable, car Dieu l'a emporté loin de tout cela et l'a fait exister dans un pays de vertus [1].

Quarante-deuxième étape :
le Jourdain, accès
à la Terre Promise

La dernière étape est « au couchant de Moab sur le Jourdain ᵗ* ». Car tout ce parcours et cette hâte ont pour but d'arriver au Fleuve de Dieu, de nous approcher des courants de la Sagesse, d'être inondés des eaux de la Science divine et, ainsi purifiés de tout, de mériter d'entrer dans la Terre Promise.

Voilà pour mettre fin à cette manière particulière d'expliquer les étapes d'Israël : nous avons pu proposer un mode de parcours rapide et donner une explication générale.

Origène justifie
la méthode d'explication

13, 1. Mais par crainte que cette explication qui s'appuie sur le sens des mots hébreux ne paraisse, à ceux qui ignorent les particularités de cette langue, recherchée et forcée, nous prendrons une comparaison dans notre langue, qui fasse apparaître la logique de cette série d'interprétations.

pueri elementa suscipiunt, abecedarii dicuntur quidam, alii
864 syllabarii, alii nominarii, alii iam calculatores appellantur ; et
cum audierimus haec nomina, ex ipsis, qui sit in pueris profectus, agnoscimus. Similiter et in liberalibus studiis, cum
aut locum recitare aut allocutionem uel laudem aliasque per
868 ordinem materias audierimus, ex materiae nomine profectum adulescentis aduertimus. Quomodo ergo et per haec
quae locorum quasi materiarum nomina memorantur, non
credamus in diuinis eruditionibus profectus indicari posse
872 discentium ? Et sicut illi singulis quibusque discendi mate-
riis immorantes quasi mansiones in iis quasdam facere
uidentur et de una ad aliam ac de alia item ad aliam proficisci, ita etiam hic mansionum nomen et profectio ab una ad
876 aliam et ab alia iterum ad aliam cur non profectum mentis
indicare credatur et incrementa significare uirtutum ?

13, 2. Illam uero aliam expositionis partem prudentibus
quibusque ex ista coniciendam et contemplandam relinquo.
880 *Sapientibus* enim sufficit *occasiones dedisse* ᵃ, quia nec expedit ut auditorum sensus penitus remaneat otiosus et piger.
Ex horum ergo collatione etiam illa metiatur, immo et aliquid perspicacius ac diuinius contempletur : *Non enim cum*
884 *mensura dat Deus Spiritum* ᵇ, sed quia *Dominus est Spiritus* ᶜ,
idcirco *ubi uult, spirat* ᵈ. Et optamus ut etiam uobis adspi-
ret, quo meliora horum atque altiora in uerbis Domini sen-
tiatis iter agentes per haec quae pro nostra mediocritate des-

---

13. a. cf. Pr 9, 9   b. Jn 3, 34   c. cf. 2 Co 3, 17   d. cf. Jn 3, 8

1. En somme, pour parler comme aujourd'hui, ils épèlent, ils pratiquent
la lecture syllabique, la méthode globale, et ce sont des « matheux ». Pour
étoffer ce résumé cavalier de la méthode de lecture au niveau de l'enseignement primaire, on aura recours à H.I. Marrou, *Histoire de l'Éducation dans l'Antiquité* (Seuil, Paris, 1948 et rééd.) IIᵉ P. ch.v-vii et IIIᵉ P.
ch.iv-vi, sur les écoles hellénistiques et romaines.

Au jeu des lettres où les enfants apprennent à lire, on appelle les uns 'abécédaires', d'autres des 'syllabaires', d'autres des 'nominaires', d'autres déjà des 'calculateurs' [1]. A l'énoncé de ces dénominations, nous connaissons le niveau des enfants. De même, pour les études libérales, si nous avons entendu quelqu'un lire un passage, prononcer une allocution ou un éloge, ou s'exercer dans les autres matières du cycle, nous sommes prévenus, par l'énoncé de la matière, du niveau du jeune homme. Pourquoi donc alors, puisque ces noms de lieu sont évoqués comme les matières d'un programme, ne penserions-nous pas que, dans les enseignements divins, ils puissent indiquer le niveau de ceux qui les apprennent ? Ceux-ci, en s'arrêtant sur chacune des matières qu'ils doivent apprendre, paraissent y faire comme des étapes, et aller de l'une à l'autre, puis d'une autre encore vers une autre ; ne peut-on pas alors penser qu'ici un nom d'étape, un départ de l'une à l'autre et de l'autre à la suivante, indiquent un progrès spirituel et sont le signe d'un accroissement des vertus ?

Exhortation finale   13, 2. Je laisse les prudents faire l'autre face du commentaire ; à partir de celle que nous avons faite, ils combineront et ils approfondiront. « Aux sages, en effet, il suffit qu'aient été procurées des occasions [a] », et il ne sert à rien, non plus, de laisser l'esprit des auditeurs s'engourdir entièrement dans l'oisiveté. Que notre explication aussi soit donc comparée à la leur, ou plutôt qu'un examen attentif propose une vue plus perspicace et plus divine, car « Dieu ne donne pas l'Esprit avec mesure [b] », mais, « le Seigneur étant Esprit [c] », « il souffle où il veut [d] ». Nous souhaitons qu'il souffle aussi sur vous, et que vos réflexions sur les paroles de Dieu soient meilleures et aillent plus profond que les nôtres ; nous souhaitons aussi, puisque vous ferez route avec les pensées que nous avons développées selon nos modestes moyens, que

888   cripsimus ; ut et in illa uia superiore et excelsiore etiam nos
       uobiscum possimus incedere, deducente nos ipso Domino
       Iesu Christo, qui est *uia et ueritas et uita* [e], usque quo per-
       ueniamus ad Patrem, *cum tradiderit regnum Deo et Patri et*
892   *subiecerit ei omnem principatum et potestatem* [f]. *Ipsi gloria*
       et imperium in saecula saeculorum. Amen [g].

       e. cf. Jn 14, 6   f. cf. 1 Co 15, 24   g. cf. 1 P 4, 11

sur cette nouvelle route plus haute et suprêmement élevée, nous puissions, nous aussi, avancer avec vous, sous la conduite du Seigneur Jésus-Christ lui-même, qui est « la voie, la vérité, la vie [e] », jusqu'à ce que nous parvenions au Père, « au Dieu et Père auquel il aura remis le Royaume et pour lequel il se sera soumis toute principauté et toute puissance [f] ». « A lui gloire et puissance pour les siècles des siècles. Amen [g] ».

HOMÉLIE XXVIII

HOMÉLIE XXVIII

(*Nombres* 34-35)

NOTICE

Délimitation de la Terre Sainte

L'homélie 28 pourrait prendre place immédiatement après l'Homélie 26. Car les 42 étapes de l'âme en marche vers le ciel dans l'Homélie 27 constituent par la lenteur du développement, comme un « bouchon » sur la route qui nous mène à la fin du Livre des Nombres.

Ici, en Homélie 28, les Hébreux, arrivés en Terre Sainte, doivent se partager le territoire. Dieu prescrit un certain nombre de règles concernant les frontières. Tel est le donné historique dont part Origène, en le résumant, § 1.

Une constatation surgit qui semble réduire à néant les prescriptions divines : les Hébreux n'ont plus de territoire. Que faire ? Pour Origène, c'est simple : passer au sens spirituel et comprendre la Loi comme devant s'appliquer aux biens célestes dont elle est l'ombre ici-bas selon *He* 8,5, § 1,2.

Il faut appliquer ce principe aux noms propres de lieu. — Tout lieu de la terre a son pendant dans les cieux. Le Très-Haut a nommé toutes les étoiles (Ps 147,4), même si nous n'en connaissons pas les noms ; il a donc bien pu nommer les lieux célestes où iront s'installer les tribus. Origène ne fait pas crédit au Livre d'Énoch — un apocryphe —, dont les voyages et les noms mystérieux lui paraissent inauthentiques, § 2,1.

En nous contentant du *Livre des Nombres*, qui tient compte de la Loi authentique, nous accédons avec certitude aux lieux réservés au peuple d'Israël dans le royaume des cieux, à la Judée céleste, qui comporte une ville, Jérusalem, et un mont, Sion, (cf. *He* 12, 12) entourés de toutes les villes et villages secondaires qui peuplent une contrée, § 2,2. Mais il faut un partage des terres entre les tribus. Selon les mérites de chaque tribu et de chacun, ce partage est assuré par la distribution de lots, dont le secret, appartenant à Dieu et, de ce fait, ignoré des hommes, s'apparente à un tirage au sort, expression que le texte latin ne craint pas d'employer, mais dont la résonance païenne est neutralisée par l'addition de la considération des mérites. Dieu mesure tout au mérite et nous les hommes, nous sommes priés de respecter les choix de Dieu, y compris ceux qui regardent les individus, § 2,2.

Une des dispositions divines concernant les tribus a été de réserver les banlieues et les abords des remparts aux prêtres. Origène ne s'explique pas là-dessus, pas plus que ne le fait la Bible. Il mentionne donc la chose et s'en vient sans plus aux villes de refuge, § 2,3. On sait qu'elles devaient accueillir les meurtriers, par crainte de vengeance avant qu'un jugement ait été rendu. Origène est peu explicite sur cette question : il distingue avec l'Écriture entre les assassins avérés et les homicides involontaires. Mais la valeur de la vie humaine, que connote une institution comme celle des villes refuges, ne l'effleure même pas. Nous y saisirions, à travers la procédure des tribunaux, le degré de respect où l'on tenait la personne humaine. Cela, qui situe une époque, n'a pas l'air de l'intéresser. Il est plus important à ses yeux de savoir que nous pourrons jouir du face à face dans les réalités célestes, § 3,1.

Cependant, entre les lieux habités sur la terre, il en est d'agréables et d'autres moins avenants. Comme il en sera de même dans la vie céleste, il faut faire appel à la justice de Dieu pour la répartition.

Or cette justice s'est déjà exercée lors du partage de la terre entre les fils d'Adam. Origène rappelle le texte bien connu de *Deut.* 32, 8 : « Quand Dieu dispersa les fils d'Adam, il fixa les limites des peuples ... ». C'était le passé, qu'en sera-t-il de l'avenir ? Dieu organisera le monde, pas seulement à cause des mérites des fils d'Adam, mais à cause du nouvel Adam, le Christ, en qui tout héritage prend allure de vie nouvelle, puisque le Christ a dit : « Père, je veux que là où je suis, ceux-là aussi soient avec moi », § 4,1-3. Il n'y a pas plus heureuse part d'héritage dans la Terre Promise.

HOMILIA XXVIII

Quae sit Terrae Sanctae descriptio
terminorumque eius et finium

1, 1. Vltima in libro *Numerorum* historia refertur in qua
Dominus iubet Moysi *praecepta dare filiis Israel,* ut cum
ingressi fuerint Terram Sanctam ª, capere hereditatem eius
4 sciant, quos in ea terminos finium suorum debeant obseruare. Et post haec iam ipso Domino describente dicitur :
ad Africum quidem, hoc est ad Occidentem, illius loci ter-
minus obseruetur et illius *ad Orientem,* et sic per quattuor
8 caeli plagas nomina quaedam Dominus ipse designat, quae
in Iudaea ista terrena populus Dei debeat custodire.

Dicet ergo in his simplicior quique auditorum quia possunt haec necessaria uideri et utilia etiam secundum litteram,
12 pro eo ut nemo transgrediatur terminos per praeceptum
Domini constitutos et fines alterius tribus alia uiolare non

---

1. a. Nb 34, 2

1. Ce premier paragraphe est le résumé du texte de *Nombres* 34, 1-15.
Il est question des frontières de la Terre Promise et des tribus qui vont s'y
établir. Mais deux notions doivent être présentes à l'esprit du lecteur :
1°) les deux tribus et demie de Ruben, Gad et la demi-tribu de Manassé
restent de l'autre côté du Jourdain (voir *Nb* ch.32, pour en démêler les
motifs), et 2°) le mode de distribution des territoires, selon la Bible, est le
tirage au sort. On pense alors au hasard. Comme il n'en est rien dans la
pensée d'Origène, il faut utiliser le mot de 'tirage au sort' en lui donnant
son sens origénien, que nous avons déjà rencontré au cours de l'Homélie
21, et qui se découvre facilement ici, quand on constate que pour éviter

HOMÉLIE XXVIII

Délimitation de la Terre Sainte

Le sens littéral : des frontières à respecter   **1, 1.** La dernière histoire [1] rapportée au *Livre des Nombres* est celle où le Seigneur enjoint à Moïse de « donner des ordres aux fils d'Israël [a] » pour que, une fois entrés dans la Terre Sainte, ils soient à même de prendre possession de l'héritage qu'il leur donne et d'y établir les limites de leur territoire telles qu'ils doivent les respecter. Après quoi, le Seigneur lui-même traçant la frontière, l'Écriture rapporte : du côté de l'Africus [2] — c'est-à-dire de l'Occident —, on devra respecter la frontière de tel lieu, et du côté de l'Orient, de tel lieu ; et de la même façon, aux quatre régions du ciel, le Seigneur lui-même nomme les lieux que doit respecter ici-bas dans la Judée terrestre le peuple de Dieu.

Les auditeurs les moins avertis sur ce sujet diront qu'on peut considérer ces indications comme nécessaires et utiles, même selon la lettre : car il s'agit que personne ne franchisse les bornes établies par ordre du Seigneur et qu'aucune tribu ne prenne l'audace de violer les frontières d'une autre tribu.

---

l'idée de hasard, le texte latin a atténué la portée païenne du mot *sors* en lui ajoutant une définition, tout à fait libre : *id est meritorum contemplatione,* « c'est-à-dire en considération des mérites », cf. l. 74, 76-82, 128, etc. ; de la sorte la *iustitia Dei* est sauve et le mot *sors* du latin peut être justifié. Voir *infra*, p. 360, n. 1.

2. L'*Africus* est le vent du Sud-Ouest.

audeat. Et quid faciemus, cum in terris istis, non solum inua-
dendi alterius fines, Iudaeis, sed qualitercumque possidendi
16 facultas nulla remanserit ? Profugi namque ab ea et extorres
exsulant et fines, non quos lex diuina statuit, nunc possi-
dentes custodiunt, sed quos uictorum iura mandarunt.
Quid, inquam, nos faciemus, qui haec in Ecclesia legimus ?
20 Si secundum Iudaeorum sensum legamus, superflua nobis
profecto uidebuntur et inania.

1, 2. Sed ego, qui lego de *Sapientia* scriptum : *Exi post
eam sicut uestigator* [b], uolo *exire post ipsam* et quia in rebus
24 eam corporalibus non inuenio, insequi eius uestigia cupio et
inuestigare quo eat ac uidere intellectus meos ad quae cubi-
lia pertrahat. Puto enim quod si diligenter eam sequi
potuero et inuestigare uias eius, dabit mihi aliquas occa-
28 siones ex Scripturis, quomodo etiam de his locis nos explicare debeamus, si credimus his quae Paulus in mysterio
loquitur, quod qui per legem deseruiunt, *umbrae et imagini
deseruiunt caelestium* [c]. Et si secundum ipsius nihilominus
32 sententiam *lex*, cuius pars est haec lectio quam habemus in
manibus, *umbram habet futurorum bonorum* [d], consequens
uidetur et necessarium omnia quae quasi de rebus terrenis
describuntur in lege, umbras esse bonorum caelestium,
36 omnisque hereditas terrae illius quae in Iudaea *terra sancta* [e]
et *terra bona* [f] appellatur, *imago* sit *bonorum caelestium*,
quorum haec, ut diximus, quae in terris bona memorantur,
umbram atque imaginem teneant.

b. Si 4, 22   c. cf. He 8, 5   d. cf. He 10, 5   e. cf. Ex 3, 8
f. cf. Dt 8, 7

1. La Palestine est depuis longtemps une conquête de Rome et relève
du Droit romain. Mais la plus grande partie de sa population, qui n'a pas
perdu le sens de son appartenance judaïque, vit en exil, dispersée dans
les pays environnants, spécialement à Alexandrie. Origène, témoin de
cette diaspora, n'a pas beaucoup d'effort à faire pour l'évoquer dans son
homélie.

Or, que faire maintenant qu'il ne reste plus aux Juifs, dans ce pays, aucune capacité non seulement d'empiéter sur le territoire les uns des autres, mais même de rien posséder à quelque titre que ce soit ? Car, bannis de leur pays, les Juifs vivent en exil et possèdent actuellement non point le territoire octroyé par la Loi divine, mais celui que leur assignent les droits du vainqueur [1]. Que devons-nous faire, dis-je, nous, membres de l'Église, à cette lecture ? Si nous la comprenons au sens des Juifs, il est évident qu'elle nous paraîtra inutile et vaine.

Le sens spirituel :
les biens terrestres
image des biens célestes

1, 2. Mais moi, qui lis ce qui est écrit de la *Sagesse* : « Mets-toi à sa poursuite comme un chasseur [b] », je veux la poursuivre, et puisque je ne la trouve pas parmi les choses corporelles, je désire m'appliquer à ses traces, chercher où elle va et voir en quel gîte elle entraîne mes interprétations. Je pense en effet que lorsque je me serai appliqué à sa poursuite et que j'aurai trouvé ses chemins, elle me fournira, dans les Écritures, des lectures appropriées à la manière dont nous devons expliquer ces passages, en conformité avec les mystérieuses paroles de Paul, disant que ceux qui rendent un culte sous la Loi, le font « en ombre et en image des réalités célestes [c] ». Et si la Loi, dont fait partie la lecture que nous avons en main, contient — toujours selon la pensée de Paul — « l'ombre des biens à venir [d] », il faut obligatoirement conclure que tous les objets, décrits par la Loi comme objets terrestres, sont « ombres des biens célestes », — et que tout héritage de cette terre de Judée, qu'on appelle « terre sainte [e] » et « terre bonne [f] », est « image des biens célestes » — et que ceux-ci ont pour ombre et pour image, nous l'avons dit, les objets que nous mentionnons sur terre comme des biens.

40   **2, 1.** Sed ut paululum et meus sermo et uestra intellegentia sublimetur atque ingressum quendam ad ea quae dicimus aduertenda concipiat, utamur aliqua similitudine.
Nemo dubitat quod in terra Iudaea omnis locus, omnis
44   mons, omnis ciuitas et uicus certis quibusque uocabulis
designetur ; nec est ullus omnino sine nomine locus, sed
propriis singula quaeque appellationibus designantur ; uerbi
gratia, quibus aut Chananaei in suis locis aut Pheresaei nihi-
48   lominus in suis Amorrhaeique aut Euaei uel etiam Hebraei
nominarunt.

Ita ergo secundum sententiam Pauli, qua *umbram et
exemplar caelestium* [a] dicit esse terrena, fortasse et in cae-
52   lestibus regionibus erunt locorum differentiae non minimae,
uideris quibus uel quorum appellationibus uocabulisque
distinctae, et nomina non solum plagarum caeli, sed etiam
omnium stellarum siderumque signata. *Qui enim fecit mul-
56   titudinem stellarum* — ut ait propheta — *omnibus iis
nomina uocat* [b]. De quibus nominibus plurima quidem in
libellis qui appellantur Enoc secreta continentur et arcana ;
sed quia libelli ipsi non uidentur apud Hebraeos in auctori-
60   tate haberi, interim nunc ea quae ibi nominantur ad exemplum uocare differamus, sed ex his quae habemus in manibus de quibus dubitari non potest, rerum persequamur
indaginem.

64   **2, 2.** Describitur ergo uerbis Dei in lege diuina terra
Iudaeae et haec referri debere dicitur ad *imaginem caelestium.* In caelis autem euidenter esse *Hierusalem* ciuitas pro-

---

2. a. cf. He 8, 5   b. Ps 147, 4

---

1. Les *Livres d'Hénoch*. Cet Hénoch est cité comme personnage dans
He 11,5, et comme auteur d'une prophétie dans *Jude* 14-16. Les 'petits
Livres d'Hénoch', entièrement apocryphes, sont arrivés jusqu'à nous diversement, soit en éthiopien (cinq livres), soit en hébreu, soit en langue slave,
soit même (fragments à Qumrân) en grec. Hénoch a voyagé de la terre au

Du rôle des noms propres dans la géographie céleste 2, 1. Mais afin de relever un peu le niveau de mon discours et celui de vos pensées, et pour vous introduire à l'étude des objets dont nous parlons, prenons une comparaison. Chacun sait qu'en Judée, tout lieu, toute montagne, toute ville, tout village, est désigné par une appellation déterminée. Il n'y a pas de lieu anonyme ; chaque lieu porte un nom propre. Les Chananéens, par exemple, en ont donné un aux localités de leur pays, les Phéréséens également à celles du leur, et les Amorrhéens, les Hévéens ou encore les Hébreux ont fait de même.

Ainsi donc, dans la pensée de Paul, « les choses terrestres sont l'ombre et la copie des réalités célestes [a] ». Il se pourrait que les régions célestes comportent aussi des distinctions non négligeables entre les lieux. Reste à savoir de quelles appellations et du nom de qui elles sont désignées et quels sont les noms assignés non seulement aux régions du ciel, mais encore à toutes les étoiles et à tous les astres. Car « Celui qui a fait la multitude des étoiles, comme dit le prophète, leur a donné des noms à toutes [b] ». Sur ces noms, les petits écrits dits Livres d'Hénoch [1] contiennent quantité de détails secrets et mystérieux, mais comme ces livres ne paraissent pas avoir d'autorité auprès des Hébreux, remettons à plus tard, pour le moment, de citer en exemple les appellations qu'on y trouve. Poursuivons nos investigations avec le livre que nous avons en main et dont on ne peut contester l'autorité.

La Judée céleste esquissée dans le *Livre des Nombres* 2, 2. Donc les paroles de Dieu, dans la Loi divine, décrivent la terre de Judée et il est dit que cette description doit être mise en rapport avec l'image des réalités célestes. Or dans les cieux, il est

---

ciel et aux enfers pour y porter le message de son Apocalypse ; d'où la remarque d'Origène sur l'abondance de détails secrets, mais aussi sa perplexité sur leur validité.

nuntiatur ab Apostolo et *mons Sion* ᶜ. Consequens igitur est
68 ut, sicut sunt etiam aliae ciuitates circa Hierusalem terrenam
sitae et uici et diuersae quaeque regiones, ita et illa *caelestis
Hierusalem* secundum imaginem terrenorum habeat circa se
et alias ciuitates ac uicos diuersasque regiones, in quibus
72 populus Dei et uerus Israel per Iesum uerum — cuius ille
Iesus Naue ferebat imaginem —, collocandus est quandoque
et hereditatem sortis distributione, id est meritorum
contemplatione, capturus.

76   Si ergo nunc Dominus dicit in distributione terrae, uerbi
gratia, terminos tribus illius esse istos et alterius alios, ne
forte, quoniam diuersa erunt merita eorum qui hereditatem
consecuturi sunt regni caelorum, idcirco etiam in his tribu-
80 bus obseruanter dirimi iubetur ista distinctio terminorum,
ut sciamus has esse meritorum differentias obseruandas in
unoquoque.

Verbi gratia, qui ita neglegenter uixerit ut pro fide qui-
84 dem sua mereatur haberi inter filios Israel, pro neglegentia
uero uitae gestorumque desidia in tribu *Ruben aut Gad aut
dimidia tribu Manasse* debeat reputari et non intra
Iordanen, sed extra eum sortem hereditatis excipere. —
88 Alius uero, qui se emendatione uitae et conuersatione
propositi talem reddiderit, ut secundum quas solus Deus
nouit rationes, aut in tribu Iuda aut etiam in tribu Beniamin,

---

c. cf. He 12, 22

1. Origène est revenu plusieurs fois sur le thème de la Jérusalem céleste
présentée comme modèle de la Jérusalem terrestre. On peut citer quelques
pages du *Traité des Principes*, IV, 3, 8 (*SC* 268, p. 368-373), et, se rappor-
tant de plus près à notre texte, *Hom. in Jos.* XXIII, 4 (*SC* 71, p. 462 s.). Il
faut remarquer que la Jérusalem, du ciel ou de la terre, est la cité principale (métropole) qu'entourent villes et villages secondaires. Dans la car-
tographie origénienne, les éléments secondaires, fournis par la vie présente,
doivent se retrouver dans les cieux ; qu'ils y soient de fait, repose sur la
mention dans l'Écriture des '*villes de Juda*' du *Ps.* 68,36, des '*demeures*' du

clair, selon ce que proclame l'Apôtre, qu'il y a « une cité de Jérusalem et un mont Sion [c1] ». Il découle de là que la Jérusalem céleste, à la ressemblance de la Jérusalem terrestre qui est entourée d'autres villes, villages et de régions différentes, est entourée elle aussi, à l'image des objets terrestres, d'autres villes, villages, et de régions différentes. Le peuple de Dieu, véritable Israël, doit y être installé par le véritable Jésus — dont Jésus Navé était l'image —, et y prendre possession, un jour, du lot d'héritage que le sort lui assigne, c'est-à-dire de celui qui correspond à ses mérites.

Si donc maintenant, le Seigneur, au partage de la terre, dit, par exemple, que telles frontières sont assignées à telle tribu, et telles autres à une autre tribu, c'est sans doute à cause de la différence de mérites entre ceux qui vont obtenir l'héritage du Royaume des Cieux. Et si, pour la même raison aussi, il est enjoint à ces tribus de respecter soigneusement cette délimitation de frontières, c'est pour nous enseigner à respecter, en chaque homme, la différence des mérites.

Prenons, par exemple, celui qui a vécu dans l'indifférence et à qui sa foi, d'une part, pourrait lui permettre d'être compté au nombre des fils d'Israël ; sa négligence, d'autre part, et sa paresse pour les bonnes œuvres doivent le faire compter dans la tribu « de Ruben [2], de Gad ou dans la demi-tribu de Manassé » et il tirera au sort son lot d'héritage non pas au-delà du Jourdain, mais en deçà. — A l'inverse, prenons cet autre : par la réforme de sa vie et sa bonne conduite, il s'est rendu digne, selon des raisons que Dieu seul connaît, d'être compté dans la tribu de Juda, ou même dans la tribu

---

Père de *Jn* 14,2, ou même de ces 'villes-récompenses', mentionnées *infra* § 4, 2, données au serviteur fidèle en *Lc* 19, 17...

2. Ces deux tribus et demie, qui sont restées à l'Est du Jourdain, cf. *Hom.* XXVI, § 3,3, *supra*, p. 240, n. 2, sont considérées ici comme un frein à l'esprit de conquête des autres tribus. Origène, dans l'exemple qu'il propose, suppose qu'un individu, par solidarité, peut être considéré comme révélant la faute de tous, la nonchalance de la tribu.

in qua ipsa Hierusalem et templum Dei atque altare consis-
92 tit, debeat reputari, et alius in alia atque alius in alia.

Et hoc modo haec quae nunc in libro *Numerorum* scripta
referuntur, adumbratio quaedam sit futurae sortis in caelis,
eorum dumtaxat qui per Iesum Dominum ac Saluatorem
96 nostrum hereditatem, ut diximus, capient regni caelorum.

2, 3. Ibi, credo, diligenter obseruabuntur etiam ista quae
hic adumbrantur priuilegia sacerdotum, quibus uicina
quaeque urbibus loca et ipsis moenibus iuncta segregari
100 mandantur a filiis Israel ᵈ. Ibi, credo, et ciuitates istae erunt
quarum hic figura describitur, quas *refugii* nominat *ciui-*
tates ᵉ, ad quas confugiant non omnes homicidae, sed qui
ignoranter homicidium commiserunt. Sunt enim fortassis
104 aliqua peccata, quae si proposito ac uoluntate committimus,
homicidas nos faciunt ; et sunt alia, quae si ignoranter
admittimus, decernitur nobis, credo, et praeparatur ex praecepto Dei aliquis locus, ubi ad certum tempus habitare
108 debeamus, si qui non uoluntaria peccata commisimus, si
tamen mundi inueniamur et alieni ab iis peccatis quae
uoluntate commissa sunt. Et ob hoc secernuntur quaedam
ciuitates ad refugium.

---

d. cf. Nb 35, 2   e. cf. Nb 35, 11

---

1. *Adumbratio quaedam futurae sortis*, « une esquisse du futur tirage au sort ». Nous avons repris l'image du « tirage au sort dans le ciel », toute provocante qu'elle soit. Origène donne ici une sorte de leçon pour lire le *Livre des Nombres*. Il nous paraît utile, pour ne pas se tromper sur le sens origénien de ces sorts, de rappeler semblable leçon, bien plus explicite, donnée pour le *Livre de Josué*. Là comme ici, c'est le mot κλῆρος/*sors* qui est utilisé en grec/latin, et *sort* en français : cf. *In Jos. Hom.* XXIII, *SC* 71, p. 452-469 (trad. A. Jaubert). Citons quelques textes. « ... Cherchons dans l'Écriture... le sens caché des sorts (p. 453) » — plus loin : « le sort révèle clairement aux hommes les volontés secrètes de Dieu (p. 459) ». Dans cette perspective, Origène peut écrire, ce qui ailleurs serait une énigme : « ...tu le vois, Dieu a tiré au sort sa portion et sa part (*id.*) » qui est Israël. Le mot de sort est ainsi dépouillé de sa puissance aveugle. « Les lieux célestes

de Benjamin, où se dressent Jérusalem elle-même et le temple de Dieu et l'autel. Et ainsi de suite, l'un ici ; l'autre là.

Telle est la façon dont il faut relater les indications actuelles du *Livre des Nombres* ; elles sont comme une esquisse du futur tirage au sort des lots [1] dans les cieux, pour ceux du moins qui, par Jésus notre Seigneur et Sauveur, obtiendront, comme nous avons dit, l'héritage du Royaume des cieux.

La répartition. Les villes de refuge **2, 3.** Là, je crois, seront exactement respectés les privilèges des prêtres esquissés dans ce livre, et d'après lesquels il est recommandé aux fils d'Israël de leur réserver les banlieues des villes et les abords des remparts [d]. C'est là aussi, je crois, que se trouveront ces villes dont l'aspect fonctionnel est décrit ici et que le livre appelle des « villes de refuge [e] ». Ces villes servent de refuge non pas à tous les homicides, mais à ceux qui ont commis un homicide involontaire. Car, peut-être, s'il y a des péchés qui, commis de propos délibéré et par volonté, nous rendent homicides, il y en a d'autres, commis par ignorance, pour lesquels, je pense qu'une prescription de Dieu nous a réservé et préparé un lieu ; nous devrions y demeurer un temps déterminé, si nous sommes de ceux qui ont commis des péchés non volontaires, pourvu toutefois que nous soyons trouvés purs et exempts des péchés volontaires. — Telle est la raison pour laquelle on met à part des « villes de refuge ».

contenaient... la cause et la raison qui réglaient sur la terre la distribution des sorts (*id.*). » — « Les indications du sort révèlent aux hommes ce qui est caché en Dieu (*id.*) ». — Dans « le tirage au sort pratiqué par les enfants d'Israël, une sorte de loi interne attribuait les lots selon le mérite de chacun (*id., Hom.* XXV, 1, p. 479) », plus loin : « un tel sort ne tombe pas au hasard, mais il est dirigé par le concours d'une puissance supérieure » (*ibid.*, p. 483). Rien de païen en ce mystérieux secret de Dieu !

112   Videtur quibusdam quod singulorum quorumque side-
rum positio et coetus ciuitas dici uel haberi possit in caelo ;
quod ego quidem definire non audeo. Video enim omnem
creaturam in spe quidem *propter eum qui subiecit esse*
116 *subiectam* [f], exspectare tamen *libertatem* in redemptione
filiorum Dei [g], sine dubio et praeclarius aliquid ac sublimius
opperiri.

3, 1. Si ergo, ut diximus, *umbram habet lex futurorum*
120 *bonorum* et *exemplari et umbrae deseruiunt caelestium* [a], qui
in lege deseruiunt, et *nunc per speculum et in aenigmate,*
tunc autem facie ad faciem [b] habebitur rerum contemplatio,
credo et quod nunc *conuersationem* dicimur *habere in cae-*
124 *lis per speciem et in aenigmate, tunc autem facie ad faciem,*
qui tamen merebuntur, *conuersationem habebunt in caelis* [c].
Si ergo per consequentiam rerum et promissionum fidem
transferri nos de terris oportet ad caelum, puto quod in ipsis
128 caelestibus locis Iesus noster Dominus, non absque meritorum sorte, unumquemque in illa uel illa caeli parte et habitatione constituat.

3, 2. Sed sicut multa est differentia in terris :
132 — uerbi gratia, habitare in locis fecundis et copiosis ac
bonis omnibus abundantibus, ubi et aeris temperies et eruditio hominum ac liberalia instituta non desunt ;

---

f. cf. Ro 8, 20   g. cf. Ro 8, 21
3. a. cf. He 8, 5   b. cf. 1 Co 13, 12   c. cf. Ph. 3, 20

---

1. Cette allusion à la position des astres qui peuvent former une cité
dans le ciel ne suffit pas pour créditer Origène d'une connaissance astro-
nomique ni même astrologique particulière. Origène avait les connaissances
de son temps ; il pouvait accorder aux astres une sorte de vie ou de liberté
par hypothèse, — n'avait il pas dit dans *CCels.* V, 10 : « à supposer que les
étoiles soient des êtres vivants, raisonnables et vertueux » —, il se confor-
mait au langage de son temps, mais il ne semble pas y avoir adhéré délibérément. On le voit bien ici, où il dit qu'« il n'ose pas en décider, *ego qui-*

Certains pensent que les astres de par leur position particulière et de par leur ensemble peuvent être appelés une
ville [1] ou en former une dans le ciel. Pour moi, je n'ose pas
en décider. Car je vois qu'en espérance « toute créature a été
soumise par l'autorité de celui qui la soumet [f] », qu'elle
attend cependant « la liberté des fils de Dieu dans la rédemption [g] », ce qui est une attente certaine de quelque chose de
plus remarquable et de plus élevé.

3, 1. Si donc, comme nous avons dit, la Loi contient
l'ombre des biens à venir et si ceux qui sont attachés au service de la Loi, sont attachés à une copie et à une ombre des
réalités célestes [a], — et si « les réalités qui se contemplent
aujourd'hui dans un miroir et de manière confuse, doivent
alors être contemplées face à face [b] », je crois également que
nous avons actuellement dans les cieux, selon ce qui nous
est dit, — en un miroir et de manière confuse —, une cité,
mais que cette cité procurera alors à ceux qui le mériteront,
la vision face à face dans les cieux [c]. Si donc, en vertu de la
suite des événements et en nous fiant aux promesses, il nous
faut passer de la terre au ciel, je pense que Jésus notre
Seigneur, non sans avoir eu recours au sort selon les mérites,
établira la demeure de chacun dans les régions célestes, en
telle ou telle partie du ciel.

3, 2. Mais, entre les lieux terrestres, il y a de grandes différences :
— on peut, par exemple, habiter en des pays fertiles,
riches, débordant de toute sorte de biens, où ne font défaut
ni la douceur du climat, ni la science humaine, ni les institutions libérales ;

dem definire non audeo » et qu'il remet à plus tard — on comprend ce que
cela veut dire ! — la discussion sur le sujet. On trouvera une note docu-
mentée sur « Origène et les astres » due à M. Borret, dans *Com. in Cant.*
III, 13, 22, *SC* 376, (note 23 à la p. 782).

— et longe aliud est habitare aut in locis infecundis et
136 rerum penuria squalidis aut aestu torridis aut frigore
geluque torpentibus, — uel certe ubi nullae leges, sed imma-
nis et fera barbaries, ubi bella semper et numquam quies.

Et haec non sine occulta quadam Dei dispensatione et
140 iudicii eius iustitia unicuique decernuntur : ita et in illis locis
erit aliquid tale, ut in nullo prorsus inanis habeatur in terris
umbra caelestium. Erit ergo, ut diximus, et ibi aliqua *ciuitas
refugii* et erit alia in deserto, sicut *Bosor* in hereditate Ruben
144 *ciuitas* esse dicitur *in deserto* [d].

4, 1. Sed et illa nihilominus consequentia capienda est,
quia, si *Deus cum dispergeret filios Adam, statuit fines gentium secundum numerum angelorum Dei* uel — ut in aliis
148 exemplaribus legimus — *secundum numerum filiorum
Israel* [a] in initio mundi et ita *dispersi sunt filii* illius *Adam,*
sicut uel illorum merita uel ipsius Adae contemplatio pos-
tulabat : quid dicemus futurum, cum *nouissimi Adam* — qui
152 non *in animam uiuentem,* sed *in spiritum uiuificantem factus est* [b] — coeperit filios non dispergere, sed dispensare
diuina dignatio, non in initio sed in fine mundi ; et non ut
illos qui *in Adam omnes mortui sunt,* sed ut eos qui *in
156 Christo omnes uiuificati sunt* [c] ? Sine dubio erit quaedam

---

d. cf. Jos 20, 8
4. a. Dt 32, 8   b. 1 Co 15, 45   c. cf. 1 Co 15, 22

---

1. En somme, la cité idéale pour Origène, ce serait : la paix, la douceur
du climat, des concitoyens cultivés, et — à remarquer — des institutions
libérales.

2. La variante est importante. On la trouve dans *Deut.* 32, 8. Elle rapporte le peuple d'Israël à Dieu lui-même, alors que l'autre texte le rapporte
aux anges. On comprend qu'Origène ait à cœur de citer une telle variante,
car pour lui l'Église de Dieu est le véritable Israël. On aura toutes les expli-

— et c'est tout autre chose d'habiter des lieux stériles que la pénurie des choses laisse en état de désolation, des lieux brûlés par le soleil ou engourdis par le froid et le gel, — ou, en tout cas, des lieux sans lois où prévaut une monstrueuse et cruelle barbarie, des lieux de guerres incessantes sans jamais de trêve [1].

Or ce n'est pas sans une certaine répartition secrète de Dieu ni sans son juste jugement, que chacun se voit attribuer son lot. En correspondance de quoi, aux lieux célestes, il y aura quelque chose d'analogue, car il ne faut pas que l'ombre des choses célestes, en aucun endroit de la terre, se révèle comme ombre de rien. Il y aura donc là-bas aussi, comme nous avons dit, une 'ville de refuge', et il y en aura une autre dans le désert, comme il est dit de « Bosor », dans l'héritage de Ruben [d], qu'elle est une 'ville dans le désert'.

Le partage de la terre : en Adam, en le Christ

4, 1. Mais il n'en faut pas moins retenir la suite : « Lorsque Dieu dispersait les fils d'Adam, il fixa les limites des peuples d'après le nombre des anges de Dieu [a] », — ou, comme nous lisons dans une variante, « d'après le nombre des fils d'Israël » au début du monde [2]. Ainsi, la dispersion des fils de l'ancien Adam se fit soit en considération de leurs mérites, soit en considération d'Adam lui-même. Que se passera-t-il dans l'avenir, dirons-nous, lorsque, s'agissant des fils « du dernier Adam », — qui « a été fait non pour être âme vivante, mais pour être un esprit qui donne la vie [b] » — qu'en sera-t-il lorsque la bonté divine commencera non pas à les disperser, mais à les organiser, non plus au commencement du monde, mais à la fin du monde ; et non pas « en tant que tous morts en Adam, mais en tant que tous vivifiés dans le Christ [c] » ? Sans doute, y aura-t-il une certaine division, et une

cations désirables sur le texte de *Deut.* 32, 8 dans *BA* 5, *Le Deutéronome*, p. 325-326 (M. Harl).

diuisio et distributio talis quae non solum pro meritis eorum qui dispensantur, sed et pro *nouissimi Adam,* in quo *omnes uiuificandi* dicuntur, contemplatione pensanda sit.

160   **4, 2.** Sed quis nostrum talis est ut ad huiusmodi distributionem et ad illam caelestis hereditatis sortem uenire mereatur ? Quis ita beatus erit cuius sors in Hierusalem ueniet, ut sit ibi ubi templum Dei est, immo ut ipse sit *Dei*
164   *templum* ᵈ ? Quis ita beatus est ut ibi dies festos agat ubi altare diuinum perpetuis ignibus adoletur ? Quis ita beatus est qui sacrificium suum et incensum suauitatis supra illum ignem ponat de quo dicebat Saluator : *Ignem ueni mittere*
168   *in terram* ᵉ ? Quis ita beatus est qui ibi semper agat Pascha in *loco quem elegit Dominus Deus suus* ᶠ, ibi Pentecostes diem gerat et festiuitatem repropitiationis et tabernaculorum sollemnitatem, non iam per *umbram,* sed per ipsam speciem
172   rerumque ueritatem ?

      4, 3. Quis nostrum dignus habebitur tam beatae sortis electione, cum diuidere Deus coeperit filios *nouissimi Adam,* non cui dicat : *Eris super quinque ciuitates potesta-*
176   *tem habens* ᵍ, aut cui dicat : *Eris super decem ciuitates potestatem habens* ʰ ; nec cui dicat : *Intra in gaudium Domini tui* ⁱ, sed cui dicat : *Sedete et uos mecum super duodecim thronos, iudicantes et uos duodecim tribus Israel* ʲ ? de qui-
180   bus dicat : *Pater, uolo ut ubi ego sum, et ipsi sint mecum* ᵏ ; uolo etiam istos esse reges, ut ego sim *rex regum* ˡ ; uolo et istos habere dominationem, ut et ego sim *Dominus dominantium* ᵐ.

d. cf. 1 Co 3, 16   e. Lc 12, 49   f. cf. Dt 12, 25
g. Lc 19, 19   h. Lc 19, 17   i. Mt 25, 23   j. Mt 19, 28
k. Jn 17, 24   l. cf. Ap 19, 16   m. cf. Ap 19, 16   n. cf. 1 Co 2, 9

répartition qui non seulement satisfera aux mérites de ceux qu'on organise, mais qui tiendra compte aussi du dernier Adam en qui tous doivent, selon l'Écriture, être vivifiés.

4, 2. Mais qui d'entre nous méritera d'accéder à cette distribution et de venir à ce tirage au sort de l'héritage céleste ? Qui aura le bonheur que pour lui le sort tombe sur Jérusalem, qu'il vive à l'endroit même où s'élève le temple de Dieu, bien mieux qu'il soit lui-même « un temple de Dieu [d] » ? Qui aura le bonheur d'y célébrer les jours de fête là-même où l'autel divin fume de feux incessants ? Qui aura le bonheur de mettre son sacrifice et l'encens d'agréable odeur sur ce feu dont le Sauveur disait : « Je suis venu apporter le feu sur la terre [e] » ? Qui aura le bonheur d'y célébrer la Pâque, toujours dans le lieu « qu'a choisi le Seigneur son Dieu [f] » ? d'y célébrer le jour de la Pentecôte, la fête des Expiations, la solennité des Tentes ? et désormais non plus à travers une ombre, mais dans la beauté et la vérité même des choses [1] ?

4, 3. Qui d'entre nous sera jugé digne, à la faveur d'un sort heureux, d'être choisi, quand Dieu se mettra à répartir les fils du « dernier Adam », pour être de ceux à qui il dira, non pas : « Tu auras le pouvoir sur cinq villes [g] », ou : « Tu auras le pouvoir sur dix villes [h] » ; ni non plus : « Entre dans la joie de ton Seigneur [i] », mais : « Asseyez-vous avec moi sur douze trônes, jugeant vous aussi les douze tribus d'Israël [j] » ? pour être de ceux dont il dit : « Père, je veux que là où je suis, ceux-là aussi soient avec moi [k] » ; je veux aussi qu'ils soient des rois, afin que je sois « Roi des rois [l] » ; je veux qu'ils aient la seigneurie, pour que je sois « Seigneur des seigneurs [m] ».

---

1. On reconnaît ici la liste des fêtes étudiées en *Hom.* XXIII.

184   Beati qui ad hanc peruenient beatitudinis summam ; beati qui ad ista conscenderunt fastigia meritorum, et benedictus Deus noster qui haec promisit *diligentibus se* [n]. Hi sunt ipsi uere sacris *Numeris* numerati apud Deum, immo ipsi sunt,
188 quorum *etiam capilli capitis numerati sunt* [o]. Per Iesum Christum Dominum nostrum, *cui est gloria et imperium in saecula saeculorum. Amen* [p].

o. cf. Mt 10, 30   p. cf. 1 P 4, 11

Heureux ceux qui parviendront à ce sommet de la béatitude ! Heureux ceux qui ont gravi le faîte des mérites ! Béni soit notre Dieu qui a fait ces promesses « à ceux qui l'aiment [n] ». Ils sont vraiment, ceux-là, comptés devant Dieu dans les « Nombres » sacrés ; bien mieux, ils sont ceux dont « aussi les cheveux de la tête ont été comptés [o] ».

Par Jésus-Christ notre Seigneur, « à qui appartiennent la gloire et la puissance pour les siècles des siècles. Amen [p]. »

INDEX

INDEX ANALYTIQUE

Les thèmes origéniens abondent : les sous-titres de la Table des matières indiquent le développement de beaucoup d'entre eux. Mais il se trouve aussi qu'Origène ne fait qu'effleurer les idées ; celles-ci s'éteignent en quelque façon aussitôt qu'apparues. A la faveur des mots, idées et expressions de toute sorte — en français — que nous consignons ci-dessous, il sera possible de les rejoindre. — Les trois chiffres renvoient à l'homélie (chiffre romain), à la division traditionnelle (Migne, Baehrens), et au paragraphe de cette division.

Même s'ils paraissent une fois ou l'autre dans la série, nous avons délibérément laissé de côté certaine catégorie de mots — appelons-les librement nomina sacra — *dont la fréquence rend inutile le relevé, ainsi : Apôtre (pour Paul), Christ, Écriture, Église, Évangile, Israël, Moïse, Paul, Peuple de Dieu, Seigneur.*

Rocon, roi, XXV, 3, 1 ; — l'inanité, XXV, 3, 2-3.

Ruben-Gad-Manassé : trio de tribus mises à part pour la distribution, XXVI, 3, 2 ; 4, 2-3 ; XXVII, 2, 2 ; 3, 1.

ruche : ensemble des Écritures, XXVII, 12, 12 ; — aux tentations, *id.*

rudiments : étape nécessaire pour ceux qui tendent à la perfection, XXIV, 1, 1.

Sabbat : occupation du chrétien le jour du —, XXIII, 4, 1 ; rester chez soi le jour du — en gardant justice, vérité, sagesse, XXIII, 4, 2.

Sagesse : source d'interprétation de l'Écriture, XXVIII, 1, 2.

Salomon : s'est laissé séduire par un grand nombre de femmes, XX, 3, 3.

Salphaat : — et ses filles, XXII, 1, 1.

salut : procuré par attirance de Dieu, XX, 3, 8.

Samaritains : nient la résurrection des morts, XXV, 1, 3.

Samuel : XXIV, 2, 5.

Sattim : étape de la fornication, XX, 1, 2 ; 3,1. — a pour sens 'réfutation', XX, 3, 1.

scandale : fournir l'occasion du péché, XXV, 1, 2 ; — puni plus sévèrement que le péché, *id.*

Scénopégie : Voir **Tentes**.

science : de l'harmonie, XXVI, 2, 3.

secrets : — divins de l'âme en marche vers sa perfection, XXVII, 4, 2.

sens : les — de l'homme, au spirituel, symboles des œuvres, XXII, 1, 3.

sens historique : un exemple de texte au — parfaitement clair, XXII, 2, 1.

Séon : XXVI, 3, 3.

Septièmes : fête des —, XXIII, 9, avec la sonnerie des Trompettes, *id.*

serpents : nourriture des cerfs, XXVII, 1, 4.

sobriété : pour la transmission des mystères divins, XXVII, 12, 11.

sort : tirage au — par Jésus/Josué, XXI, 1, 2 ; les dispensés du sort, XXI, 3, 1 ; XXVIII, 2, 2.

souci : de notre salut par Dieu, Père, Fils, Esprit XX, 3, 9.

Sur : roi, XXV, 3, 1.

tentations : accroissent les vertus, XXVII, 5, 2 ; garde et protection de l'âme, XXVII, 12, 5.10.

Tentes : fête des — ou Scénopégie XXIII, 11, 1 ; habitacle détaché de l'âme d'ici-bas, *id.*

Terre : des vivants, XXI, 1, 4 ; XXVI, 5, 4 ; — promise : XXVI, 4, 2. Conditions d'entrée, *id.* 4, 3.

textes : — de l'Évangile, simples, mais chargés de secrets profonds, XXVII, 1, 6.

Trinité : XXI, 2,1.

trompette : signal de guerre, de prédication, d'enseignement, XXVII, 12, 6.

Trompettes : fête des —, faire retentir le trésor des Écritures enfermé dans la mémoire du cœur, XXIII, 9.

Ur : roi, XXV, 3, 1. — l'irritation, XXV, 3, 4.

valeureux : qualité du guerrier et de l'athlète spirituel, XXV, 5, 1.

variété : de la parole de Dieu aliment spirituel, XXVII, 1, 1-2.

vendanges : et moissons décevantes pour Dieu, XXIII, 2, 5.

Verbe : XX, 2, 1. 3. 5 ; XXIII, 6 (*quater*) ; XXIV, 1, 6 ; XXVI, 3, 5 ; 4, 3 ; XXVII, 2, 4 ; 12, 4.

Vierge : XXVII, 3, 2.

ville : de refuge, Bosor, XXVIII, 3, 2.

vision : discerner la nature d'une —, XXVII, 11, 2 ; 12, 2 ; — face à face dans la cité céleste, XXVIII, 3, 1.

vœu : le — d'une âme en état d'homme parfait, vœu libre, XXIV, 3, 2 ; le — d'une femme, vœu en dépendance, XXIV, 3, 1.

voie large : de la perdition, XX, 3, 6.

voile : qui recouvre la lecture de l'A. T., XXVI, 3, 4. 5.

volupté : luxure et débauche, armes de Balach, XX, 1, 4.

voyage : — spirituel doit être accompli sans retard, XXVII, 7.

uanitantium : XXV, 3, 3. Nous substituons cette forme de génitif pluriel, employée par quelques manuscrits, — mais, selon l'apparat critique, écartée par Baehrens —, à la forme inexpliquée *uanitatium*, qu'on lit dans les *GCS*, p. 236, ligne 15. On peut remarquer que la forme *uanitatium* a été acceptée par L. VERHEIJEN chez AUG. *Conf.* VIII, 11, 26 (*CCL* 27, p. 129).

INDEX SCRIPTURAIRE

Les italiques signalent une simple allusion scripturaire.

TABLE DES MATIÈRES

HOMÉLIE XXII : Les filles de Salphaat.
Installation de Josué, successeur de Moïse

HOMÉLIE XXIII : Sur ce texte :
« Mes présents, mes dons » et sur les différentes fêtes

HOMÉLIE XXIV : Les sacrifices. Les vœux

HOMÉLIE XXV : Revanche sur les Madianites

HOMÉLIE XXVI : Après le combat l'héritage de la terre au-delà du Jourdain

HOMÉLIE XXVII : Les étapes des fils d'Israël

HOMÉLIE XXVIII : Délimitation de la Terre Sainte

SOURCES CHRÉTIENNES

Fondateurs : † H. de Lubac, s.j.
† J. Daniélou, s.j.
† C. Mondésert, s.j.
Directeur : J.-N. Guinot

Dans la liste qui suit, dite « liste alphabétique », tous les ouvrages sont rangés par nom d'auteur ancien, les numéros précisant pour chacun l'ordre de parution depuis le début de la collection. Pour une information plus complète, on peut se procurer au secrétariat de « Sources Chrétiennes », 29, rue du Plat, 69002 Lyon (France), Tél. : 04 72 77 73 50, deux autres listes :
1. la « liste numérique », qui présente les volumes et leurs auteurs actuels d'après les dates de publication ; elle indique les réimpressions et les ouvrages momentanément épuisés ou dont la réédition est préparée.
2. la « liste thématique », qui présente les volumes d'après les centres d'intérêt et les genres littéraires : exégèse, dogme, histoire, correspondance, apologétique, etc.

LISTE ALPHABÉTIQUE (1-461)

SOUS PRESSE

CLÉMENT D'ALEXANDRIE, **Stromate IV.** A. Van Den Hoek.
CYPRIEN DE CARTHAGE, **A Démétrien.** J.-C. Fredouille.
EUSÈBE, **Apologie pour Origène.** R. Amacker, É. Junod.
HILAIRE DE POITIERS, **La Trinité.** Tome III. G. M. de Durand (†),
  Ch. Morel, G. Pelland.
Livre d'heures ancien du Sinaï. M. Ajjoub.

PROCHAINES PUBLICATIONS

Les Apophtegmes des Pères. Tome II. J.-C. Guy (†).
ARISTIDE, **Apologie.** B. Pouderon.
BARSANUPHE ET JEAN DE GAZA, **Correspondance.** Volume III. P. De
Angelis-Noah, F. Neyt, L. Regnault.
FACUNDUS D'HERMIANE, **Défense des trois chapitres.** Tome I. A. Fraïsse.
GRÉGOIRE LE GRAND (PIERRE DE CAVA), **Commentaire sur le
Premier Livre des Rois.** Tome V. A. de Vogüé.

REIMPRESSIONS REALISEES EN 2000

1 bis.   GRÉGOIRE DE NYSSE, **Vie de Moïse.** J. Daniélou.
28 bis.   JEAN CHRYSOSTOME, **Sur l'incompréhensibilité de Dieu.**
          J. Daniélou, R. Flacelière, A.-M. Malingrey.
57. 1.   THÉODORET DE CYR, **Thérapeutique des maladies hellé-
          niques.** Tome I (Livres I-VI). P. Canivet.
71.   ORIGÈNE, **Homélies sur Josué.** A. Jaubert.
78.   GRÉGOIRE DE NAREK, **Le Livre de Prières.** I. Kechichian.
79.   JEAN CHRYSOSTOME, **Sur la providence de Dieu.**
          A.-M. Malingrey.
167.   CLÉMENT DE ROME, **Épître aux Corinthiens.** A. Jaubert.
199.   ATHANASE D'ALEXANDRIE, **Sur l'incarnation du Verbe.**
          C. Kannengiesser.
204.   LACTANCE, **Institutions divines, Livre V.** Tome I. P. Monat.

REIMPRESSIONS PREVUES EN 2001

31.   EUSÈBE DE CÉSARÉE, **Histoire ecclésiastique.** Tome I (Livres
          I-IV). G. Bardy.
35.   TERTULLIEN, **Traité du baptême.** M. Drouzy, R. F. Refoulé.

Également aux Éditions du Cerf

LES ŒUVRES DE PHILON D'ALEXANDRIE
publiées sous la direction de

R. ARNALDEZ, C. MONDÉSERT, J. POUILLOUX.
Texte original et traduction française.

COMPOGRAVURE
IMPRESSION, BROCHAGE
IMPRIMERIE CHIRAT
42540 ST-JUST-LA-PENDUE
MAI 2001
DÉPÔT LÉGAL 2001 N° 2071
N° ÉDITEUR 11426

IMPRIMÉ EN FRANCE